LA DIRECCIÓN EFICIENTE

EDUARDO BUENO CAMPOS
CATEDRÁTICO DE ECONOMÍA DE LA EMPRESA
EN LA UNIVERSIDAD AUTÓNOMA DE MADRID

PATRICIO MORCILLO ORTEGA
PROFESOR TITULAR DE ORGANIZACIÓN DE EMPRESAS
EN LA UNIVERSIDAD AUTÓNOMA DE MADRID

LA DIRECCIÓN EFICIENTE

Ediciones Pirámide, S. A. - Madrid

COLECCIÓN "EMPRESA Y GESTIÓN

DIRECTOR DE LA COLECCIÓN:
Eduardo Bueno Campos
Catedrático de Economía de la Empresa
de la Universidad Autónoma de Madrid

Diseño de cubierta: González Adalid, S. A.

Segunda edición ampliada

Telémaco, 43. 28027 Madrid
Depósito legal: M. 9.364-1993
ISBN: 84-368-0749-9
Printed in Spain
Impreso en Lavel, S. A.
Los Llanos, nave 6. Humanes (Madrid)

A las empresas españolas, con la confianza de que sus estrategias actuales alcancen el éxito.

A nuestros alumnos, sin los que esta obra hubiera sido una tarea más difícil.

Índice

PARTE SEGUNDA
El éxito de las estrategias de crecimiento y de internacionalización

PARTE CUARTA
Conclusiones

Introducción

La publicación de este libro tiene para nosotros un significado muy especial; primero, por su posible valor intrínseco, y segundo, por lo que representa a nivel personal y funcional. Como valor intrínseco, creemos que es el primer trabajo que de esta naturaleza se publica en España, al menos como volumen exclusivamente de casos de empresas españolas[1]. Aportación que estimábamos necesaria en nuestro ámbito profesional y de gran interés en estos momentos para los que se preocupan por el devenir de nuestra economía, y que ahora presentamos en su segunda edición.

La segunda valoración, personal y funcional, también la sentimos importante, ya que estas páginas son el primer homenaje público a una labor de muchos años, de muchos cursos académicos de trabajos monográficos de nuestros alumnos de especialidad (de último año de licenciatura) y de posgrados (de los Programas Master). Tarea sorda dirigida por nosotros dos, y que nos ha permitido disponer de una gran base de datos, muy rica en información, en sucesos y matices que hemos explotado en una primera versión. En el futuro seguiremos publicando nuevos casos de empresas y seguiremos completando los ya publicados.

La mayor dificultad ha sido tener que sintetizar centenares de páginas y multitud de datos originales de los trabajos de base, de la información, a veces heterogénea, que hemos ido acumulando en el tiempo, en unas pocas páginas y en unos gráficos y cuadros concretos. Por ello, pedimos disculpas al lector por si, en ocasiones, parece que hemos hurtado datos y cifras, pero la mayoría de las veces lo hemos hecho de forma deliberada con el fin de aligerar el contenido y hacer más atractiva la lectura del caso.

Los casos presentados quieren ser un exponente de cómo las empresas españolas han llevado a cabo una dirección estratégica en términos

[1] Dos casos de empresas españolas aparecen incluidos en el libro de Bueno, E.: *Dirección estratégica de la empresa,* 3.ª ed., Pirámide, Madrid, 1991.

de eficiencia o de excelencia. Empresas que han destacado en estos últimos años y serán protagonistas en los próximos, afrontando con garantías evidentes el reto del año 1993 y sucesivos.

Queremos salir al paso de la fácil crítica de por qué estas empresas y no otras. No están todas las que son, pero las que aparecen sí son empresas a las que con facilidad todos podemos señalar como aquellas a las que acompañó el éxito de forma muy destacada, aunque alguna, en estos momentos, esté pasando dificultades financieras y un proceso de reorientación estratégica, como es el caso de la empresa de «Lois», Sáez Merino, S. A. De todas formas, estas empresas han sido seleccionadas siguiendo un criterio que pretende responder a tres planteamientos estratégicos importantes: *a*) empresas que han logrado éxito sobre la base de sus estrategias de crecimiento (por ejemplo, Campofrío, Chupa Chups, Dragados y Construcciones, Pedro Domecq, Freixenet, Alsa, Construcciones y Contratas, El Corte Inglés y Ceselsa); *b*) empresas que destacan por su éxito en los mercados internacionales gracias a su clara orientación internacional (por ejemplo, Campofrío, Chupa Chups, Pedro Domecq, Freixenet, Alsa y las «empresas de Lois»), y *c*) empresas que, independientemente de su crecimiento, destacan por haber atravesado determinados problemas estratégicos y que han sabido superar con éxito los mismos gracias a su estrategia de reestructuración (por ejemplo, Amper, Camp y las «empresas de Lois»). Como antes decíamos, en próximos trabajos iremos mostrando otras empresas españolas con el mismo grado de eficiencia. Las que aquí aparecen se justifican mayoritariamente, por la sencilla razón de disponer de sus datos y haber terminado con cierto significado el contenido de lo que puede considerarse como un caso empresarial.

Otro aspecto que también queremos dejar muy claro es que las empresas que se comentan son compañías netamente españolas, salvo Pedro Domecq, en que participa capital extranjero, es decir, de propiedad de capital nacional, al menos en el momento en que dimos por terminado el caso, fecha que fue la de septiembre de 1992. Hay que aclarar que se sigue manteniendo en esta segunda edición del libro el caso de Camp, S. A., a pesar de pasar su capital a manos extranjeras, después de haber aparecido en la primera edición, por el interés de su planteamiento estratégico antes de su última reestructuración. Esta característica de propiedad limita bastante las posibilidades de elección, dado que en estos años recientes es cada vez más normal la venta de empresas o de paquetes importantes de capital a otras empresas o inversores extranjeros, empresas que en muchas ocasiones tienen una situación económica saneada y presentan buenas expectativas de rentabilidad.

El cuadro 0.1 pretende mostrar al lector unos datos básicos que justifiquen nuestra elección de empresas. Estos datos, así como los que han sido utilizados como último ejercicio por los casos estudiados, hacen referencia a 31 de diciembre de 1990; fecha que ha permitido poder armonizar y comparar toda la información disponible sobre las empresas analizadas. En este sentido, la primera observación que podemos efectuar concierne a la clasificación sectorial de las firmas analizadas. De acuerdo con la actual estructura industrial de España, predominan compañías integradas en sectores tradicionales, intensivos en mano de obra, y en los cuales prevalece una fuerte competencia internacional. No obstante, no queremos caer en la fácil tentación que tienen ciertos economistas de categorizar a las empresas en función del sector al que pertenecen, pues entendemos que a priori no existen sectores buenos y malos, sino empresas buenas y malas, aunque, eso sí, el ámbito sectorial determina una serie de restricciones y condicionantes que afectan al comportamiento de las firmas. Y en este caso concreto no cabe duda que estamos en presencia de empresas muy competitivas, independientemente de la evolución de su sector principal de pertenencia.

En segundo lugar, conviene destacar que las cifras de ingresos anuales de estas empresas registran unas tasas de crecimiento muy superiores a las alcanzadas por las demás compañías del sector. Para comprobarlo basta con fijarse en los números de orden que figuran en las columnas de la clasificación sectorial. Éstos demuestran que las empresas estudiadas mejoran o refuerzan su posición competitiva en detrimento de sus competidores y tienden a convertirse en líderes de sus sectores respectivos.

Por último, la clasificación nacional de las empresas ofrece datos aparentemente contradictorios, que, al ser convenientemente analizados, en realidad no lo son. Por una parte, tenemos empresas que mejoran su posición tanto a nivel sectorial como a nivel nacional (El Corte Inglés, Dragados y Construcciones, Hipercor, Pedro Domecq, Construcciones y Contratas, Alsa y Amper), o sea, empresas que pertenecen a sectores en crecimiento, donde se están llevando a cabo importantes estrategias de desarrollo para explotar fundamentalmente oportunidades de mercado. Por otra parte, tenemos las empresas restantes del conjunto presentado que, por el contrario, no ven refrendado su avance sectorial a nivel nacional. Aquí, a nuestro juicio, caben de forma alternativa varias explicaciones. La primera, que en estas industrias el tamaño medio de las empresas es relativamente pequeño por ser sectores con una estructura empresarial atomística. La segunda, que son actividades con modestas tasas de crecimiento por no existir una demanda potencial insatisfecha. Y la tercera, que son actividades maduras y que, por con-

CUADRO 0.1

El posicionamiento de las empresas analizadas al 31-12-1990

Empresas analizadas [1]	Sector de actividad	Evolución de las ventas (en millones de ptas.)			Clasificación sectorial según ventas			Clasificación nacional según ventas			Plantilla 1990
		1986	1988	1990	1986	1988	1990	1986	1988	1990	
El Corte Inglés	Grandes almacenes	334.327	475.282	662.621	1	1	1	3	2	2	39.177
Dragados y Construcciones	Construcción e inmobiliarias	134.907	156.275	259.889*	1	1	1	22	23	17	13.993
Hipercor	Grandes almacenes y cadenas alimentarias	23.644	50.986	119.791	9	6	6	159	93	38	5.522
Pedro Domecq	Bebidas (vinos, licores y brandies)	22.826	26.486	111.959*	4	2	1	166	226	42	3.931
Construcciones y Contratas	Construcción e inmobiliarias	26.077	47.251	86.590	11	9	8	145	102	60	3.692
Amper	Electrónica	9.609	16.276	49.782*	8	8	4	489	392	108	4.354
Conservera Campofrío	Alimentación (cárnicos y avícolas)	28.660	32.613	40.854	2	1	1	122	166	149	2.159
Camp	Perfumería y deterg.	24.356	30.993	29.450	3	3	2	156	181	237	374
Freixenet	Bebidas (cava)	19.112	22.048	28.400	1	1	1	216	279	250	698
Sáez Merino	Confección	11.325	14.000	16.553	—	—	2	—	—	462	1.422
Ceselsa*	Electrónica	7.100	10.776	14.023	—	—	8	—	—	568	1.230
Chupa Chups*	Alimentación (dulces y caramelos)	8.200	9.480	11.540	65	—	66	—	—	709	850
Automóviles Luarca (Alsa)	Transportes	2.400	3.400	6.830*	1	1	1	2.046	2.082	1.279	500

FUENTE: Elaboración propia a partir de los datos de *Fomento de la Producción*, años sucesivos.
[1] Datos, en general, no consolidados y relativos, en su caso, a las sociedades matrices.
* Datos consolidados del grupo de sociedades.

siguiente, el crecimiento implicaría que las empresas tuviesen que emprender una estrategia de diversificación total. A este respecto, señalemos que si hubiésemos tomado en consideración, en todos los casos, el conjunto de sociedades controladas por las empresas objeto de nuestro análisis, los grupos en cuestión hubiesen ocupado puestos mucho más relevantes.

Con el fin de aportar más información que pueda relacionarse con el pretendido posicionamiento y tamaño efectivo de algunas de estas empresas, se ofrecen en el cuadro 0.2 datos del ejercicio 1990 de sociedades vinculadas a las empresas analizadas, pero cuya información no ha sido consolidada.

Este libro se estructura en cuatro partes. La primera trata de presentar los fundamentos de lo que entendemos por *dirección eficiente.* Parte que se compone de dos capítulos; el primero introduce el concepto que titula la obra y el segundo analiza los diferentes factores del éxito empresarial, tanto en lo que se han considerado en la literatura especializada como respecto a los que proponemos como hipótesis a contrastar con los casos empresariales estudiados. Estos factores de éxito, externos e internos, son comentados en cada uno de los capítulos sobre las empresas analizadas, de manera que se puedan identificar cuáles han sido las bases para alcanzar su posición competitiva, tanto nacional como, en su caso, internacional.

La parte segunda comprende nueve capítulos, correspondientes a otras tantas empresas españolas. Parte que aborda el papel en el éxito de las estrategias de crecimiento y de internacionalización llevadas a cabo, en estos últimos años, por dichas compañías. En concreto, se estudian en los capítulos 3 a 11, inclusives, los casos siguientes: Conservera Campofrío, Dragados y Construcciones, Chupa Chups, Pedro Domecq, Freixenet, Automóviles Luarca, S. A. (Alsa), Construcciones y Contratas, El Corte Inglés-Hipercor y Ceselsa. Hay que mencionar que el capítulo 10 tiene dos partes, correspondientes a dos importantes sociedades del mismo grupo empresarial: la matriz El Corte Inglés, S. A., y su filial más importante, Hipercor, S. A.

La parte tercera se compone de tres capítulos, 12 al 14, en los que se pretende presentar tres casos de estrategias de reestructuración. En concreto, se trata de los cambios habidos en su estructura económica y financiera y en la nueva orientación estratégica de las empresas Amper, Camp y de las vinculadas a la marca «Lois», empresas, estas últimas, que están viviendo el «fracaso de su éxito», tal y como quedará expuesto más adelante, pero que podrían nuevamente volver a la senda de su *dirección eficiente.*

Por último, en la parte cuarta, con un solo capítulo, el 15, se pre-

CUADRO 0.2

Datos económicos en 1990 de las sociedades principales de los grupos empresariales

Empresa analizada	Sociedades del grupo	Sectores de actividad	Ventas (mill. ptas.)	Plantilla	Propiedad (%)	Clasificación nacional según ventas
El Corte Inglés	Viajes El Corte Inglés	Hosteler. y tur.	40.509	850	100	152
	Industrias y Confecciones	Confección	38.924	4.606	[1]	161
	Investrónica	Informática	15.200	320	[2]	507
	Informática El Corte Inglés	Informática	12.616	100	100	643
	Móstoles Industrial	Madera y mue.	12.040	730	[1]	680
Construcciones y Contratas	Fomento de Obras y Construc.	Construc. e In.	174.176	16.828	50,26	28
	Portland Valderribas	Cemento	19.729	600	47	390
Amper	Amper Cial. de Serv. Electr.	Electrónica	8.500	1.250	100	987
	Amper Servicios	Electrónica	4.300	970	100	2.001
	Amper Elosa	Electrónica	4.050	480	100	2.133
C. Campofrío	Navidul	Alimentación	14.500	650	50	544
Lois	Textiles y Confecciones Europeas	Confección	6.000	1.000	[3]	1.440

FUENTE: Elaboración propia a partir de los datos de Fomento de la Producción, 1991.

[1] Sociedades vinculadas a la Fundación Ramón Areces y con Consejo de Administración común, aunque no forman grupo jurídico. Véase el caso El Corte Inglés.

[2] Filial de Industrias y Confecciones al 100 por 100.

[3] Sociedad vinculada a Sáez Merino por la marca «Lois». Véase el caso Lois.

senta, a modo de conclusión, cómo los factores de éxito propuestos han sido o no justificadores de la eficiencia y excelencia empresarial en los casos estudiados, tanto en situaciones de crecimiento como de reestructuración.

No podíamos terminar estas páginas sin volver a recordar a nuestros alumnos, pues sin su colaboración este libro hubiera sido una obra más difícil, así como agradecer puntualmente el buen trabajo realizado para alcanzar su forma final a Begoña Santos, Germán Dueñas, Javier Fernández, Rosa María López, Alicia López y María Paz Redondo. A todos, gracias.

Madrid, abril de 1993.

LOS AUTORES

PARTE PRIMERA

Fundamentos de la dirección eficiente

El inicio de los ochenta trajo consigo, como consecuencia de la primera recuperación económica tras la dureza de los años previos de crisis industrial de los setenta, la reflexión y explicación del porqué de los fracasos económicos, especialmente concretados en sectores básicos y en empresas conocidas de todos y fundamentales para las economías de los principales países industriales.

En estos últimos años, los trabajos, bien en forma de libros o bien como artículos sobre la excelencia, sobre las condiciones del éxito y sobre las estrategias de empresas concretas, generalmente norteamericanas y multinacionales, han ocupado el interés del lector y del experto en temas económicos. Es evidente que siempre el conocimiento de cómo han dirigido sus actividades las empresas triunfadoras despierta la curiosidad de todos, tanto para conocer los factores explicativos de lo realizado, como para saber qué estrategias se formularon en cada caso. Lo cual, a su vez, tiene un evidente contenido didáctico como fuente de comprobación y contraste de los planteamientos teóricos de la dirección estratégica. En este tipo de estudios surge una situación característica, propia de la misma dinámica empresarial y del impacto del cambio económico actual, cual es que una empresa puede pasar en poco tiempo a variar su posición eficiente o a modificar su calificativo de excelencia, lo cual no deja de ser ejemplificador para analizar sus causas.

El trabajo de muchos años, tanto en el plano del análisis teórico como en el estudio de la realidad de la empresa española y su comparación con otras empresas internacionales, nos ha llevado a la decisión de presentar un conjunto de casos de empresas nacionales, muy conocidas por todos, y que se han destacado tanto por el éxito como por haber superado circunstancias adversas o retos estratégicos importantes; en definitiva, por ser empresas que tienen y desarrollan una *dirección eficiente,* como es nuestro propósito justificar.

La novedad de nuestro planteamiento es proponer el concepto de *dirección eficiente,* apoyada en una de las definiciones más difíciles de concretar y medir en Economía, como es *eficiencia,* pero que, sin ninguna duda, es una de las expresiones más relevantes para explicar el buen hacer y el éxito en el logro de los objetivos de las empresas.

El porqué se ha elegido la expresión *dirección eficiente,* el cómo se puede concretar la misma y cómo se explica a través de una serie de factores de éxito empresarial, tanto en su dimensión externa como interna, son los objetivos de esta parte del libro, los cuales son abordados y cumplimentados en los dos capítulos que la componen y que exponemos a continuación. En el primero presentamos una introducción al concepto de la *dirección eficiente*, y en el segundo se exponen los *factores del éxito,* los cuales serán sujeto de confirmación o no en los casos de las empresas analizadas, tarea que será el cometido de la última parte de este trabajo.

1.

Introducción a la dirección eficiente

1.1. Justificación del concepto

En estos últimos años, exactamente desde la aparición de la obra *En busca de la excelencia,* de T. J. Peters y R. H. Waterman[1], uno de los temas de más actualidad y de permanente interés es hablar de los factores, condiciones y habilidades directivas con que las empresas han alcanzado el éxito. Esta orientación en el mundo de los negocios ha sido coincidente, y no por casualidad, con la remisión del ciclo de crisis industrial de Occidente y del inicio de la recuperación empresarial generalizada a partir de 1983. Situación que ha variado al comenzar la década de los noventa, lo cual no está restando el interés demostrado sobre el tema en los años precedentes.

En estos mismos años de estudio sobre la excelencia o la eficiencia de la dirección empresarial coincide uno de los períodos de mayor incremento de la competencia en todos los mercados (domésticos e internacionales) que se recuerda de la economía moderna. Los aires liberalizadores y los planteamientos de desregulación económica, de privatización de la propiedad y de la gestión de la actividad pública, son procesos evidentes que han conducido a que el concepto de la *competitividad*[2] y de las ventajas competitivas[3] de las empresas, industrias y naciones estén siendo el centro de atención de todos los que tienen algún tipo de responsabilidad en la dirección de los agentes macro y microeconómicos.

Precisamente esta relación con la *competitividad* es la base del por qué hemos elegido la expresión de *dirección eficiente* para explicar el éxito empresarial.

---

[1] Peters, T. J., y Waterman, R. H., Jr.: *In Search of Excellence,* Harper & Row, Nueva York, 1982 (traducción española: *En busca de la excelencia,* Plaza & Janés, Barcelona, 1984).

[2] AECA: *La competitividad de la empresa. Principios de organización y sistemas,* documento núm. 4, AECA, Madrid, 1988.

[3] Véase Porter, M. E.: *Ventaja competitiva,* CECSA, México, 1986, y *Las ventajas competitivas de las naciones,* Plaza & Janés, Barcelona, 1991.

Recordemos, siguiendo a Bueno[4], que el concepto de *competitividad* define «tanto la posición relativa frente a la concurrencia como la aptitud de la empresa para sostener y mejorar de forma duradera la competencia con los otros oferentes del sector o rama de actividad».

En definitiva, el crecimiento de las ventas de la empresa, de las ventas por empleado, por unidad operativa o por unidad técnica; el incremento permanente de su participación en el mercado (doméstico e internacional) frente a sus competidores; la obtención de beneficios importantes; la mejora de la productividad y de los rendimientos económicos y la imagen de calidad, de confianza y de prestigio que va alcanzando entre clientes, proveedores, competidores y otros agentes sociales, son síntomas evidentes de que las cosas le van bien a la empresa» o, en otras palabras, que nos enfrentamos a una compañía que «sabe hacer las cosas bien», es decir, que está bien dirigida y que sabe formular, implantar y desarrollar con éxito sus estrategias.

¿Por qué *dirección eficiente?*, porque estimamos que hablar de excelencia es hablar de *eficiencia,* y, porque, en última instancia, *eficiencia* en un sentido global es prácticamente un sinónimo de *calidad para competir* o de «competitividad».

Existen tres palabras muy relacionadas, dado que tienen una raíz similar, como son *efectividad, eficacia* y *eficiencia.* Conviene concretar sus significados, como forma de poder entender mejor el contenido y el alcance del concepto de *dirección eficiente.*

— *Efectividad* es la cualidad de efectivo, es decir, de «hacer las cosas» o de «desempeñar una acción favorable». Por ello, también puede significar «hacer las mejores cosas».

— *Eficacia* es la cualidad de eficaz, es decir, de «cumplir con los objetivos previstos». Es algo referente a las cosas, aquellas que producen el efecto o prestan el servicio. Concepto que introduce una visión externa del problema pues también quiere indicar si se está relacionando bien con el entorno.

— *Eficiencia* es la cualidad de eficiente, es decir, que se aplica a «lo que realiza cumplidamente las funciones a que está destinado». También es «hacer las cosas bien» y siempre referido a las personas.

Hablar de *eficiencia de la organización* se refiere a cómo lograr los mejores resultados posibles y siempre medidos en comparación con los

[4] Bueno, E.: *Dirección estratégica de la empresa, op. cit.,* pág. 114.

recursos empleados. Expresión en la que subyace el menor uso posible de los mismos; por ello, este concepto dimana del principio clásico de la «economicidad». En consecuencia, decir que una organización es eficiente es indicar que es «apta, capaz, competente».

En la figura 1.1 se pueden observar las relaciones entre los dos conceptos más vinculados en este enfoque, *eficiencia* y *eficacia*, ya que siempre es difícil explicar uno de ellos sin la referencia al otro, dado que muestran las dos dimensiones fundamentales de la *dirección eficiente*. La *eficiencia* no deja de ser un enfoque más orientado hacia la dimensión interna: calidad y cantidad de los esfuerzos; mientras que la *eficacia* es un enfoque que se orienta más hacia lo exterior, medido por los logros de los resultados. De todas formas, para el éxito empresarial, la segunda no es suficiente si no se logra la segunda dimensión, razón por la que se opta por la utilización genérica de lo eficiente.

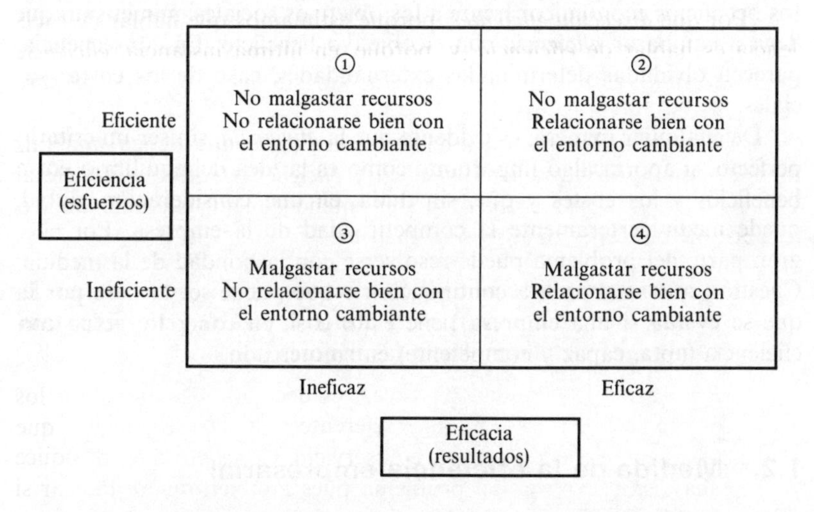

Figura 1.1.—Eficiencia y eficacia de la organización.

En dicha figura se relacionan las opciones eficiente e ineficiente sobre la base del uso de los recursos o de los esfuerzos desempeñados, con las opciones de eficaz e ineficaz en función de cómo se alcanzan los resultados u objetivos previstos. Esta integración de *eficiencia* y de *eficacia* es la base del desarrollo de la *dirección eficiente*.

De estas aseveraciones, sin menoscabo del rigor exigido en este tipo de enfoque, se puede concluir recordando lo dicho precedentemente, que una definición de la eficiencia global de la empresa como organización, sea cual fuese el aspecto que nos interese de la misma, exige hablar de *competitividad,* de la «cualidad para igualar una cosa a otra análoga en la perfección o en las propiedades». En consecuencia, una *dirección eficiente* es aquella que sabe competir, que es *apta* para oponerse a otros, que es capaz de lograr la superioridad en algo y puede defender o mejorar su posición en el mercado.

De todas formas, conviene anticiparse a posibles críticas sobre lo acertado o no de la utilización de *dirección eficiente,* en definitiva, de *eficiencia,* como sinónimo de excelencia y de éxito empresarial. Una crítica práctica inmediata es la que se deriva del posible reduccionismo de esta idea al entenderla como «los mayores beneficios medibles, *versus* los menores costes medibles»; es decir, una primera reducción hacia la economicidad (énfasis en los costes) y una segunda reducción hacia la rentabilidad (énfasis en los beneficios). Otra crítica puede venir de la posible interpretación de que básicamente dominan en el enfoque los beneficios económicos frente a los objetivos sociales, mimetismo que llega a equiparar *eficiencia* con el objetivo beneficio. En consecuencia, parecen olvidadas determinadas externalidades, caso de los costes sociales.

De cualquier manera, es evidente que la *eficiencia,* sin ser un criterio perfecto, sí aporta algo importante como es la idea del equilibrio entre beneficios y los costes y que, sin duda, en una consideración global, puede medir certeramente la competitividad de la empresa. Por ello, gran parte del problema puede resolverse con la bondad de la medida. Cuestión que se aborda a continuación y que puede ser la base por la que se evalúa si una empresa tiene éxito o si, en concreto, actúa con eficiencia (apta, capaz y competente) en su mercado.

1.2. Medida de la eficiencia empresarial

El problema fundamental de la economía es el de la medida; por la misma razón, tratar de profundizar en lo que podemos entender como *dirección eficiente* no es más que una cuestión de medida, diríamos mejor de «medidas», ya que llegar a conocer el éxito alcanzado por una empresa sólo puede ser explicado a través de un conjunto de criterios o de factores explicativos, unos de orden interno y, por qué no, otros de carácter externo. Esta estructura multicriterio de la *eficiencia* responde a otros tantos aspectos diversos en que siempre se viene manifestando toda organización; por tanto, por su especificidad la que más nos interesa: la empresa. Aspectos que cubre una gama amplia de cuestiones técnicas, humanas, culturales, políticas y de administración o directivas[5].

En el apartado siguiente, y último de este capítulo, se ofrece el «estado del arte» sobre el éxito empresarial, la excelencia o la *dirección eficiente,* con el que se podrán conocer diferentes aportaciones de medida, tanto de naturaleza cualitativa como, inclusive, de naturaleza cuantitativa. En este momento y cumpliendo con lo ya indicado en el punto anterior pretendemos mostrar una medida cuantitativa de lo que hemos definido como *eficiencia global* de la empresa y, especialmente, con un método que permita una fácil y sistemática desagregación de la misma, con el fin de ir identificando diversos aspectos y consideraciones conceptuales que faciliten una mejor explicación de lo pretendido.

Habíamos dicho que una perspectiva global y, por tanto, integradora de las palabras involucradas en el término *eficiencia* implicaba hablar de grado de competencia o de competitividad. En este sentido, asumimos la propuesta de la AECA[6], cuando en 1985, actuando de ponente E. Bueno, definió la *eficiencia* de la empresa como la expresión de su competitividad o medida comparativa entre su realidad y el mejor resultado u otro expresivo y representativo de su entorno competitivo.

Es, por tanto, ya conocido que la *eficiencia global* como expresión de competitividad de la empresa, según dicha propuesta, se puede medir por el siguiente ratio:

$$E_G = \frac{R_A}{R^*}$$

en donde:

R_A = Resultado actual de la empresa medido en cualquier variable expresiva de la generalización de valor (ventas, valor añadido, *cash flow,* beneficio, etc.) resultado equivalente referente al competidor líder o a un competidor medio o estándar en relación al grupo estratégico en que compite la empresa.

Es evidente que la bondad comparativa de estas medidas es mayor si se relativizan por empleado, por unidad técnica equivalente, por activo total medio o por cualquier otro criterio significativo.

---

[5] Enfoque que corresponde al del «pentagrama» propuesto por Bueno, E., y Valero, F. J.: *Los subsistemas de la organización,* documento IADE, núm. 2, Madrid, 1985, en Bueno, E.: *Dirección estratégica, op. cit.*

[6] AECA: *El objetivo eficiencia de la empresa,* Principios de Organización y Sistemas, documento núm. 1, Asociación Española de Contabilidad y Administración de Empresas, Madrid, 1985 (recogido y ampliado en Bueno, E.: *Dirección estratégica, op. cit.,* cap. 4).

En una primera desagregación de la *eficiencia global* se puede diferenciar entre dos niveles:

— Eficiencia estratégica.

— Eficiencia operativa.

es decir,

$$E_G = E_E \times E_0 = \frac{R_A}{R^*} = \frac{R_p}{R^*} \times \frac{R_A}{R_p}$$

en donde:

R_p = Resultado potencial o mejor posible que puede alcanzar la empresa, medido de forma equivalente a los anteriores.

En suma, la *eficiencia estratégica* representa la capacidad de la empresa, incluyendo aspectos de naturaleza estructural. Mientras que la *eficiencia operativa* responde a la observación entre lo que es capaz de desarrollar la empresa y lo que realmente ha obtenido. En todo el análisis se hace imprescindible disponer de una información predictiva y analítica propia de una gestión presupuestaria y de una contabilidad de costes por actividades.

La primera medida (E_E) se puede desagregar, a su vez, según los diferentes niveles competitivos en que pueda actuar la empresa. Es decir:

— *Eficiencia estratégica* global (nivel de competencia global).

— *Eficiencia estratégica* internacional (nivel de competencia internacional o multipaís).

— *Eficiencia estratégica* nacional (nivel de competencia doméstica) o posición competitiva en el sector nacional.

— *Eficiencia estratégica* sectorial (nivel de competencia específica dentro del sector) o posición competitiva en el «grupo estratégico» o subsector en que actúa la empresa.

Pero antes de proceder a formular este planteamiento hay que presentar una primera desagregación de la *eficiencia estratégica,* para luego poder llegar a todas las previstas. Antes que nada hay que distinguir entre la *eficiencia* a nivel internacional y a nivel nacional:

— Índice de ventajas comparativas (nivel internacional).

— Índice de la posición competitiva nacional.

es decir,

$$E_E = IVC \times IPC = \frac{R_p}{R_I^*} = \frac{R_N^*}{R_I^*} \times \frac{R_p}{R_N^*}$$

en donde:

R_N^* = Resultado del mejor competidor del sector nacional o representativo de la media del sector a nivel nacional.

R_I^* = Resultado equivalente referente a nivel internacional.

Por tanto, nos enfrentamos a dos medidas explicativas de la posición competitiva, una a nivel internacional del país (a través de su sector) o *índice de ventaja comparativa* y otra a nivel doméstico o que posiciona la capacidad o potencial estratégico de la empresa en su sector de actividad.

Centrándonos ahora en el *índice de ventajas comparativas,* la desagregación de la *eficiencia internacional* se puede llevar a cabo según los niveles competitivos principales:

— Índice de competitividad internacional-nivel global.
— Índice de competitividad internacional-nivel regional o multipaís.

es decir,

$$IVC = ICG \times ICM = \frac{R_N^*}{R_I^*} = \frac{R_M^*}{R_I^*} \times \frac{R_N^*}{R_M^*}$$

en donde:

R_M^* = Resultado del mejor competidor a nivel regional o multipaís.

En consecuencia, nos encontramos con dos medidas a nivel internacional: una de carácter global o que compara la competitividad entre industrias de una u otra dimensión internacional y otra que representa la forma tradicional de observar la competitividad a nivel internacional o en un área de naturaleza multipaís.

Si volvemos al *índice de posición competitiva nacional,* podemos presentar la siguiente desagregación:

— Índice de posición competitiva intergrupos estratégicos a nivel sectorial.
— Índice de posición competitiva de la empresa dentro de su «grupo o subsector estratégico».

es decir,

$$IPC = IPS \times IPG = \frac{R_p}{R_N^*} = \frac{R_G^*}{R_N^*} \times \frac{R_p}{R_G^*}$$

en donde:

R_G^* = Resultado del mejor competidor a nivel del «grupo estratégico».

Desagregación que nos permite diferenciar la *eficiencia estratégica* tanto a nivel del sector nacional como dentro del grupo de competencia efectiva de la empresa.

En resumen, la *eficiencia estratégica* es una medida compuesta, al menos, de cuatro indicadores básicos:

$$E_E = ICG \times ICM \times IPS \times IPG =$$

$$= \frac{R_p^*}{R_I^*} = \underbrace{\frac{R_M^*}{R_I^*} \times \frac{R_N^*}{R_M^*}}_{\text{Nivel internacional}} \times \underbrace{\frac{R_G^*}{R_N^*} \times \frac{R_p^*}{R_G^*}}_{\text{Nivel nacional}}$$

Con ellos la dirección de la empresa puede conocer cómo las amenazas y oportunidades del entorno pueden influir en mayor o en menor medida en su *eficiencia* directiva. Medida que se enfoca sin duda hacia una dimensión externa.

La segunda medida básica de la *eficiencia global,* la *operativa* (E_0), se puede desagregar, a su vez, sobre la base de tres ideas:

— *Eficiencia operativa* según un aspecto técnico-financiero (cantidades y precios), propio de un análisis de rendimientos y de productividad.

— *Eficiencia operativa* según un aspecto administrativo o de gestión, propio de un análisis de comportamiento directivo.

— *Eficiencia operativa* según un aspecto organizativo-económico, propio de un análisis segmentado por unidades de negocios (productos, mercados y clientes).

Con relación al primer aspecto, la *eficiencia operativa* se puede considerar con estos dos componentes:

— *Eficiencia técnica* o relativa a cantidades.

— *Eficiencia financiera* o referente a valores monetarios (precios, valor añadido, beneficios, etc.).

es decir,

$$E_0 = E_T \times E_F = \frac{R_A}{R_p} = \frac{Q_A}{Q_p} \times \frac{V_A}{V_p}$$

en donde:

Q_A, Q_p = Cantidades actuales y potenciales.
V_A, V_p = Valores monetarios actuales y potenciales.

Si la empresa lleva a cabo una gestión presupuestaria generará más información, en este caso a través de la determinación de cantidades y valores previstos o estándares. Estos objetivos se pueden introducir en la expresión anterior, por lo que la *eficiencia operativa* se puede formular ahora de este modo:

$$E = \frac{Q_{OB} \times V_{OB}}{Q_p \times V_p} \times \frac{Q_A \times V_A}{Q_{OB} \times V_{OB}}$$

en donde el subíndice *OB* es el objetivo fijado por la dirección, lo que ofrece una posibilidad de desglose en cantidades y valores, válido para un adecuado control de gestión, cuestión que nos acerca al segundo aspecto antes comentado.

Este segundo aspecto pretende conocer mejor la *eficiencia directiva,* a través de dos conceptos:

— Índice de consistencia en la fijación de objetivos o índice de coherencia directiva de la empresa.
— *Eficacia* de la dirección o medida del cumplimiento de los objetivos fijados.

Es decir,

$$E_0 = ICO \times E_D = \frac{R_A}{R_p} = \frac{R_{OB}}{R_p} \times \frac{R_A}{R_{OB}}$$

en donde:

ICO = Índice de consistencia en la fijación de los objetivos.
E_D = Eficacia directiva o medida del cumplimiento de los objetivos planteados.

Con el *índice de consistencia* se pretende medir la coherencia directiva en el proceso de elaboración de los objetivos, así como la empresa es capaz de aprovechar sus fuerzas y evitar sus debilidades. El segundo índice es un claro exponente del concepto conocido de *eficacia directiva* o nivel de logro de los objetivos propuestos.

Por último, esta metodología de análisis puede aplicarse según el tercer aspecto para conocer la *eficiencia* de las diferentes unidades de negocio o de los diferentes «segmentos» en que se organiza la estrategia de la empresa. Así, por ejemplo, se podría aplicar a la unidad de negocio *i* (producto, mercado o cliente), de donde tendríamos

$$E_0^i = \frac{R_A^i}{R_p^i} = \frac{R_A^i}{R_p^i} \times \frac{R_A^i}{R_{OB}^i}$$

desagregación que es similar a lo ya conocido y que también puede considerar otros planteamientos precedentes.

La medida de la *eficiencia operativa* muestra una clara orientación hacia la dimensión interna de la *eficiencia global* de la empresa, forma en que la dirección de ésta debe saber aprovechar sus puntos fuertes y obviar sus puntos débiles.

En conclusión la *eficiencia* puede medirse, aunque no sin dificultades, no superiores a los procesos de cálculo económico de la actividad empresarial, pero siempre en una acción continuada de acercamiento a un mejor conocimiento de las causas o situaciones que pueden explicar y así mejorar la competitividad de la empresa. Son ya diversas las aplicaciones que conocemos de esta metodología, por lo que las mismas están avalando su clara aportación a la medida del grado de *eficiencia* de la empresa, de su éxito o de su excelencia, sea cual sea la expresión que se utilice como propuesta de lo que definimos como *dirección eficiente.* Cuestión que abordaremos en el punto siguiente.

1.3. Propuestas de dirección eficiente: el «estado del arte»

Aunque la idea de éxito como actividad central y clave de la empresa ya se ha venido gestando desde hace algunos años en numerosos manuales y obras de Administración de Empresas, hasta principios de la década de los ochenta, tal y como ya hemos dicho, no puede hablarse de la existencia de un verdadero análisis de cuáles son los principales factores que impulsan a la empresa de nuestros días a una posición eficiente o de excelencia, el cual es conseguido gracias a un conjunto de investigaciones metódicas y empíricas[7]. Dicho éxito puede ser identifi-

[7] En la redacción de este punto ha colaborado el profesor Javier Fernández Rozado.

cado de varias formas, bien a través del mantenimiento de una posición de liderazgo o de participación en el mercado; bien por la obtención de un rendimiento neto sobre la inversión realizada; de una gestión óptima; bien por ofrecer una imagen de eficiencia o, en resumidas cuentas, de mantener unas condiciones de competitividad en la empresa que le permita conseguir, defender e incrementar una o varias ventajas competitivas en el sector en el que desarrolla su actividad, e incluso, en los diversos países en los que una «gran empresa» puede estar actualmente.

La intención de esta parte final del capítulo es realizar una recopilación, en ningún caso exhaustiva, que recoja y resuma algunas investigaciones e ideas aportadas recientemente sobre el éxito o la *dirección eficiente* de la empresa.

Si intentáramos extraer algunas líneas comunes a todas ellas, podríamos anticipar que en su mayoría se distinguen claramente los factores ajenos a la empresa (en muchos casos factores del entorno) de los factores internos o de organización de la empresa.

En cuanto a los primeros, cabe reseñar la importancia concedida a ciertos aspectos tales como el descubrimiento y explotación de alguna oportunidad de mercado, innovaciones y crecimientos importantes de demanda. Entre los segundos, las ideas son más numerosas, e incluyen estilo de dirección, liderazgo, diseño organizativo, etc., y toda una serie de factores específicos de eficiencia empresarial (finanzas, innovación, gestión, etc.) de los que hablaremos próximamente en el capítulo siguiente. Aunque es necesario señalar que no todas las obras recogidas atribuyen un peso específico sobre el éxito de la empresa a los factores del entorno e, incluso, existen algunas investigaciones que ni siquiera llegan a considerarlo.

Parece que no son pocos los factores que pueden impulsar a una empresa hacia el éxito, aunque, para terminar esta introducción, cabría citar las palabras de Akio Morita, presidente de Sony Corporation:

«No hay ingrediente secreto ni fórmula oculta que sea el responsable del éxito de las mejores compañías japonesas. Ninguna teoría, ni plan, ni política gubernamental hacen que una empresa triunfe; eso sólo lo puede conseguir la gente. La misión más importante de un gerente japonés es desarrollar una sana relación con sus empleados y directivos que comparten el mismo destino. Las compañías de mayor éxito en el Japón son las que lograron producir, entre todos los empleados, la sensación de un destino compartido por los trabajadores, los ejecutivos y los accionistas. La insistencia respecto a las personas que componen nuestra organización debe ser genuina, ya que, aunque pueda parecernos en ocasiones bastante arriesgada, a la larga, no importa que uno sea eficiente y afortunado, o ingenioso y astuto, ya que la empresa y el futuro de ella descansan en las manos de las personas que se contratan. Para expresarlo de forma más dramática, el destino de una empresa reside, en realidad, en las manos de los empleados más jóvenes de la plantilla.»

Con referencia a estas palabras, es preciso señalar que el interés por la productividad del trabajador no es un factor exclusivamente japonés, sino simplemente humano; lograr lealtad, compromiso mediante una capacitación eficaz, identificación personal con el éxito de la empresa, es decir, tratar a las personas como recurso natural, como la fuente principal del aumento de la productividad, tal vez sea la clave de todo. Mencionando una idea de Peters y Waterman, «si se desea aumentar la productividad y obtener la correspondiente recompensa financiera, hay que tratar a los trabajadores como la partida más importante del activo»[8].

A la hora de referirnos a algunas investigaciones de interés, debemos mencionar, sin duda, la terna formada por *En busca de la excelencia, Pasión por la excelencia* y *Del caos a la excelencia.* En ellos, se resume la evolución de un equipo de investigadores, agrupado en torno a Tom Peters, en sus ideas sobre el éxito y la competitividad empresarial. Es interesante analizar con mayor profundidad estos tres trabajos[9].

En sus dos primeras obras, *En busca de la excelencia* (1982) y *Pasión por la excelencia* (1985), Tom Peters unido a dos de sus más activos colaboradores, Robert Waterman en la primera, y Nancy Austin en la segunda, intentaron descubrir qué es lo que diferencia a las compañías excelentes de las restantes. Una de sus conclusiones más interesantes exponía que los directivos en las compañías excelentes tienen una habilidad inusual para resolver problemas, para transformar conflictos y tensiones, y para alcanzar un alto grado de acuerdo y conseguir mejores resultados.

A pesar de ser unas obras aparentemente recopilatorias, analizan de forma sistemática métodos y logros de empresas líderes y de aquellas que, aún sin serlo, han reestructurado de forma profunda y eficiente su organización. Mediante numerosos ejemplos exponen las ventajas de los tres factores que, a juicio de sus autores, determinan la competividad de una empresa: *a*) la calidad del servicio a los clientes; *b*) la innovación como hábito permanente, y *c*) la continua creatividad e implicación en

---

[8] Peters, T. J., y Waterman, R. H., Jr.: *Op. cit.*

[9] Véanse Peters, T. J., y Waterman, R. H., Jr.: *Op. cit.*; Peters, T. J., y Austin, N.: *Pasión por la excelencia,* Folio, Barcelona, 1985, y Peters, T. J.: *Del caos a la excelencia,* Folio, Barcelona, 1987.

la empresa de todas las personas que forman parte de ella. También se describen las acciones que emprende la dirección de tales compañías (en su papel de líderes de sus respectivas organizaciones), incluso las medidas más cotidianas a tomar, y a todos los niveles de responsabilidad, para obtener un rendimiento excelente.

Los autores mencionados, en su primer trabajo, van exponiendo sus ideas sobre la necesidad de proponer objetivos empresariales coherentes y asequibles que permitan lograr un crecimiento duradero de la empresa, a la vez que considerar otras bases más amplias de funcionamiento y desarrollo de la gestión de la empresa con éxito.

En este mismo sentido, ellos se preguntan «¿cuáles son los principios básicos de la dirección eficiente?». Así, por ejemplo, la productividad depende, básicamente, de dos factores: el orgullo de formar parte de la empresa y el entusiasmo por el trabajo. Pero esas «fuerzas» no aparecen en los índices de los veinticinco principales manuales de gestión. No se habla en ellos de las ventajas de escuchar al cliente, ni de los sentimientos que le provoca el servicio prestado. Tampoco se habla de la movilización y de la participación de los empleados, del espíritu de empresa, de los «campeones», de la importancia de la confianza ni de la visión de futuro; en una palabra, no se habla en ellos del «liderazgo». Es éste un concepto fundamental en esta primera obra. Para ellos, al contrario que la palabra «manager» que evoca, a menudo, asociaciones negativas, la palabra «líder» se relaciona con el espíritu de empresa, la energía y el crecimiento. Es decir, comienza a ser necesario un enfoque cualitativo de materias que, hasta el momento, siempre habían sido cuantificadas en los manuales de gestión. Hablan, en suma, de una gestión racional y de la necesidad de introducir los valores personales para el logro del éxito empresarial.

Los ejemplos de los que hablan en este primer libro parten de un entorno muy similar. En ningún caso existe un factor exterior diferenciador que pueda explicar la superioridad de unas y otras actuaciones. La única explicación es una dirección (o mejor dicho, un liderazgo) fuera de lo común.

Peters, tanto en el sector público como en el privado, en las pequeñas y grandes empresas, únicamente ha observado dos formas de crear actuaciones superiores y de mantenerlas a lo largo del tiempo: la primera consiste en una preocupación excepcional por los clientes, traducida en una calidad y en un servicio también excepcionales; la segunda es innovar constantemente. Eso es todo. No hay otro medio para lograr actuaciones a largo plazo o mantener una ventaja competitiva. Obviamente, ni lo uno ni lo otro son por sí mismos suficientes. Es esencial contar con un buen control financiero; los que no lo tienen fracasan.

Una planificación sólida no es un lujo, es una necesidad. Además, los negocios pueden sufrir las consecuencias, transitorias o duraderas, de las presiones externas, como la sobrevaloración del dólar o una ruptura en el flujo del suministro de materiales. Pero no es menos cierto que estos factores casi nunca determinan la diferencia entre una actuación mediocre y una excelente.

Otro factor de relevancia para estos autores en sus dos primeras obras es la escasa influencia atribuida al medio ambiente. Así, señalan que nadie encontrará en ellas referencia a las innumerables presiones externas que pueden afectar a una empresa. En su defensa diremos que las experiencias descritas han estado dirigidas a que la organización se oriente siempre hacia el exterior y a que pronostique los cambios apenas sean perceptibles. En este sentido, es cierto que las personas y el liderazgo son siempre temas internos. Sin embargo, estas dos variables tienen repercusión externa y pueden ser una fuente también de constante adaptación.

Podemos destacar, entre otros, algunos aspectos relevantes sobre los que Peters llama la atención en sus dos primeras obras. Aquéllos son:

— Llamar la atención sobre los puntos fuertes de la organización por evidentes que éstos parezcan.
— «Dirección itinerante» como forma de mantener el contacto con la realidad, con el mercado.
— Las empresas que encuentran la forma de diferenciar su producto y de hacerlo mejor que nadie encuentran el éxito a largo plazo.
— Lo importante es obtener una ventaja competitiva sobre la calidad percibida del producto con el fin de conquistar el mercado. Al hacerlo, es posible lograr economías de escala y obtener, posteriormente, costes ventajosos con relación a los competidores.
— Existe una enorme diferencia entre costes bajos y costes competitivos. La estructura de costes debe ser competitiva. Sin embargo, una empresa que se preocupe únicamente por los costes no puede mantener su competitividad a largo plazo.

Las influencias de estas dos obras han sido muchas y de distinta naturaleza. Entre ellas, durante los ochenta y, en cualquier caso, anteriores a su tercera obra (donde sus teorías darán importantes giros) es conveniente destacar algunas investigaciones:

1. Un estudio realizado por McKinsey en 1984 trataba sobre las prácticas estratégicas de las cuarenta y cinco empresas con mejor actuación financiera y con las mayores tasas de creación de

puestos de trabajo en los cinco años anteriores. En este estudio no predominaban, ni mucho menos, las empresas de alta tecnología. «Las empresas de mayor éxito —decía el informe— han adoptado la estrategia de evitar un posicionamiento por los precios y proporcionar productos de valor añadido, que son más costosos de producir, pero van dirigidos a un mercdo seguro[10].

2. Observando la evolución conjunta de numerosas variables y actuaciones financieras a largo plazo, el banco de datos del PIMS (Profit Impact of Market Strategy), dirigido por el Strategic Planing Institute de Cambridge (Massachussets) determinó que la variable «percepción relativa de la calidad de un producto» era, con mucho, la más importante para el éxito financiero a largo plazo. Según dicho Instituto hay que empezar por la calidad, en la confianza de que los costes bajos vendrán después, y no al contrario, como aconseja la curva de la experiencia[11].
3. El estudio *Forbes* sobre la industria americana en 1985 afirmaba, fijándose en empresas durante un período difícil (1981-1983), la importancia estratégica de un elevado valor añadido[12].
4. Theodore Levitt, maestro de los teóricos del marketing y profesor de la Harvard Business School, afirmaba en su libro *The Marketing Imagination* que el concepto de producto trivializado (reacción alto precio contra calidad) no debería existir. Hablaba en su obra de la importancia de la calidad de los productos, de la necesidad de la innovación y de la atención creciente a las necesidades del cliente[13].
5. La obra *The General Managers* de John Kotter hace un análisis muy rico en datos cuantitativos de dirigentes de empresas exitosas. Kotter considera que su triunfo procede de una serie de factores escasamente abordados por la gerencia tradicional: las formas de comportarse ante la información y ante el personal[14].
6. En *Corporate Cultures* y en *Corporate Success* de Terry Deal y Allan Kennedy, elaboran una minuciosa definición de la cultura empresarial, así como de sus efectos básicos en el éxito de la organización[15].

---

[10] McKinsey Report: *Top Performance Companies,* Nueva York, 1984.

[11] SPI: *Profit Impact of Market Strategy*, Cambridge (Mass.), 1985; Buzzell, R., y Gale, B. (Eds.): *The PIMS Principles*, SPI, Cambridge (Mass.), 1987.

[12] *Forbes, 36th Annual Report on American Industry,* Nueva York, 1984.

[13] Levitt, T.: *The Marketing Imagination,* The Free Press, Nueva York, 1983.

[14] Kotter, J.: *The General Managers,* Pitman Publishing, Ltd., Nueva York, 1986.

[15] Deal, T., y Kennedy, A.: *Corporate Culture,* John Wiley and Sons, Nueva York, 1982, y *Corporate Success,* John Wiley and Sons, Nueva York, 1985.

7. La obra *The Art of Corporate Success* de Ken Auletta describe de forma biográfica una experiencia de éxito empresarial con un objetivo claramente identificable: generalizar en una serie de parámetros aplicables el mayor número de empresas posible[16].

Podríamos seguir exponiendo ejemplos de cuál era el estado de la cuestión a mediados de la década de los ochenta, aunque las referencias dadas nos trazan un perfil bastante adecuado de la situación.

En su tercera obra, *Del caos a la excelencia,* Peters, por el contrario, comienza diciendo que «no existen empresas excelentes», ya que en un mundo cambiante como el nuestro, la excelencia no podrá prescindir de un nuevo factor: la flexibilidad.

Si en las obras anteriores se describían los parámetros del éxito empresarial en un entorno relativamente estable, hoy éste ya no existe. El directivo ha de enfrentarse a una realidad fragmentada en numerosos cambios que son provocados, principalmente, por la constante innovación tecnológica en las comunicaciones y en la informática. En esta situación surgen constantemente nuevos competidores; los fracasos y los éxitos se suceden vertiginosamente, todo ello en el contexto de una evidencia financiera con extraordinarias variaciones.

En un mundo semejante Peters advierte que la mera aspiración de mantener la excelencia puede llevarnos al desastre; en cambio, sólo alcanzarán el éxito aquellas compañías capaces de asumir una constante readaptación, organizaciones que además de ofrecer ágiles respuestas acordes a las circunstancias sepan sacar partido de ellas, creando continuos huecos de mercado y añadiendo nuevo valor a sus productos y servicios en función de los deseos y necesidades de sus clientes. El desarrollo de esta necesaria flexibilidad requerirá un importante cambio tanto en la teoría como en la práctica de la dirección empresarial.

Este ensayo sobre el éxito, que pretende ser un manual destinado a poner en duda los conocimientos preexistentes sobre la Administración de Empresas, propugna el abandono de la «producción en masa» y de los «mercados masivos» y una progresiva sustitución por la flexibilidad y las actitudes innovadoras.

Ante la idea antes expresada, concluye diciendo que hay dos maneras posibles de reaccionar ante el fin de una época en que era posible mantener la excelencia alcanzada; una es el vértigo, el delirio; comprar y vender empresas de forma frenética para mantenerse en cabeza de la curva de crecimiento industrial. La experiencia en este sentido no ha sido buena. La segunda consiste en hacer frente a la incertidumbre

---

[16] Auletta, K.: *The Art of Corporate Success,* Summit Books, Nueva York, 1983.

partiendo de una serie de nuevos principios básicos: alcanzar un nivel de calidad y servicio que permita competir adecuadamente en la escena internacional, intensificar el interés y la motivación del elemento humano del negocio a través de una mayor flexibilidad, y aplicar un programa de innovaciones y mejoras constantes de ciclo corto para conquistar nuevos mercados, tanto para productos y servicios nuevos como para los ya consolidados.

Resumiendo lo que Peters trata en su obra *Del caos a la excelencia,* podemos presentar el siguiente perfil de las organizaciones triunfadoras:

— Creadoras de nuevos huecos de mercado (basados en gamas cortas de producción).

— Desjerarquizadas (estructuras organizativas que se aplanan).

— Rápidas (con sensibilización, con capacidad de adaptación).

— Conscientes de la importancia de la calidad.

— Vocación internacional, incluso si son pequeñas empresas.

— Menor tamaño (empresas independientes o pequeñas unidades «empresariales» en el seno de grandes compañías, concepto de «fábrica en la fábrica»).

— Con políticas de reparto de dividendos (cuidado del accionista) y de creación de valor a través del elemento humano.

Como última idea de interés en esta obra, Peters describe cinco grandes ideas artífices del éxito en las empresas.

1. Obsesión por la sensibilización hacia los intereses y las necesidades de los clientes.
2. Innovación constante en todos los terrenos de actividad de la empresa.
3. Participación conjunta, es decir, a todos los niveles y participación también en la distribución de beneficios para todos los individuos relacionados con la organización.
4. Equipo directivo que cree profundamente en el cambio y sabe comunicarlo y expresarlo a los demás miembros de la organización.
5. Ejercicio de la función de control mediante sistemas de apoyo sencillos, destinados a comprobar si la actividad cumple con las exigencias del entorno actual.

A continuación pasaremos a presentar otras aportaciones coetáneas a la recientemente analizada y más cercanas a nuestros días.

Así, nos encontramos con Robert E. Quinn en su libro *Beyond Rational Management*, quien opina que la excelencia empresarial es un fenómeno complejo y variable, imposible de crearse siguiendo una receta. También se necesita suerte. Si las condiciones externas no son las adecuadas, simplemente no ocurrirá, y también es un fenómeno muy frágil. Incluso cuando un directivo piensa que está haciendo todo de forma extraordinaria, puede fracasar completamente debido al cambio de un factor externo clave[17].

A pesar de que la excelencia es difícil de crear y difícil de mantener en el corto plazo, su característica principal quizá sea que no se puede defender durante un largo período de tiempo. Por su naturaleza, es un fenómeno temporal, que no puede ser mantenido indefinidamente, y al que la rutina o algún cambio radical del exterior puede afectar negativamente. Este punto nos abre una nueva perspectiva de la excelencia como un factor dinámico. En algún momento de la dirección de la empresa puede ser interesante el abandonar la racionalidad y el control, y asumir riesgos a través de la intuición y de la experiencia. Por el contrario, cuando el éxito existe, lo apropiado es intentar analizar por qué se ha conseguido, abandonar la intuición y racionalizar, y si fuera posible, hacer rutinaria esa excelencia conseguida.

Una idea de gran interés expuesta por Quinn es el «fracaso del éxito». En este sentido, intenta exponer los motivos por los que una empresa que tiene éxito no es capaz de mantenerlo en un largo plazo. Entronca así, en numerosos aspectos, con algunos planteamientos iniciales de Michael Porter en su tesis sobre las dificultades de sostener en el tiempo una ventaja competitiva[18].

Como punto básico de su investigación, Quinn define un sistema formado por dos ejes en los que va a posicionar todos los factores claves de la excelencia empresarial. En estos ejes contrapone los factores internos a los externos y los de flexibilidad a los de control. De esta forma, clasifica los factores en cuatro cuadrantes, cada uno de los cuales posee un objetivo empresarial directamente relacionado con la excelencia y con su mantenimiento:

1. Factores externos-flexibilidad. Objetivos: Expansión y adaptación.

   Adaptabilidad a situaciones cambiantes, crecimiento, posibilidad de absorciones y adquisiciones y apoyo externo.

---

[17] Quinn, R. E.: *Beyond Rational Management*, Jossey Bass Management, San Francisco, 1988.

[18] Porter, M. E.: *Ventaja competitiva*, *op. cit.*

2. Factores externos-control. Objetivos: Maximización de los *outputs* de la actividad económica.

   Productividad, eficiencia, planificación y establecimiento de objetivos.
3. Factores internos-flexibilidad. Objetivos: Desarrollo del grupo humano y liderazgo.

   Valor de los recursos humanos, preparación, cohesión del grupo, moral y liderazgo.
4. Factores internos-control. Objetivos: Consolidación y continuidad.

   Estilo de dirección, comunicación, información, estabilidad y actividades de control.

Otra aportación interesante es la de Richard E. Kopelman con su libro *Managing Productivity in Organizations*[19].

El autor, al hablar de las formas de aumentar la productividad en la empresa como camino hacia la excelencia, plantea dos tesis de interés:

1. Para aumentar la productividad en las organizaciones existe la necesidad de un cambio; cambio referido a parámetros tales como la estructura de la organización, el estilo directivo de la compañía, el liderazgo, la motivación y formas de recompensar a los trabajadores, y la definición de los objetivos y de las metas empresariales.

   El parámetro que puede aportar un desarrollo más novedoso es el cambio de la estructura organizativa. Al aludir a las diferentes facetas de una reestructuración organizativa, Kopelman realiza una investigación cuantitativa de gran interés demostrando que el tamaño de una organización está inversamente relacionado con la eficiencia y con la rentabilidad de la misma. A la vez, enseña cuál es la dimensión óptima de diversos tipos de unidades empresariales encaminados al éxito.

   Concluyendo con la aportación de este autor, decir que los factores estructurales cuya acción provoca la excelencia en las organizaciones son: tamaño óptimo, número de niveles, jerárquicos, intensidad administrativa (como expresión de la relación entre el número de empleados en tareas de producción y empleados en labores administrativas y directivas), control de la especialización y de la diferenciación horizontal (número de de-

[19] Kopelman, R.: *Managing Productivity in Organizations,* McGraw-Hill, Nueva York, 1987.

partamentos en una organización o de secciones por departamento), amplitud del control de gestión, control de la descentralización y funcionamiento del sistema de comunicación formal en la empresa.

2. Para Kopelman, el éxito en la empresa pasa por una serie de puntos: identificar los problemas habituales, anticipar problemas futuros; priorizar problemas; evaluar las formas de solucionar y evitar estos problemas; aumentar las relaciones con los empleados; incrementar las comunicaciones en la empresa, sobre todo las informales; formación continua de los directivos; elevar el valor de los beneficios no monetarios; superar problemas como el inmobilismo y los conflictos de intereses.

Como conclusión remarcar la necesidad de que exista un grupo directivo compacto (integrado) que posea dotes de liderazgo y esté bien apoyado por accionistas y trabajadores. Enfoque que ofrece una perspectiva a largo plazo para mantener el éxito conseguido, una institucionalización (rápida) de los cambios, y la preparación ante los problemas provenientes de fuertes cambios en las condiciones del entorno.

La obra de Kopelman presenta algunos puntos de contacto con el libro *Supermanaging* de Brown y Weiner. Estos autores abogan por asumir el concepto de cambio como forma de lograr la excelencia en la empresa. «Los directivos deben promover un desarrollo global de las actitudes con el fin de ser capaces, no sólo de entender y responder al cambio, sino también de planificarlo. Una empresa, únicamente será capaz de mantener una ventaja competitiva, de asumirla y de aumentarla cuando sea capaz de aceptar, por parte de su actividad, el cambio, tanto el de su organización como el de los factores de su entorno en el que su empresa compite, y sea capaz de planificar con suficiente antelación, los cambios que puedan influir de forma decisiva en el mantenimiento de una situación de excelencia»[20].

También se hace referencia en esta obra a los factores críticos que promueven el éxito de las organizaciones, la mayor parte de ellos ya mencionados a través de las páginas anteriores, probablemente a excepción de tres: *a*) la importancia del enlace y la coordinación entre la información y la toma de decisiones (el elemento fundamental es la rapidez de respuesta); *b*) la interdependencia entre las empresas de una misma actividad económica, incluso de una misma nación, lo que implica la necesidad de crear condiciones externas para un mejor funcionamiento de todas ellas, y *c*) la necesidad de un equipo directivo muy

[20] Brown, R., y Weiner, E.: *Supermanaging*, McMillan, Nueva York, 1989.

motivado que sea capaz de dirigir la transición entre dos etapas del cambio en las estructuras.

Para concluir este capítulo no debemos olvidar una investigación desarrollada en 1990 por la London Business School[21]. Con ella se intentaba determinar cuáles eran las compañías del mundo con mayor éxito. Se trata de un enfoque que se aleja de forma radical de todos los que hemos estado analizando, especialmente porque intenta plantear un método cuantitativo que permita, de forma efectiva, realizar un análisis estricto y en profundidad de aquellas compañías con éxito:

«Para identificar los factores que impulsan al éxito corporativo, debemos ser capaces de identificar el concepto de éxito, y necesitamos hacerlo de una forma objetiva y rigurosa. Nosotros hemos desarrollado un método que no favorece sistemáticamente a las compañías intensivas en capital o a las intensivas en mano de obra, y que no es afectado por la forma en que las compañías estructuran sus finanzas. Nuestros parámetros parecen más rigurosos que emplear una única medida de éxito, y menos arbitrarios que aquellos que trabajan una única medida de éxito, y también menos arbitrarios que aquellos que trabajan con una ponderación de factores. Si existiera alguna conclusión extraíble de nuestro método, sería que, para lograr el éxito empresarial, el mejor camino es llegar a ser el propietario de la patente o de la marca de algún producto, líder o llegar a ser un monopolio regulado por el Gobierno en un gran mercado.»

Este grupo investigador ha determinado, en suma, unos parámetros específicos para medir el éxito en la empresa. En primer lugar, estiman que una compañía es exitosa cuando es capaz de mantener los resultados, es decir, en una perspectiva de largo plazo. Tampoco utiliza cualquier método de medida, ya que, según éstos, no son comparables empresas de capital intensivo con empresas que utilizan mano de obra intensiva. Y tampoco es aconsejable fijarse en los rendimientos del capital, pues no se atendería a rendimientos ponderados. Así, la medida que utilizan la denominan «valor añadido», que es el beneficio operativo de la compañía menos una penalización por la cantidad de capital que la compañía emplea. Esta penalización es la cantidad que la empresa tendría que pagar si tuviera que tomar a préstamo los activos que utiliza. Éste es, según dicha investigación, el único medio de comparar el éxito de dos compañías con diferente capital o formas de financiación.

Bajo esa medida, una compañía aumentaría su valor añadido cuan-

---

[21] LBS Research Team: *The World's Best Companies*, London Business School, Londres, 1990.

do realiza inversiones con un rendimiento superior al tipo de interés de mercado. Su ventaja reside en que a largo plazo debería reflejar la capitalización de mercado de la empresa, no un comportamiento tan volátil y caprichoso como el precio de la acción, que habitualmente también muestra los rápidos cambios de expectativas de los inversores.

Finalmente este estudio concluye diciendo que existen buenas razones para no comparar las actuaciones de empresas en diferentes sectores y en diferentes países. Es difícil hacerlo de forma precisa; no es fácil distinguir entre la suerte empresarial y la habilidad directiva para llegar al éxito; y además resulta complejo seleccionar cualquier medida que permita comparaciones precisas.

No obstante, es preciso tener una visión de cuáles son las compañías con éxito, qué hacen y cómo lo hacen. Los resultados parecen indicar que existen numerosas compañías con éxito en todos los sectores; son empresas con unas características de competitividad muy desarrolladas. Aunque las compañías con mayores rentabilidades se encuentran en sectores no muy competitivos, o al menos en lo que a sus políticas de fijación de precios se refiere.

En resumen, conviene recalcar que en los primeros libros de dirección y organización de empresas el análisis de los factores de éxito se estudiaba de forma indirecta y que sólo es a partir de los años ochenta cuando se inicia una corriente investigadora en esta temática. Los primeros enfoques eran muy cualitativos y prescindían del entorno. A medida que avanzan las investigaciones, aumenta la importancia del entorno y de los factores externos a la empresa, aunque sin olvidar los internos. Una propuesta resumen de todos ellos es el intento que vamos a abordar en el capítulo siguiente de este libro.

2.

Factores del éxito de la empresa

2.1. Clases de factores del éxito

Después de haber analizado en el capítulo anterior diferentes propuestas sobre el éxito, la excelencia o la *dirección eficiente* de la empresa, puede ser el momento de plantear nuestras propias consideraciones, no como un resumen del «estado del arte» descrito en páginas precedentes, sino más bien como una nueva aportación al mismo, sin que dejemos de reconocer las posibles influencias de las citadas investigaciones. En éstas se ha podido observar que no existe una convergencia de planteamientos, e inclusive se puede señalar que en algunos casos se valoran y en otros no diferentes factores del éxito, unos definidos como internos o propios de la empresa y otros como externos o relativos a las condiciones que configuran el entorno competitivo de la empresa.

De lo visto en el punto final del capítulo precedente, muchas de las propuestas sobre lo que se entiende por *dirección eficiente* y de los factores que la hacen posible derivan de estudios de naturaleza empírica o de la observación en un período representativo de un conjunto de empresas relevantes. Análisis de casos que ha permitido en dichos trabajos formular las propuestas que conocemos.

En este capítulo pretendemos, consecuentemente, ofrecer nuestro planteamiento, de una naturaleza heurística evidente, deducido de la experiencia alcanzada por la observación y conocimiento del mundo de los negocios y del estudio sistemático de muchos años de las estrategias de las empresas, de su organización y de las estructuras económicas de los sectores de pertenencia y de los mercados en que compiten.

También somos conscientes, como otras tantas propuestas sobre el tema, que el éxito empresarial puede ser tamporal y que la empresa que muestra en una cierta época una destacada *eficiencia* puede perderla y volverla a ganar en otros momentos, más o menos dilatados y cercanos entre sí. Consideración que se manifiesta inclusive en algunos de los casos seleccionados en esta obra.

El planteamiento que vamos a efectuar sobre los factores del éxito nos va a permitir contrastar si ellos son o no los que han servido para que las empresas consideradas alcancen una posición competitiva relevante. Verificación de unas hipótesis que puede permitir una nueva formulación sobre el éxito empresarial que facilite la mejora de la competitividad de las empresas españolas.

El éxito de la empresa, como hemos comprobado, se produce por la acumulación e integración de un conjunto de factores, de distinta naturaleza y origen, pero que dan sentido a una situación apetecida por todo proyecto empresarial.

Este éxito no surge espontáneamente, sino que procede de un continuo esfuerzo de la dirección de la empresa, y de una interacción entre fuerzas o factores del entorno al que hay que adaptarse, y entre unos factores o fuerzas endógenas o propias de la organización.

Hace pocos años, la Comisión de Principios de Organización y Sistemas de la Asociación Española de Contabilidad y Administración de Empresas (AECA), de la que somos presidente y vocal, publicaba el documento número 4 sobre la *Competitividad de la empresa*, antes citado, y en el que se establecían los factores determinantes de la misma en dos niveles de análisis:

— *Externo,* o referente a aquellos condicionantes presentes en el entorno de la empresa.
— *Interno,* o relativo a los factores integrados en la empresa y que afectan a su capacidad competitiva.

Recordando los condicionantes externos, se invocaban los siguientes:

— El Estado y los poderes públicos.
— El sistema educativo.
— Los valores y la cultura social.
— Las empresas multinacionales.
— Los organismos internacionales y supranacionales.

Agentes y elementos que pueden facilitar con sus políticas, actuaciones y configuraciones el marco de referencia que apoye e impulse la competitividad perseguida.

Si ahora recordamos los condicionantes internos, se formulaban los siguientes:

— La cultura organizativa.
— El estilo de dirección.
— La configuración estructural y operativa.

— La orientación hacia el mercado.

— La gestión de la innovación.

Parece claro que este enfoque es perfectamente válido para nuestro objetivo, por lo que a partir de él propondremos un conjunto de factores externos y otro de internos que favorecen y desarrollan el éxito de la empresa. Ahora bien, nuestro esfuerzo se centra en avanzar un poco más, o en conocer mejor los mecanismos que pueden lograr el calificativo de una *dirección eficiente,* o de que la empresa sea definida como de gestión excelente. Propuesta que, como ya hemos dicho, está muy influenciada por la propia realidad, y por la misma observación de los factores que han entrado en juego en las empresas que han sido calificadas como de éxito.

Por todo ello, en los factores externos vamos sólo a considerar los que creemos que afectan directamente a la mejora de los resultados de la empresa y de su imagen, dejando sentado que también son necesarios otros condicionantes generales del entorno. En el cuadro 2.1 presentamos los factores externos más importantes, en nuestra opinión.

CUADRO 2.1

Los factores externos del éxito

1. Oportunidades de mercado.
2. Demanda expansiva agregada.
3. Descubrimientos tecnológicos.
4. Nuevos recursos.
5. Políticas económicas de incentivación empresarial.

En cuanto a los factores internos, proponemos diez categorías que estimamos fundamentales, factores que, en la mayoría de los casos presentados, pueden ser observados y definidos como relevantes en casi todas las empresas analizadas y que suelen ser los argumentos utilizados por la dirección general de estas empresas para transmitir los valores y los objetivos que permitan conducir la acción. En el cuadro 2.2 presentamos estos diez factores del éxito, que puede que no sean todos, pero sí creemos que son los más característicos para valorar adecuadamente la calidad del esfuerzo empresarial.

2.2. Análisis de los factores externos

Una vez identificados los factores externos que contribuyen a incrementar la competitividad de las empresas, conviene detenernos un mo-

CUADRO 2.2

Los factores internos del éxito

1. Espíritu «innovador» y actitud estratégica (liderazgo).
2. Estilo de dirección flexible, creativo y profesionalizado.
3. La misión de la empresa clara y una cultura organizativa integradora y participativa.
4. Una organización eficiente y adaptativa (flexible).
5. Calidad de los productos y de la gestión (calidad total).
6. Capacidad de innovación.
7. Orientación al mercado, al cliente.
8. Solvencia y autonomía financiera.
9. Productividad elevada y costes competitivos.
10. Importancia y calidad de la información.

mento en cada uno de ellos para determinar con mayor precisión su verdadero alcance.

2.2.1. Oportunidades de mercado

Independientemente de que existan oportunidades en el mercado actual en que opera la empresa, bien por demanda insatisfecha, por la entrada en un nuevo segmento de clientela, por un nuevo producto o por otra causa, vamos a referirnos a un fenómeno específico generador de oportunidades. Este fenómeno es la globalización de la competencia y la mundialización de los mercados que ofrecen nuevas oportunidades a las empresas. En este contexto, al formular y desarrollar estrategias de gran envergadura adaptadas a las exigencias internacionales, las firmas están en condición de conquistar unas ventajas competitivas válidas a nivel general[1].

La internacionalización bien entendida influye positivamente en los componentes del coste. Efectivamente, el hecho de explotar las ventajas comparativas que poseen los países, la posibilidad de obtener eco-

[1] Sobre esta cuestión veáse Bueno, E.: «La globalización de la actividad empresarial. De la internacionalización a la globalización de las actividades económicas», cap. 3 en Sánchez Muñoz, M. P.: *Los grandes retos de la economía española en los noventa,* Pirámide, Madrid, 1993.

nomías de escala, la consecución de unas sinergias positivas y un mayor grado de integración de la empresa constituyen, todos ellos, factores que reducen los costes.

Para beneficiarse de las oportunidades que surgen de un mercado ampliado, las organizaciones pueden extender sus actividades mediante un proceso de crecimiento interno o externo propio, una política de alianzas que conduzca a un intercambio cruzado de tecnología o a la realización de una investigación en común, una participación activa en programas de cooperación internacional, como, por ejemplo, los propuestos por la CE, o unos acuerdos que permitan corregir las debilidades y potenciar las fuerzas respectivas de las entidades implicadas.

2.2.2. Demanda expansiva agregada

El mercado es el que proporciona a las empresas las posibilidades de expansión, y ésta varía en función del grado de satisfacción de los compradores potenciales existentes. Las empresas que ocupan una posición competitiva importante en un sector emergente cuentan con un entorno idóneo o que reúne una serie de condiciones propicias al crecimiento. No obstante, a veces sectores en situación de latencia o hibernación pueden recuperar su expansión perdida al adecuarse de nuevo su oferta a la demanda que se manifiesta en su entorno. En este caso, la demanda vuelve a dispararse tras la incorporación de unas innovaciones y de unos cambios socioeconómicos que favorecen el aumento de las ventas o la aparición de unas modificaciones en los hábitos de consumo[2].

2.2.3. Descubrimientos tecnológicos

Cabe resaltar aquí el carácter transversal de ciertas innovaciones que cruzan los límites verticales de los segmentos estratégicos inicialmente definidos[3]. Es decir, que la innovación ignora las fronteras de los mercados y en determinadas ocasiones nuevos productos o procesos pueden ser igualmente revolucionarios para varios sectores. Los descubrimientos que tienen como efecto crear nuevas expectativas de negocios ejercen un poder de atracción que inclina a numerosas entidades a emprender y desarrollar un proyecto empresarial. Estos descubrimientos actúan,

---

[2] Porter, M. E.: *Estrategia Competitiva,* CECSA, México, 1982.
[3] Quarre, F.: *La estratégie pour gagner,* Masson, París, 1987.

por tanto, por un lado, como generadores de oportunidades, y, de otro, de productores de ventajas competitivas.

2.2.4. Nuevos recursos

La utilización por parte de las empresas de nuevos recursos en los ámbitos productivos y comerciales, principalmente, desemboca con frecuencia en un nuevo ciclo de expansión. Productos ya obsoletos, por no corresponder a necesidades de consumo actuales, pueden redefinirse con nuevos materiales, componentes y diseños para adaptarlos a los gustos expresados por una clientela diferente. Este proceso se asimila a una fase de rejuvenecimiento que beneficia directamente a empresas dispuestas a explotar la mínima oportunidad[4].

2.2.5. Políticas económicas de incentivación empresarial

El Estado, a través de los grandes mercados públicos y de los incentivos que contienen sus políticas industriales, regionales y de innovación, interviene guiado por un doble objetivo. Por una parte, solucionar una situación de crisis por la que atraviesan sectores básicos o estratégicos y, por otra, apoyar a empresas de sectores con futuro fomentando la inversión y la investigación y desarrollo. El Estado-providencia constituye, sin lugar a dudas, una oportunidad de desarrollo, si bien, a veces, las empresas tienden a convertir las medidas de estímulo en muletas que les permitan mantenerse en pie, lo cual puede provocar una pérdida de actitudes positivas para competir.

2.3. Análisis de los factores internos

En relación a estos factores de éxito, podemos efectuar los siguientes comentarios.

2.3.1. Espíritu «innovador» y actitud estratégica (liderazgo)

Dado el nivel de exigencia competitiva impuesta por el entorno en el que las empresas están inmersas en la actualidad, destaca de forma importante la necesidad de desarrollar la auténtica función empresarial

---

[4] Morcillo, P.: *La gestión de la I+D*, Pirámide, Madrid, 1989, y *La dimensión estratégica de la tecnología*, Ariel, Barcelona, 1991.

o concepto de *entrepeneurship* como expresión anglófila del liderazgo. Esta función se apoya en dos ideas claras: espíritu innovador y actitud estratégica. El citado espíritu quiere expresar las virtudes básicas de la función directiva, que reside en la «innovación», en la «creatividad» y en el «liderazgo tecnológico». Al mismo se le tiene que añadir la actitud estratégica como valor representativo del *entrepeneurship*, consistente en la capacidad para saber dirigir estratégicamente el efecto de los cambios que caracterizan el escenario económico habitual en estos últimos años. En suma, si la empresa no desarrolla el espíritu «innovador» y la actitud estratégica, es muy posible que no pueda hacer frente con garantías de éxito el reto del cambio de siglo; en definitiva, podemos decir que no posee el liderazgo necesario para dirigir sus negocios.

2.3.2. Estilo de dirección flexible, creativo y profesionalizado

Como consecuencia de esta actitud estratégica, el estilo de dirección de la empresa moderna debe atender a unos valores que permitan una adaptación fácil y permanente de la misma a un entorno inestable y cambiente. El cumplimiento de este imperativo se consigue sin demasiada dificultad si, previamente, la empresa logra, a través de su cultura, inculcar a todos los miembros de su plantilla un sentimiento de predisposición al cambio. Paralelamente, los directivos que se esfuercen en incorporar importantes dosis de creatividad en sus planteamientos estratégicos rentabilizarán al máximo los efectos que implican estos criterios de flexibilidad, creatividad y profesionalidad.

2.3.3. La misión de la empresa y una cultura organizativa integradora y participativa

La definición de la misión de la empresa, tanto bajo una perspectiva filosófica de lo que quiere ser y hacer como bajo un enfoque pragmático de definición de los negocios que se quieren realizar, es una base esencial para el desarrollo organizativo. Conocida y asumida la misión de la organización, se inicia el proceso de planificación estratégica que es un compromiso necesario en la empresa para alcanzar los objetivos y metas. Queda sobradamente demostrado que cuando existe una verdadera participación de todos los miembros de la organización en la definición y fijación de los objetivos, éstos son aceptados sin reservas y aquéllos se emplean a fondo para su consecución. Con unos objetivos aprobados por unanimidad y unos incentivos adecuados, la dirección de la empresa habrá creado las condiciones óptimas para desarrollar mejor su estrategia. Esta identificación con los objetivos, esta aceptación de valores comunes entre los partícipes de la organización implica la existencia en la misma de una determinada cultura, siendo ésta, en definitiva, elemento esencial para el éxito empresarial.

2.3.4. Una organización eficiente y adaptativa (flexible)

Cada vez más, las empresas eficientes aplanan sus estructuras organizativas y llevan a cabo una gestión horizontal que estimule y facilite las relaciones interpersonales e interfuncionales. Esta cooperación elimina la mayoría de los factores internos de fracaso. La gestión horizontal va sustituyendo a la gestión vertical que impera en las organizaciones muy jerarquizadas y poco innovadoras, ralentizando la toma de decisión y perjudicando la participación directa y constante entre las funciones afines. Esta configuración estructural pretende, en primer lugar, que la organización sea eficiente en su gestión, rápida en sus decisiones, flexible en sus comportamientos, de forma que pueda adaptarse sin traumas a los requerimientos estratégicos del reto que representan los cambios del entorno competitivo actual.

2.3.5. Calidad de los productos y de la gestión (calidad total)

Una de las ideas fundamentales en la que se apoya la competitividad empresarial es el desarrollo del concepto de calidad en su sentido más amplio o sobre la base de[5]:

— La calidad del producto.
— La calidad de la tecnología.
— La calidad de los recursos humanos.
— La calidad del marketing.
— En suma, la calidad de toda la gestión de la empresa.

Este enfoque de *calidad total* es un reto para toda empresa en estos momentos, y una «asignatura pendiente» para la empresa española.

[5] Bueno, E.: *Op. cit.*

2.3.6. Capacidad de innovación

La incorporación de nuevas tecnologías o innovaciones produce múltiples efectos positivos, que permiten globalmente a la empresa mejorar su nivel de competitividad.

La innovación de producto incide sobre la ventaja de diferenciación de la empresa. Con una gama de productos que se distingue de la de sus principales competidores y más acorde con las necesidades presentes o latentes del mercado, la empresa reactiva su producción e inicia una nueva fase de crecimiento rápido.

De otra parte, la innovación de proceso refuerza la ventaja de costes. La empresa incrementará su cuota de mercado en detrimento de sus competidores si éstos no han reaccionado a tiempo realizando el esfuerzo tecnológico que consistirá en introducir nuevos equipos y métodos en su proceso productivo.

De esta forma, la empresa debe planificar su estrategia de innovación de manera que se obtenga el mayor rendimiento del esfuerzo tecnológico realizado.

2.3.7. Orientación al mercado, al cliente

La dirección de la empresa tiene que orientar prioritariamente sus actuaciones hacia las necesidades del mercado, asignando estratégicamente sus recursos en función de las mismas, y luego, de forma complementaria, deberá crear un ambiente que favorezca la realización de experimentaciones y permita que personas emprendedoras desarrollen alternativas competitivas dentro de este marco claramente estructurado con sus objetivos y límites previamente definidos.

En consecuencia, una de las tareas más importantes, a la vez que difíciles, es que la empresa sepa hacer una segmentación adecuada de los clientes, del mercado, definiendo así el «campo estratégico» en que puede moverse competitivamente. En suma, conocer al cliente es la base en donde debe construirse el principio del éxito perseguido por la empresa.

2.3.8. Solvencia y autonomía financiera

Una estructura equilibrada del pasivo procura un amplio margen de maniobra, a la vez que puede reducir cargas financieras a la empresa. Esta última, si dispone de una independencia financiera, de una solvencia, estará en posesión de una libertad estratégica, prácticamente total, y podrá emprender unas actividades sin concesiones o que traducen exactamente su voluntad, expresada en un plan estratégico concreto y consensuado por los partícipes de la organización.

2.3.9. Productividad elevada y costes competitivos

La reducción de costes imputable al aumento de la productividad es fuente fundamental de competitividad. La introducción de nuevas tecnologías y de mejoras en la gestión favorece no solamente el rendimiento del proceso productivo, sino que revoluciona la misma concepción de las unidades fabriles a través de una flexibilización de sus instalaciones. De esta forma, las economías de escala ya no son antinómicas con la diferenciación de los productos y es posible concebir nuevos productos para una demanda restringida restableciendo los lazos entre el crecimiento de la productividad y el tamaño de los mercados. El que la empresa actúe con unos costes competitivos o inferiores a los de sus contrincantes es cuestión esencial para que aquélla pueda ganar la batalla en su sector.

2.3.10. Importancia y calidad de la información

Hay que destacar el valor estratégico de la información en la empresa, afectando tanto a los procesos, a los productos, a los recursos humanos, a los sistemas de planificación como, en general, a toda la estructura de la organización.

Como es sabido, la tecnología de la información influye en las distintas estrategias genéricas de la empresa, ya que viene a reforzar las ventajas competitivas sobre las que se sustentan las primeras. Hoy día, disponer de esta tecnología de la información es un valor diferencial respecto a los competidores y base para asegurar el crecimiento de la empresa. En suma, el desarrollo de los sistemas de información es fuente de ventaja competitiva en la medida que facilita la toma de decisiones y mejora el proceso de formulación e implantación de las estrategias.

2.4. Conclusión

Es seguro que nos habremos dejado en el tintero algunos factores de éxito importantes, pero creemos que con los expuestos hemos cubierto un amplio espectro justificador de las causas de una *dirección eficiente* o de una buena competitividad empresarial.

La importancia de estos factores no es cuestión baladí, ya que su presencia es deseada por toda empresa, pero la misma no siempre es fácil; ello da la razón a que la «excelencia empresarial» en estos últimos y difíciles tiempos sea un atributo esquivo.

De todas formas, también ocurre que, dentro de la gran cifra de empresas medianas y pequeñas, no son pocas las que poseen esos factores, si bien son menos conocidas que el segmento de las grandes empresas.

En los capítulos siguientes se van ofreciendo una serie de casos de empresas en las que creemos se han dado las circunstancias antes aludidas y en las que hemos estimado su *dirección eficiente*. La mayoría de los factores de éxito están presentes en estos casos y, curiosamente, los tamaños de las distintas empresas son variados, tal y como ha quedado expuesto en la introducción, por lo que justifica nuestra aseveración anterior de que la «excelencia» puede ser encontrada tanto en la grande como en la mediana y pequeña empresa. Esperamos que el lector pueda identificar estos y otros factores de éxito con el estudio de cada uno de los casos presentados. De todas formas, le ayudaremos y terminaremos la obra con un capítulo recopilador de unas conclusiones que, a su vez, permitan servir de contraste de la hipótesis que ha representado formular estos factores del éxito.

PARTE SEGUNDA

El éxito de las estrategias de crecimiento y de internacionalización

3

Conservera Campofrío: «Recuperar el capital perdido»

3.1. Nace una empresa

Conservera Campofrío, S. A., es actualmente la empresa líder dentro del sector cárnico español. Este sector se encuentra integrado por un conjunto de unas 1.600 empresas con una facturación total en 1990 de unos 500.000 millones de pesetas. Pero para llegar a esta situación han transcurrido más de cuarenta años desde su creación.

Conservera Campofrío, S. A., se constituyó en Burgos en 1944, siendo su objeto social *la transformación y comercialización de productos cárnicos.* Como se puede comprobar, desde su origen ha tenido clara su misión, al menos considerada como respuesta a lo que ha querido hacer la empresa.

En concreto, fue constituida en dicha ciudad el 1 de septiembre de 1944 mediante escritura pública otorgada ante el notario de Burgos don Julio Albi Agero, con número de protocolo 772 y representado por 1.000 acciones al portador de 1.000 pesetas de nominal cada una y numeradas correlativamente del número 1 al 1.000, ambos inclusive. Fue inscrita en el Registro Mercantil de Burgos el día 11 de octubre de 1944.

Como características generales de Campofrío podemos decir que desde su origen la empresa ha tenido un *carácter familiar* en la que coincide la propiedad y el control de la misma, y en su gestión siempre ha destacado la figura dinámica de algún miembro de la familia Ballvé, siendo el caso actual el de su presidente Pedro Ballvé, hijo de uno de los fundadores de la compañía, José Luis Ballvé. En sus inicios fueron las familias Garay y Ballvé las fundadoras y accionistas de la compañía, la primera como socio capitalista y la segunda como socio industrial.

En el año 1951 el capital de la empresa fue adquirido en su totalidad por la familia Ballvé. Desde ese año, si algo ha caracterizado a la compañía ha sido su fuerte crecimiento, lo que la ha llevado a ocupar las primeras posiciones del sector, ya en el año 1970. Este liderazgo se acentúa si tenemos en cuenta el tipo de productos vendidos por la compañía dentro del sector cárnico.

Es interesante señalar que, del total de la producción cárnica en 1990, aproximadamente el 50 por 100 corresponde a carne de porcino, seguida ya de lejos por la carne de ave que representa cerca del 30 por 100.

Esta situación del sector se repite en la cartera de productos de Campofrío, ya que alrededor de un 90 por 100 de la misma se compone de productos derivados de la carne de porcino en las variantes de fresco, elaborado y semielaborado. Del resto de su producción, una parte importante corresponde a la transformación y envasado de carne de pavo con la que está consiguiendo, en estos momentos, una gran popularidad y un éxito rotundo dentro del sector de la alimentación.

Pero antes de detenernos en la situación que ocupa Campofrío en el mercado español y en su proyección internacional, parece conveniente conocer mejor la evolución más reciente de la empresa y cómo la misma se va configurando como una compañía sólida y rentable, resultado que tiene más mérito si tenemos en cuenta que actúa en uno de los subsectores alimenticios más competitivos y con una creciente presencia de capital multinacional.

El sector de actividad de Campofrío presenta un alto índice de competencia interna debido al exceso de capacidad existente en relación a la demanda global, por ello los competidores se ven obligados a desarrollar planes de marketing y campañas de publicidad bastante agresivas, y todo sobre la base de una cartera de productos amplia. La variable clave para el éxito en el sector está siendo, precisamente, aparte de dicha oferta amplia, la continua evolución de los productos para ofrecer un buen servicio al cliente, servicio al consumidor que se basa en la mejor combinación *calidad-precio*. Esta política es precisamente la que ha sabido desarrollar la compañía y que le ha permitido alcanzar la posición de líder en los momentos actuales.

Filosofía de empresa que unida a la capacidad de liderazgo del equipo directivo permiten que Campofrío presente un claro interés para aquellos que desean conocer e investigar las empresas más eficientes o que han alcanzado el éxito en la economía española.

3.2. La importancia de la estructura en la estrategia de crecimiento

Campofrío, como ya sabemos, tiene por objeto social la producción de derivados cárnicos y su comercialización en el mercado nacional y europeo. En el cuadro 3.1 y en la figura 3.1 se puede observar cuál ha sido la evolución de su producción nacional en cada una de las líneas

CUADRO 3.1

Evolución de la producción del Grupo Campofrío (en toneladas)

División de productos	1982	%	1985	%	1986	%	1987	%	1988	%	1989*	%	Incremento 89/82 (%)
Elaborados	35.557	56,9	51.138	69,4	54.311	68,8	59.248	72,1	64.405	73,8	68.102	75,0	91,5
Semielaborados	15.935	25,9	12.821	17,4	12.352	15,7	11.116	13,5	11.014	12,6	10.896	12,0	(31,6)
Frescos	9.891	17,2	9.729	13,2	12.235	15,5	11.817	14,4	11.807	13,6	11.804	13,0	19,3
Producción total (en toneladas)	61.383	100,0	73.688	100,0	78.898	100,0	82.181	100,0	87.226	100,0	90.802	100,0	47,9
Ventas (en mill. de ptas)	14.206		24.360		28.660		30.108		32.147		37.421		

* Estimado.
FUENTE: *Asesores Bursátiles*, *Capital Market* y elaboración propia.

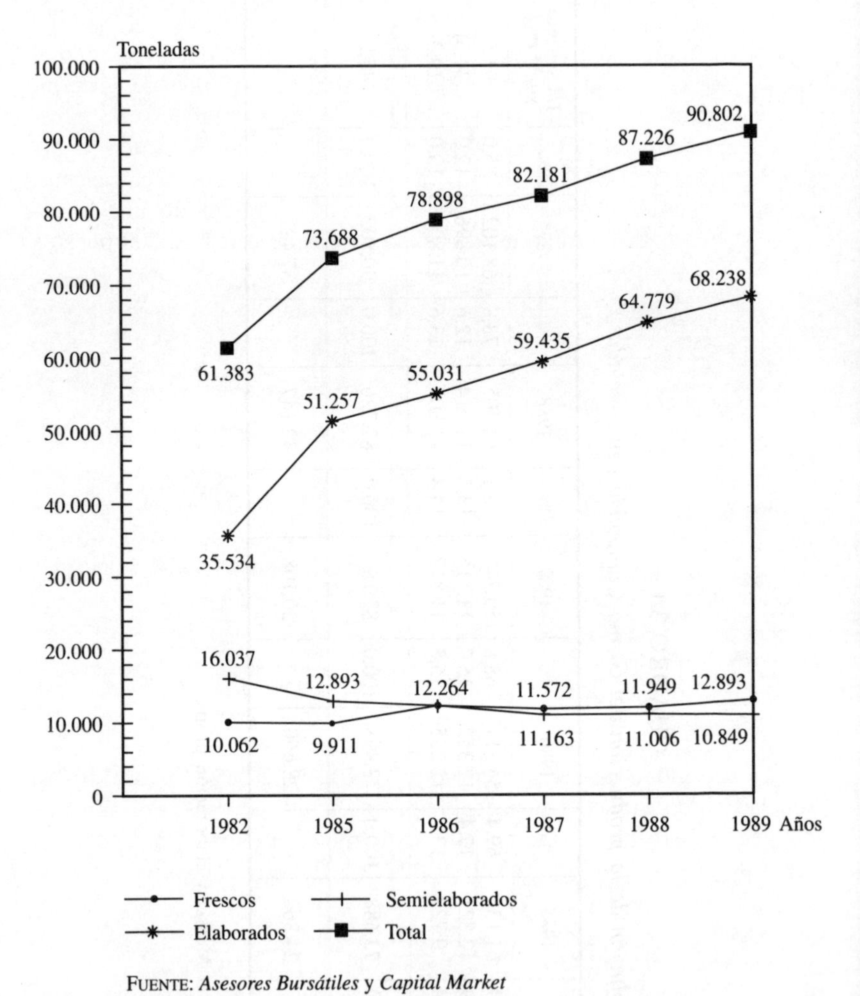

FUENTE: *Asesores Bursátiles* y *Capital Market*

Figura 3.1.—Evolución de la producción de Conservera Campofrío.

de productos o divisiones industriales en que ha estructurado la empresa su explotación.

Esta producción en España se realiza en cuatro fábricas y en un matadero industrial, bien por ser propietaria la empresa directamente o bien por controlar a las sociedades propietarias que le han cedido la explotación de las mismas. Así, tenemos:

a) Dos fábricas en Burgos. La original de la empresa y con la que inició sus actividades de elaboración de embutidos y fiambres, y la inaugurada en diciembre de 1989 en el Polígono Gamonal dedicada a los productos cocidos. Fábrica robotizada y de un alto nivel tecnológico que ha merecido el reconocimiento europeo, al ser aprobado su proyecto (EU 398 Projam) dentro del Programa Eureka, como una de las plantas con técnicas más modernas de Europa. Esta fábrica ha representado una inversión de 3.700 millones de pesetas y creado cerca de 300 puestos de trabajo.

b) Dos fábricas de Interalimem, una en Madrid y otra en Burgos, sociedad controlada por Campofrío en un 50,1 por 100 y que explota en arrendamiento dichas plantas. La primera dedicada a la elaboración de jamón cocido y salchichas y la segunda dedicada a fabricar embutidos y las tripas para las salchichas.

c) Una fábrica propiedad de Coprasa, filial al 100 por 100 de Interalimen, en Burgos. Instalación también arrendada a Campofrío y dedicada a la obtención de productos transformados de carne de vacuno, de subproductos, como por ejemplo la manteca, y la elaboración de alimentos para animales.

d) Un matadero industrial propiedad de Ilercesa, en Lérida, filial al 100 por 100 de Campofrío. Matadero de un alto nivel de productividad, ya que tiene una capacidad de 450 cerdos y de 180 vacunos a la hora.

La capacidad de producción de estas plantas fabriles es de 140.000 toneladas de productos cárnicos, habiendo tenido en 1990 un índice de ocupación cercano al 85 por 100, cifra muy superior a la media del sector, dado el exceso de oferta instalada antes comentada y con unos costes medios menores dado el nivel tecnológico alcanzado.

Como se deduce de la localización geográfica de las plantas, se ha pretendido cubrir el noreste de la península, máximo centro productor de carne de cerdo, y el centro por la atracción comercial y financiera que representa Madrid.

Como se puede observar en la figura 3.1, la producción total ha tenido un crecimiento considerable en los últimos ocho años. En concreto, tal y como señala el cuadro 3.1, de un 47,9 por 100. Ahora bien, de dicho cuadro se deduce el cambio de estrategia sobre su cartera de productos, ya que se van sustituyendo los semielaborados por los elaborados, basada en buscar productos con mayor valor añadido, y quedando los frescos como división complementaria. Esta estrategia de productos se verá reforzada en el futuro cuando se desarrolle la cartera hacia congelados y conservas de pescado, siempre buscando mercados en crecimiento y altos márgenes económicos.

Si la localización industrial, como factor estructural, es uno de los puntos fuertes de la empresa, otro muy significativo es la cartera de productos, una de las más competitivas del sector. Veamos su composición a nivel de gamas o familias principales de productos, cada uno de los cuales se comercializa en diferentes variedades e integrando varias marcas. Entre paréntesis aparece la tasa anual de crecimiento del mercado en estos años y para los productos más importantes del sector.

— Jamones serranos (8-12%).
— Embutidos (7,5%).
— Jamones cocidos (7%).
— Loncheados (20%).
— Salchichas (20%).
— Fiambres (15%).
— Paletas cocidas.
— Pavofrío.
— Adobados.
— Cortezas.
— Alimentos para animales.
— Manteca.

La posición competitiva de cada gama y, en general, de la empresa, como hemos indicado ya, lo dejaremos para más adelante.

Otro punto fuerte de la empresa es su desarrollo tecnológico y la política de calidad total llevada a cabo, lo cual redunda en disponer de unas instalaciones con un diseño en planta, con un alto nivel de robotización, que facilita el control de tiempos, humedades, temperaturas, movimientos, etc., y con una higiene y una limpieza que redunda en la obtención de un producto de calidad uniforme y elevada, que supera fácilmente cualquier control de sanidad o análisis microbiológico y físico-químico de la legislación más exigentes a nivel internacional.

Este nivel tecnológico se completa con una política decidida en investigar y desarrollar nuevos productos, sin tener que depender del exterior y, en consecuencia, no realizar ningún pago por transferencia de tecnología. Esta política de I+D se ve protegida por el registro o patente que se realiza de cada marca de la compañía con el fin de evitar imitaciones y confusiones comerciales. Son muchas las marcas registradas (se puede hablar de 30 productos lanzados en los últimos cinco años) pero, como más importantes, podríamos indicar las siguientes:

Campofrío (con 40 clases); Conservera Campofrío; «La Catedral» de Burgos; Campofritos; Fritongos; Mundicarne; Centrino; Alhacín; Lord; Campo-ligero (-light, -dieta, -unido, -llano, -alto, -fuerte, -sierra); Pavofrío; Gaty; Perry Nat; Salchichas Freschis; Salami Alheña; Salchichón Memorial; Patés Table Ronde; CID; Carnibérica; Carnhispana; Embutidos Ibéricos (las cuatro últimas marcas utilizadas para la exportación).

Fruto de esta política de I+D son las nuevas líneas de empanados precocinados, patés y otros nuevos productos *light* que se incorporan a la cartera de productos en 1990 y 1991.

El desarrollo humano y técnico de los componentes de la plantilla de Campofrío es uno de los puntos fuertes de la empresa. La dirección de Campofrío coincide con la opinión de los expertos en recursos humanos sobre la necesidad de disponer de personas formadas y motivadas para lograr el mejor aprovechamiento de los medios y oportunidades de mercado o ganar en competitividad. Para reforzar esta política y el desarrollo de actividades sociales, en 1974 se crea la Fundación Sonsoles Ballvé Lantero, con objetivos de educación infantil, profesional y especialmente dedicada a beneficiarios minusválidos y pensionistas.

Otro de los puntos fuertes más importantes de la empresa es su red de distribución y su «fuerza de ventas» en los mercados nacional y exterior. Para esta comercialización cuenta con una organización de treinta y una delegaciones y almacenes, con un equipo humano de cerca de 500 personas en plantilla. Además, cuenta con un equipo de transporte propio y adecuado técnicamente a los requerimientos de frío y conservación de unos 150 camiones de diferente tonelaje, de grandes a medianos.

Esta red de distribución tiene una capacidad de entrega de cerca de un millón de productos a una demanda compuesta, entre mayoristas y minoristas, por 45.000 clientes. La red se reparte estratégicamente por todo el país y presenta las siguientes zonas: Norte, Centro, Sur, Levante e Islas.

Con respecto al mercado exterior en estos años, Campofrío, como todo el sector, se ha visto perjudicada por la peste porcina africana, por lo que sólo se han podido exportar productos tratados con calor y según las condiciones sanitarias que la Comunidad Europea estipula. De todas formas, el volumen de exportación en 1987 no fue muy alto, cerca de 4.123 toneladas por un importe de 1.399 millones de pesetas (el 5,02 por 100 y el 4,64 por 100, respectivamente, sobre las cifras totales). El problema exportador queda resuelto a partir de mayo de 1989, término de la «cuarentena» impuesta. En parte, este problema ha sido paliado por la existencia de la filial Nuevo Grupo, propietaria de una fábrica en Francia y con red de distribución propia, a través de la cual se ha podido vender jamón serrano español en el mercado internacional. En estos momentos, para apoyar las ventas se ha creado una delegación en Portugal y se han establecido acuerdos con almacenes de distribución en Alemania, Bélgica, Holanda, Dinamarca y Reino Unido, esfuerzos que duplican en tres años las cifras de exportación.

Con referencia a esta implantación comercial, es básico que comentemos ahora la configuración de su grupo de sociedades, otro factor positivo de cara a la conquista del mercado nacional y del internacional. En consecuencia, en la figura 3.2 se recoge la estructura de grupo de Conservera Campofrío. También en dicha figura se puede observar la estructura financiera de la empresa, evidente fortaleza para la misma y que será comentada en el apartado siguiente.

La empresa, como hemos visto, tiene muy buena cobertura geográfica en cuanto a la producción y distribución nacional, pero era limitada en cuanto a la internacional, siendo, por ello, éste su primer objetivo de expansión de mercados en estos últimos años, en base a la explotación de las oportunidades que van surgiendo, tanto en Europa, América y Asia, siendo éstas las tres áreas en que ha dividido la compañía el mercado mundial de cara a su diversificación geográfica internacional.

La filial española Ilercesa (Industrias Leridanas del Cerdo, S. A., 100 por 100 de propiedad) tiene un capital social de 600 millones de pesetas y es propietaria de uno de los mayores y mejores mataderos de Cataluña, en Mollerusa (Lérida). Además, posee una planta de elaborados cárnicos cocidos que tiene arrendada a la competidora Hesperia de Alimentación, S. A., hasta 1990. La explicación de esta situación reside en que el contrato había sido realizado por el antiguo propietario, el Grupo Porta, al que Campofrío compró en octubre de 1988 el 50 por 100 restante de las acciones, ya que poseía el otro cincuenta desde hacía años. Nada más poseer la totalidad del capital, la sociedad realizó una ampliación de 250 millones de pesetas.

Esta sociedad tiene una filial, poseyendo el 100 por 100 de su capital social (35 millones de pesetas) sita en Torrejón de Ardoz y dedicada al despiece de los productos de Ilercesa para su distribuición diaria a los clientes de la capital de España.

La filial española Internacional de Alimentación, S. A. (Interalimen), tiene un capital social de 1.400 millones de pesetas y posee, como ya se comentó, dos plantas industriales de transformados cárnicos, que están arrendados a Campofrío. El 49,9 por 100 de las acciones que no están en poder de esta empresa están distribuidas entre las dos familias Ballvé y Yartú, también accionistas de aquélla, las cuales vendieron en 1988 dicho 50,1 por 100 a un precio de 5.000 millones de pesetas.

Esta sociedad tiene a su vez otra filial, Comercialización de Produc-

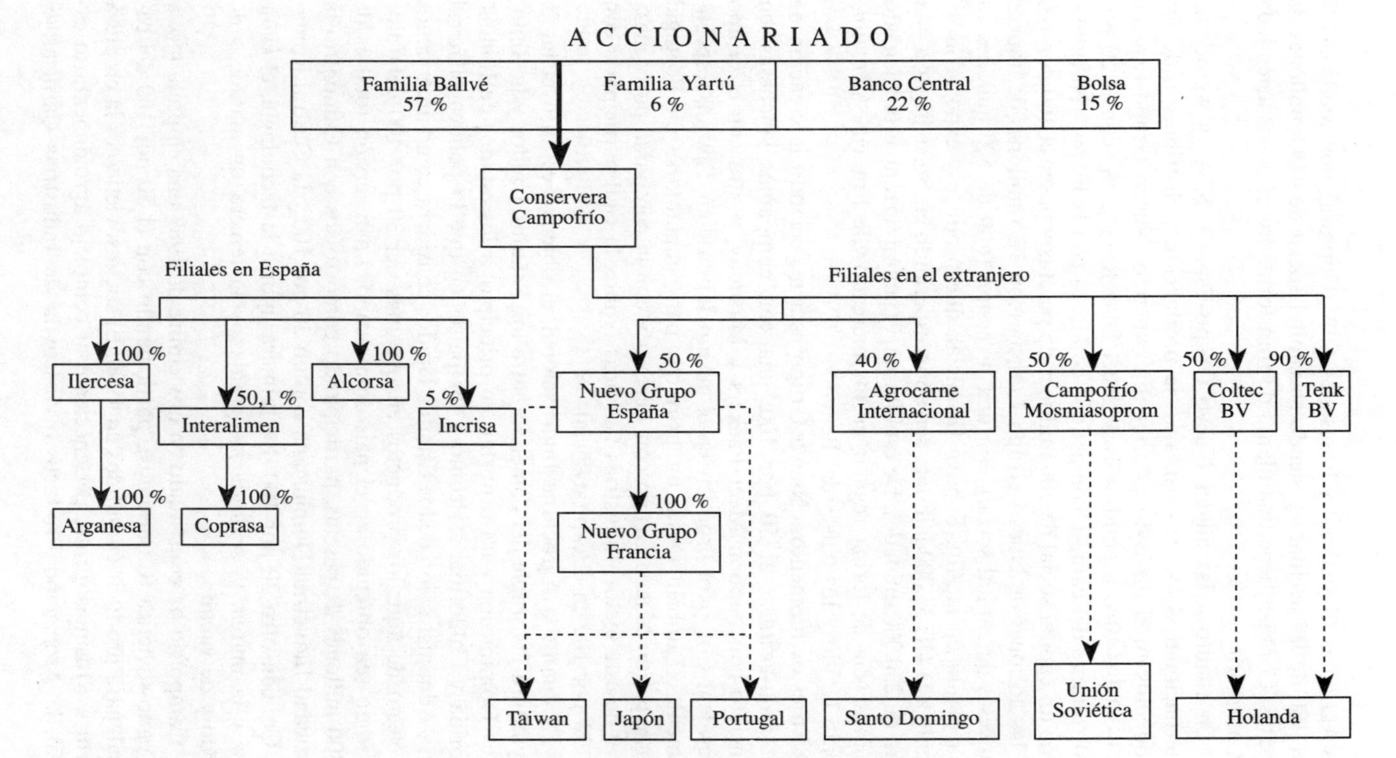

Figura 3.2.—Grupo de sociedades Campofrío.

tos Agrícolas, Ganaderos y Forestales, S. A. (Coprasa), poseyendo el 100 por 100 de las acciones y siendo su capital social de 419,6 millones de pesetas. Coprasa tiene una planta de transformados cárnicos arrendada a Campofrío.

En cuanto a las filiales Nuevo Grupo-España, S. A., y Agrocarne Internacional, S. A., se orientan a la producción y distribución de sus productos en el mercado exterior. En concreto, Nuevo Grupo-España, en la que el otro accionista es Manuel Díaz Ruiz, S. A., con el 50 por 100 restante del capital, competidor conocido con la marca «Navidul», tiene un capital social de 300 millones de pesetas y posee el 100 por 100 de las acciones de Nuevo Grupo-Francia (con 12,5 millones de francos franceses de capital social), con una inversión total de 500 millones en una planta en la Alta Saboya (Francia), que produce y exporta libremente a la CE 35.000 jamones serranos, esperando en breve llegar a una cifra de 250.000 unidades. De esta forma, el jamón serrano está haciendo su presencia de forma regular en los mercados de Francia, Alemania, Reino Unido y los países del Benelux.

En estos momentos, Nuevo Grupo está negociando la creación de dos *joint-ventures* al 50 por 100, una con compañías japonesas, en concreto con Nippon Meet Packers y Masuday, y otra con el Grupo President Co., para producir en el mismo Japón y en Taiwan, respectivamente. También existe un proyecto para implantarse en Portugal participando Nuevo Grupo con Ilercesa y con la compañía portuguesa líder de este sector, Industrias Cárnicas Nobre, la cual participaría con un 33 por 100 en el capital social.

En cuanto a Agrocarne Internacional, el objetivo es aprovechar la coyuntura favorable del comercio entre los Estados Unidos y la República Dominicana para exportar, en principio, a los estados de Illinois, Florida y California, así como a los países en que la política bilateral de la Administración de los Estados Unidos considera como americanos al efecto de aquellos productos en que más del 30 por 100 del valor añadido sea obtenido en el país dominicano. La inversión total es de 1.300 millones de pesetas, participando como socios con Campofrío la Sociedad Industrial Dominicana con un 30 por 100 y la Central Romana Co. con otro 30 por 100. La primera aporta la tecnología, el *know how* y la marca, la segunda las granjas, y la tercera un matadero de cerdo y de vacuno.

Campofrío ha constituido en noviembre de 1989 una empresa mixta hispano-soviética (Campomos), participando con el 50 por 100 del capital, para producir embutidos en 1990. El socio soviético es la empresa cárnica Mosmiasoprom, perteneciente al complejo agroalimentario estatal, la Asociación Productiva Moscovita de Industrias Cárnicas, el cual aporta las instalaciones y terrenos. La empresa española aporta unos tres millones de dólares en concepto de tecnología y *know how*, así como se reserva la asistencia técnica de las actividades productivas. La importancia del mercado soviético y las condiciones de la operación han justificado esta importante decisión, con lo que Campofrío se suma a la media docena de empresas españolas que han realizado inversiones en la Unión Soviética en régimen de *joint venture* de las que algunas son sujeto de estudio en esta obra. La fábrica ha sido inaugurada el 14 de diciembre de 1990, esperando superar las dificultades por las que atraviesan en estos momentos las repúblicas soviéticas y más en concreto la de Rusia.

Campofrío ha creado a finales de 1989 otra *joint venture* con la firma holandesa Stork, líder mundial en fabricación de maquinaria para elaborados cárnicos: Coltec BV. Esta sociedad cuenta con un capital inicial de 6 millones de pesetas, participando al 50 por 100 ambas empresas, y tiene por objeto producir y comercializar a nivel mundial el colágeno requerido por la tecnología de coextrusión en la producción de salchichas y similares. Con esta sociedad el departamento de I+D podrá desarrollar una serie de nuevos productos.

También a finales de 1989 se crea en Holanda Tenki International Holding BV, sociedad dedicada a promover y gestionar las participaciones de Campofrío en el exterior. Posee en la actualidad un capital social de 5.550.000 florines (unos 308 millones de pesetas) y está participada en un 90 por 100 por la compañía española.

En febrero de 1990 Campofrío crea Alcorsa, sociedad filial al 100 por 100 con un capital social de 20 millones de pesetas. Su objetivo es atender el segmento de actividades y sector institucional de productos de la gama Campofrío y otros afines que puedan canalizar por su estructura en la búsqueda de una mejor atención a este importante segmento de clientes.

Ya en 1989 Campofrío participa en Incrisa con un 5 por 100 del capital social que se eleva a 100 millones de pesetas, empresa patrocinada por la Junta de Castilla y León para apoyar las iniciativas de desarrollo regional.

Todos estos elementos configuran una estructura económica que, junto al diseño de la correspondiente estructura de organización y el estilo de dirección seguido por Campofrío, son la base de generación de unas ventajas competitivas, de unas fuerzas o de un potencial estratégico que le asegura su capacidad competitiva frente a las más importantes empresas multinacionales del sector tanto en España como en otros países.

3.3. Pérdida y recuperación del capital vendido

Como consecuencia del fuerte crecimiento de la empresa durante los años sesenta y que la llevaron a ocupar las primeras posiciones del sector en la siguiente década, se pensó en la necesidad de consolidar dicha posición y así asegurar el crecimiento posterior.

Por esta razón, en 1978 la dirección de Campofrío, presidida por José Luis Ballvé, estimó que lo mejor para los intereses de la compañía sería integrarla en el seno de una gran compañía norteamericana del sector y que tuviera perspectivas de introducirse en Europa. Esta situación sería muy ventajosa para la empresa, tanto por su reforzamiento económico y técnico como por la ampliación de su red comercial hacia el mercado mundial, además de ser el inicio de transformación de la compañía, pasando de una estructura de negocio con base familiar a otra con base profesional.

El resultado de este planteamiento fue la venta del 50 por 100 de las acciones de la sociedad a la multinacional norteamericana Beatrice Foods, una de las mayores empresas del sector alimentario mundial después de las europeas Unilever y Nestlé y una de las primeras de Estados Unidos. Compañía que tenía como objetivo entrar con su división de productos cárnicos en Europa.

La asociación con la compañía norteamericana fue llevada a cabo con gran acierto, ya que ambas partes lograron sus objetivos. Uno de ellos, por parte del accionariado español, fue lograr retener el control efectivo de la empresa, ya que Beatrice Foods nunca quiso intervenir en la gestión de la compañía española.

Tras la muerte del fundador y presidente Jose Luis Ballvé, el nuevo presidente, su hijo Pedro Ballvé, en noviembre de 1985 comienza ya a iniciar los primeros contactos para intentar recuperar el capital en poder de los accionistas extranjeros. Esta negociación seguía su curso normal cuando fue temporalmente truncada por una de las operaciones del «tiburoneo bursátil» más importante y famosa de todos los tiempos en la historia financiera de Wall Street: Beatrice Foods es víctima en abril de 1986 de una *opa* hostil lanzada por el grupo KKR (Kravis, Kohlberg, Robert & Co), aunque al final, en 1987, parte de ella cayó en manos del grupo TLC, dirigida por Reginald Lewis, famoso y típico «tiburón» de la Bolsa de Nueva York.

Por la operación de control de la sociedad KKR pagó 6.200 millones de dólares y participaron en la misma 138 bancos. Meses más tarde el grupo TLC compró a KKR la división internacional de Beatrice Foods, pagando al contado 985 millones de dólares, con financiación del Drexel Burham Lambert. División que se componía de 35 compañías operando en 65 países y en la que Campofrío tenía un peso del 22 por 100 de los resultados totales.

Esta operación de la compañía KKR, experta en operaciones de LBO *(leveraged buy out)*, fue el detonante que convulsionó la estructura del sector alimentario norteamericano y, en definitiva, mundial, surgiendo una serie de *opas* hostiles a cual mayor. Primero, en 1985 Philip Morris compró General Foods, al terminar octubre de 1988 anunció la compra, a través de una *opa* de 13.100 millones de dólares, de Kraft Inc. (hasta entonces la segunda mayor conocida, sólo superada por la compra de Gulf Oil por SOCAL en 1984 con 13.300 millones de dólares). Con esta operación Philip Morris-Kraft pasa a ser la primera empresa mundial por ventas, por delante de Unilever y Nestlé. Segundo, KKR es desde primeros de diciembre de 1988 la propietaria de RJR Nabisco, otra de las grandes alimentarias norteamericanas, gracias a una oferta de 24.900 millones de dólares (la mayor *opa* de la historia hasta la fecha), con ello y teniendo en cuenta que aún conserva el 88 por 100 de Beatrice, KKR disputa el tercer puesto del *ranking* mundial a Nestlé.

Los cambios de propiedad, y consecuentemente en la dirección de Beatrice Foods, complicaron la negociación. Nada más aparecer la *opa*, Campofrío inicia una acción legal para que se cumpliera una cláusula del contrato por el que efectuó la venta inicial de las acciones a la multinacional norteamericana, consistente en el reconocimiento de un pacto de recompra de las acciones por parte de la compañía española en caso de que dicha participación quisiera ser vendida. La resistencia de Reginal Lewis fue total, dado que se producía un conflicto de intereses: de una parte los de un inversor financiero actuando a corto plazo, y de otra, los de una empresa industrial con la vista puesta en el largo plazo. Pero la coyuntura financiera internacional jugó el papel de benefactor para Campofrío: el *crash* bursátil de octubre de 1987 impulsó a Lewis a deshacerse de gran parte de la división comprada a KKR. Decisión que coincidió con la mayor presión negociadora de la compañía española, por lo que la misma salió beneficiada.

En consecuencia, el «capital perdido» se recupera definitivamente en diciembre de 1987, comprando esa participación del 50 por 100 por 90 millones de dólares (unos 10.800 millones de pesetas). Para poder hacer frente a este desembolso se acudió a la colaboración financiera del Banco Central.

Esta colaboración consistió en lo siguiente:

— En primer lugar, el Banco Central otorgaba un crédito para cerrar la operación de recompra.

— En segundo lugar, Campofrío le vendía a la entidad bancaria una participación del 40 por 100 a un precio de 24.019 millones de pesetas.
— Con ello se compensaba gran parte del crédito y la familia Ballvé adquiría el 3,3 por 100 del capital del banco, consolidando el puesto de consejero que ya ocupaba Pedro Ballvé Lantero.
— El banco se comprometía a sacar a Bolsa un 10 por 100 del capital, quedándose él con un 30 por 100 de las acciones de Campofrío, a un precio que suponía una capitalización bursátil de la sociedad de 64.584 millones de pesetas.
— En el protocolo firmado entre la empresa y el banco, las familias Ballvé-Yartú se han reservado la facultad de poder recomprar un 10 por 100 del capital social en poder del banco, en un plazo relativamente corto de tiempo, por lo que en breve su control ascenderá al 70 por 100.

Con esta operación la estructura de la propiedad de la empresa queda de tal forma que el control está asegurado por las familias Ballvé-Yartú, teniendo además la ventaja de estar bien posicionada para acudir al mercado de capitales en el caso de necesitar nuevos recursos financieros para atender la demanda de su estrategia de crecimiento.

La colocación de las acciones de Campofrío en Bolsa, actuando el Banco Central como director de la operación y la sociedad instrumental Iberagentes como co-director, en un principio se pensó que podría elevarse el 10 por 100 del capital hasta un 13 por 100, en el caso de que hubiese una fuerte demanda de títulos.

La oferta de acciones fue de 432.000, paquete representativo del 10 por 100 del capital social, de un valor nominal de 1.000 pesetas y saliendo al parqué a un precio de 14.950 pesetas. La suscripción máxima para particulares se fijó en 1.000 acciones y para instituciones y organizaciones en 4.000 títulos.

El volumen de la operación fue de 6.458,4 millones de pesetas, con un período de oferta del 8 al 22 de julio de 1988. La demanda superó en el doble a la oferta y la suscripción fue cerrada.

El PER de la acción de Campofrío para 1988 se valoró en 19,93 y con una rentabilidad para el accionista del 2,23 por 100 ya que el Consejo de Administración acordó el pago de un primer dividendo del 15 por 100, con cargo a los resultados de 1988, 750 pesetas de beneficio neto, que se pagó a primeros de agosto. Estos indicadores económicos, de una parte, favorecieron la colocación, pero, de otra, situaron el título a un precio muy alto para futuras operaciones en el mercado secundario, ya que operaciones similares realizadas en la Bolsa de Madrid se movieron en torno a un valor de 11 para el PER de la acción. De hecho en pocos días la cotización bajó 100 enteros. También el hecho de estar en marcha entonces el proyecto de fusión del Banco Central y el Banesto desaconsejaba cualquier acción que pudiera influir en el desarrollo de un sector, como el alimenticio, plagado de operaciones financieras dentro y fuera de la bolsa. En consecuencia, pareció más prudente no sacar más títulos a Bolsa y esperar.

Por esas mismas fechas el Consejo de Administración decidió ampliar el capital social en la proporción de 1 acción nueva por 10 antiguas, a la par y totalmente liberadas con cargo a Reservas, de esta forma se terminó el ejercicio 1988 con una estructura financiera capaz de acometer con la máxima solvencia sus proyectos de crecimiento internacional a partir de 1989.

A finales de 1989 la empresa tenía un capital social de 5.005,939 millones de pesetas y unas reservas de 5.644,426 millones de pesetas. La citada cifra de capital es consecuencia de la conversión del 88 por 100 de los bonos de la emisión de 3.000 millones a principios de ese año.

3.4. La posición competitiva de Campofrío y el asalto al mercado internacional

Como resumen de los aspectos relativos al diagnóstico y evaluación estratégica de Campofrío, efectuado en los puntos precedentes, se puede indicar que la empresa es en la actualidad el líder del sector cárnico español. En el cuadro 3.2 se recogen los datos más relevantes sobre las diez primeras empresas en 1990, según cifras de ventas, del sector de cárnicos y avícolas.

Esta posición de liderazgo es la resultante del conjunto de fuerzas analizadas y del esfuerzo de una dirección moderna, basada en los siguientes aspectos:

- Un trabajo en equipo en donde se potencia la comunicación personal.
- Una dirección por objetivos, los cuales son fijados de una forma clara y consensuada.
- Una adecuada descentralización profesional y delegación de funciones.
- Un control permanente y total, con el objeto de mantener la imagen de calidad.

Estilo de dirección que presta su atención a mejorar las relaciones interpersonales y a saber conjugar a la perfección el binomio *cultura*

CUADRO 3.2

Las diez mayores empresas del sector cárnicos y avícolas
(datos en millones de pesetas)

N.º	Empresa	Empleo fijo	Recursos propios	Ventas 1989	Ventas 1990	% 1990/1989
1	Conservera Campofrío, S. A.	1.547	12.980	36.256	40.529	12
2	Oscar Mayor Alimentación, S. A. (Omsa)	1.235	4.376	23.480	25.387	8
3	Fuertes, S. A.	518	3.660	18.000	22.000	22
4	L'Agudana, S. A.	494	2.315	16.034	17.014	6
5	Industrias Revilla, S. A.	730	1.946	16.000	17.000	6
6	Hijos de Andrés Molina, S. A.	1.179	7.093	13.775	15.537	13
7	Ganaderos e Industriales Reunidos, S. A.	275	1.088	15.076	15.000	−1
8	Grupo Navidul, S. A.	650	1.682	10.750	14.500	35
9	José Anrubia, S. A.	587	1.676	16.585	14.365	−13
10	Corporación Alimentaria Ibérica, S. A.	872	3.728	12.577	12.983	3

FUENTE: «Informe anual de alimentación», *Alimarket 91*, y elaboración propia.

organizativa-liderazgo. Consecuencia de todo ello es que se puede hablar de una auténtica «cultura Campofrío», liderada por su presidente Pedro Ballvé, la cual se basa, como él mismo dice, en «tres virtudes: honestidad, dedicación y sentido común». Estilo de dirección que el actual presidente comenzó a configurar en su período de aprendizaje desde 1978 a 1981, en que estuvo trabajando, en el sector alimenticio en general y cárnico en particular, en Estados Unidos y en distintas compañías, coincidiendo con el inicio de asociación con Beatrice Foods.

En la figura 3.3 se puede apreciar claramente cuál ha sido la evolución última de las ventas de la empresa, la cual unida a la producida en la plantilla de la compañía (véase figura 3.4) nos da una clara idea del índice de productividad o de eficiencia de Campofrío, base de su ventaja competitiva, si la comparamos, por ejemplo para 1990, con los datos de sus competidores. En la figura 3.5 se recoge la evolución de dicho índice de eficiencia.

Si tenemos en cuenta sólo su grupo estratégico o las empresas que tienen una gama de productos similares dentro del sector cárnico, especialmente porcino, Campofrío presenta además una posición de privilegio en la mayoría de dichas gamas de productos. En global, detenta un 14,4 por 100 de cuota del mercado total.

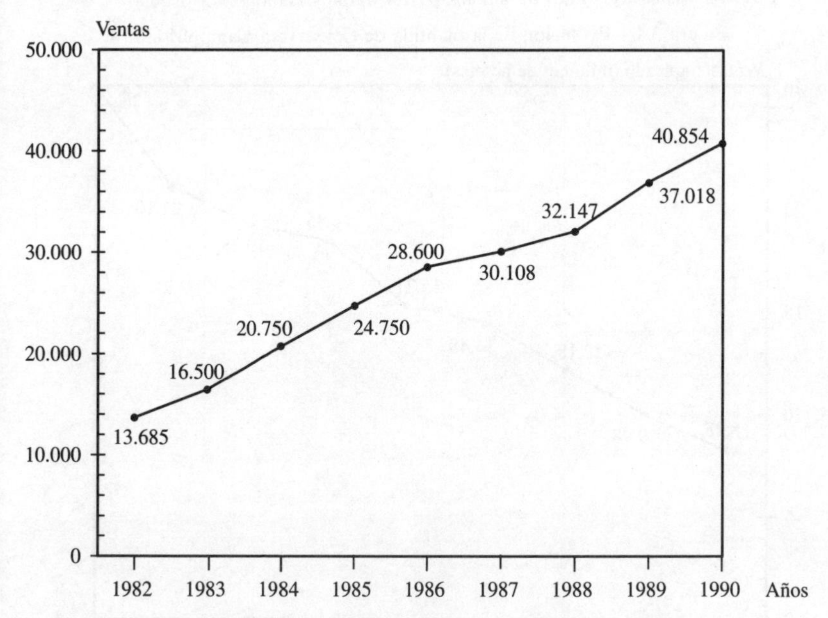

FUENTE: *Alimarket,* «Informe anual», varios años y elaboración propia.

Figura 3.3.—Evolución de las ventas de Conservera Campofrío, S. A. (millones de pesetas).

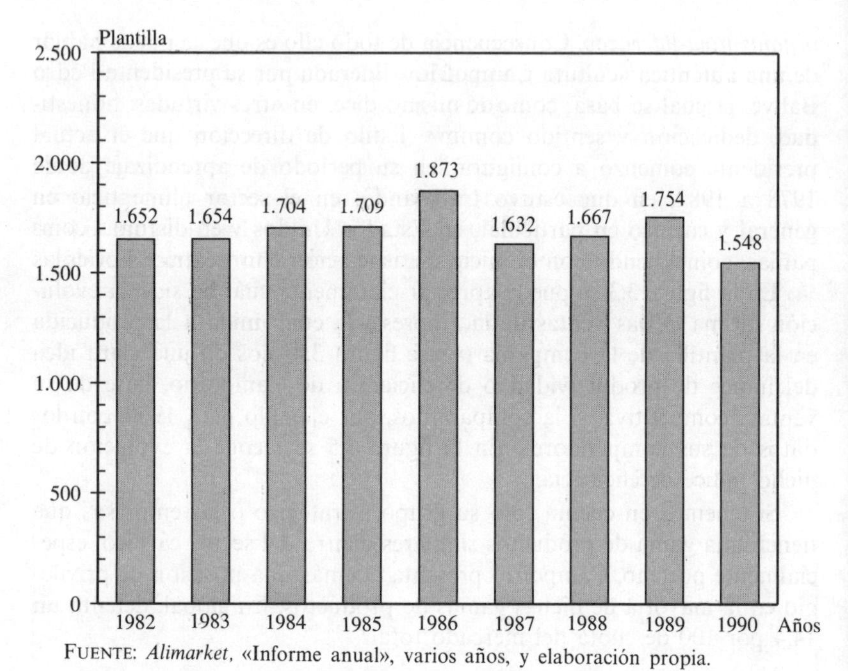

FUENTE: *Alimarket*, «Informe anual», varios años, y elaboración propia.

Figura 3.4.—Evolución de la plantilla de Conservera Campofrío, S. A.

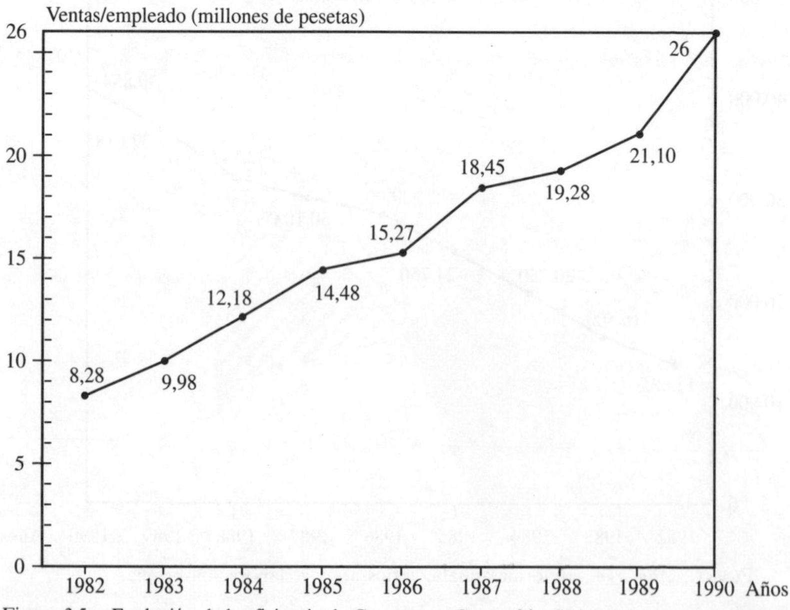

Figura 3.5.—Evolución de la eficiencia de Conservera Campofrío, S. A. (ventas por empleado).

Los competidores más próximos son Óscar Mayer (controlada por el grupo alemán Coop. AG., después de la venta reciente por parte de la norteamericana General Foods), Fuertes, S. A., L'Agudana, S. A., Industrias Revilla (controlada por la multinacional holandesa Unilever), y después más lejos destacan por sus productos Molina, Navidul (socio de Campofrío en la sociedad Nuevo Grupo-España) y Corporación Alimentaria Ibérica (con Purlom y Pamplonica). En la figura 3.6 se puede observar la estructura competitiva del sector cárnicos-avícolas en 1990.

En cuanto a productos concretos, Campofrío presenta la siguiente situación:

Producto	Posición mercado
Salchichas	Líder
Jamón cocido	Líder
Fiambres	Líder
Productos de pavo	Líder
Loncheados	Segunda marca
Embutidos	Segunda marca
Jamón curado	Segunda marca
Alimentos para animales	Segunda marca

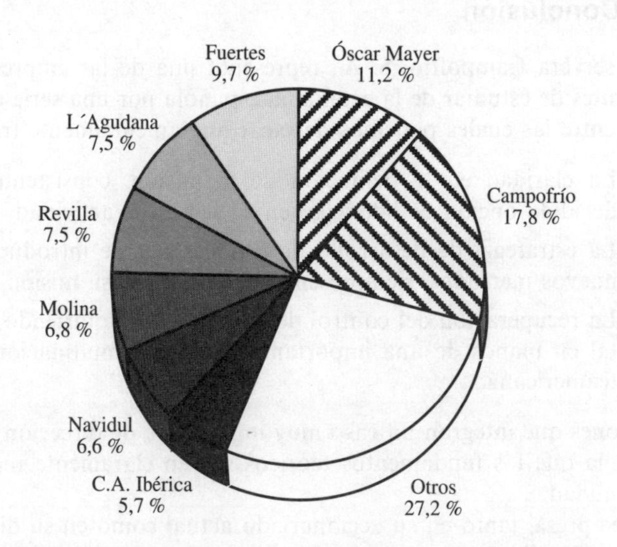

Figura 3.6.—Estructura competitiva del sector cárnico (año 1990).

La estrategia en el mercado nacional va encaminada a mantener el liderazgo y a una diversificación de productos para hacer frente a un posible estancamiento del consumo nacional de productos derivados de la carne de cerdo. En este sentido, se inserta el nuevo producto «pavofrío» y los futuros transformados del pollo. Además, siguiendo con la alianza con Navidul, ha comenzado la comercialización de quesos, tanto en el mercado interior como en Europa a través de su filial conjunta. El éxito en el diseño y en las ventas de los productos del pavo desde su lanzamiento en 1987 ha hecho que en 1988 se le concediera a Campofrío el «Oscar Internacional Aida-Sial 88», premio a la mejor combinación de atributos de un producto, desde la aceptación del consumidor, la forma de distribución, el acierto de la presentación y la dimensión innovadora del producto.

Con estas armas la empresa está preparada para el asalto definitivo al mercado mundial. La estrategia de crecimiento está diseñada para los tres mercados: Europa, América y Asia, tanto asegurando la posición dominante en el mercado nacional, como dirigiendo esfuerzos para introducirse y consolidarse en los mercados exteriores, gracias a la potenciación de una imagen corporativa y de una marca que simboliza calidad. Ventajas competitivas que posee y desea potenciar la empresa para ver cumplido su objetivo de convertirse en una empresa multinacional fuerte y con prestigio en su sector.

3.5. Conclusión

Conservera Campofrío, S. A., representa una de las empresas más interesantes de estudiar de la economía española por una serie de razones, de entre las cuales podemos destacar fundamentalmente tres:

1. La claridad en la definición de la misión, consistente en su decidida opción de liderazgo en su sector de actividad.
2. La estrategia de desarrollo de productos y de introducción en nuevos mercados, siempre en coherencia con su misión.
3. La recuperación del control de la empresa, adquiriendo el capital en manos de una importante compañía multinacional norteamericana.

Razones que integran un caso muy importante de dirección estratégica, en la que los fundamentos teóricos se ven claramente realizados en la realidad.

La empresa, tanto en su accionariado actual como en su dirección, es de tipo familiar, a pesar de su tamaño, lo que le ha permitido poder identificar claramente su misión y desarrollar una cultura característica. Este binomio *cultura-liderazgo* puede ser la clave en la que se viene basando el éxito de la empresa.

La compañía ha dado siempre mucha importancia al desarrollo de sus productos y a potenciar su imagen en el mercado a través de una adecuada relación calidad-precio. Para ello sus esfuerzos se han centrado en la consecución de ventajas competitivas derivadas de una buena estructura productiva y un eficiente sistema de distribución, de manera que el cliente tenga como y cuando necesite los productos.

Esta distribución se apoya en una estrategia de diversificación internacional, como forma de introducir sus productos actuales en nuevos mercados, en los que el potencial de los mismos y la demanda insatisfecha son oportunidades que justifican la entrada de Campofrío. Sus inversiones extranjeras se vienen realizando bajo la fórmula de *joint-ventures,* es decir, compartiendo capital y riesgo con empresas nacionales, privadas o públicas, según cuáles sean las características económicas de los países correspondientes.

Un rasgo característico del citado binomio *cultura-liderazgo* de la empresa es la decisión de recuperar el control absoluto de la compañía, recomprando el 50 por 100 del capital vendido a Beatrice Foods al grupo TLC, con lo que se logra el importante objetivo de nacionalizar totalmente una empresa con vocación de líder, lo que no será óbice para ceder en el futuro pequeños paquetes de acciones a otras empresas extranjeras, aunque, dentro de la fijación de determinada estrategia de internacionalización elaborada por la dirección de la empresa.

Posiblemente los factores fundamentales del éxito de la empresa no sólo se han centrado en los ya comentados, sino que también hay que añadir el estilo de calidad de la dirección de la compañía. En resumen, estos factores serían los siguientes:

- La misión de liderazgo en el sector.
- La cultura organizativa o el binomio *cultura-liderazgo.*
- Un desarrollo de productos con base en una buena relación calidad-precio.
- Un buen sistema de distribución.
- Una adecuada presencia internacional generadora de recursos y minoradora de riesgos.
- Una estructura financiera saneada y controlada por la dirección.
- Una estructura de dirección flexible.
- Una dirección con base familiar muy profesionalizada y en la que se destacan estos atributos:

— La importancia del trabajo en equipo.
— La dirección por objetivos.
— La descentralización profesional y delegación de funciones en el equipo directivo.
— El control permanente y total de las estrategias y resultados.

— Una importante atención a mejorar la imagen corporativa y la calidad de los productos Campofrío.

Creemos que estos factores han permitido a la empresa llegar al lugar en que ahora se encuentra, como también le van a permitir seguir desarrollando con éxito el reto estratégico de los próximos años, en los que Campofrío parte ya con una evidente ventaja competitiva, como es su buen posicionamiento en el mercado nacional y en los mercados internacionales. Cabría haberse preguntado en este caso qué habría sucedido de no recuperar el 50 por 100 del capital social, ante los cambios acaecidos en el socio norteamericano y, en consecuencia, ante su influencia en la dirección estratégica de la empresa.

BIBLIOGRAFÍA

Actualidad Económica: varios números, 1980 y 1991.
Alimarket: «Informe anual», varios años.
Cinco Días: varios números, 1988-1991.
Expansión: varios números, 1987-1991.
Memorias de la empresa.
Mercado: varios números, 1988, 1990 y 1991.
Nuevo Lunes: 18-7-1988.
Tiempo: 31-10-1988.
Trabajo monográfico: Especialidad de Organización de Empresas (quinto curso), 1988-1989, UAM (dirigido por E. Bueno y P. Morcillo).

4.

Dragados y Construcciones, S. A.: «Los cimientos de un negocio»

4.1. Cincuenta años de historia

Dragados y Construcciones, S. A., fue constituida el 5 de abril de 1941 por don José Junquera Blanco y don Ildefonso Sánchez del Río Pisón con un capital social de 20 millones de pesetas, representado por 40.000 acciones de 500 pesetas de valor nominal cada una. Más tarde entraron en la propiedad la familia Durán, encabezada por su actual presidente, el ingeniero de caminos, canales y puertos Antonio Durán Tovar y el Banco Central, aliado tradicional de la empresa. En la actualidad, estos accionistas siguen ejerciendo un control predominante en el seno de la empresa. Antonio Durán se incorporó a Dragados y Construcciones en 1945, y desde entonces ha permanecido en su dirección, siendo en los últimos años el máximo responsable de la compañía. En estos casi ya 47 años ha ocupado distintos cargos; primero entró como ingeniero jefe de obras, después fue nombrado consejero delegado y, finalmente, desde 1983, ocupa el cargo de presidente. Uno de sus hijos, Enrique Durán López-Jamar, es el actual director general de la compañía, y otro, José Antonio Durán López, es director general de la división inmobiliaria y de una de las filiales del grupo más importante, Cobasa. Es, además, el presidente de la Asociación de Promotoras Inmobiliarias de Madrid, vicepresidente de la Asociación Nacional de Promotoras y Constructoras y presidente del Comité de Viviendas y Urbanismo de la CEOE. Como se puede comprobar, la familia Durán está plenamente integrada en el sector inmobiliario y de la construcción. En definitiva, la familia Durán tiene una participación que oscila en torno al 6 por 100 del capital social. En 1991 el capital de la empresa asciende a 17.367.999.000 pesetas, siendo la composición del accionariado la siguiente:

Banco Central	23,5 %
Resto Consejo y afines	10,0 %
Socios extranjeros	25,0 %
Otros accionistas (libre en Bolsa)	41,5 %

Aunque en sus orígenes Dragados y Construcciones se dedicó a la realización de obras portuarias, poco a poco la empresa emprendió una cierta política de diversificación, pero siempre sin salir del negocio de la construcción. Para llevar a cabo esta estrategia, Dragados y Construcciones fue creando un grupo de sociedades que han ido penetrando con fuerza en las actividades de obras marítimas e hidráulicas, vías de comunicación, construcción de viviendas, edificación industrial, plataformas *offshore* y ecología. La capacidad profesional de Antonio Durán y de sus directivos y técnicos hicieron posible este desarrollo horizontal de la compañía.

La empresa Dragados y Construcciones es, en estos momentos, la primera constructora de España. En 1990 el grupo Dragados facturó 323.000 millones de pesetas, con un aumento del 44 por 100 sobre el año anterior. La casa matriz ejecutó obras por un importe de 259.000 millones de pesetas. La cartera de obras al finalizar 1990 era de 360.000 millones, un 25 por 100 superior al año anterior. De cara a 1991, el Grupo tiene previsto facturar más de 370.000 millones de pesetas. En cuanto a los beneficios antes de impuestos, en el ejercicio 1990 éstos ascendieron a 8.483 millones de pesetas, registrando un incremento respecto al año 1989 de un 54 por 100 (véanse las figuras 4.1 y 4.2). Si tenemos en cuenta las diez primeras empresas españolas del sector, en donde actúan algo más de 5.000 firmas, aquéllas controlan una cuota de mercado próxima al 20 por 100 siendo la de Dragados y Construcciones el 4,5 por 100. Su gran tamaño le confiere, en la actual coyuntura, una clara ventaja frente a la competencia, dado que se están otorgando proyectos de gran envergadura por los que únicamente pueden pujar empresas de una determinada dimensión que tengan la suficiente capacidad y *know how*, además de poder garantizar una fecha de terminación de obra.

El objetivo prioritario de Dragados en relación a los mercados extranjeros es fomentar la expansión hacia Europa a través de sociedades o de proyectos concretos. Asimismo, la empresa piensa mantener su actividad en países africanos e iberoamericanos, dando preferencia a proyectos que tengan un alto contenido de exportación y que, por tanto, puedan ser objeto de financiación española o por parte de organismos internacionales.

La cifra de ventas en el extranjero durante 1990 ha sido de 17.929 millones de pesetas, y la cartera al concluir el ejercicio era de 35.805 millones de pesetas. Si se toma en consideración la facturación de las empresas del grupo, el volumen de negocio en el extranjero fue de 29.184 millones de pesetas (véase la evolución y estructura de las ventas exteriores de Dragados y Construcciones en el cuadro 4.1).

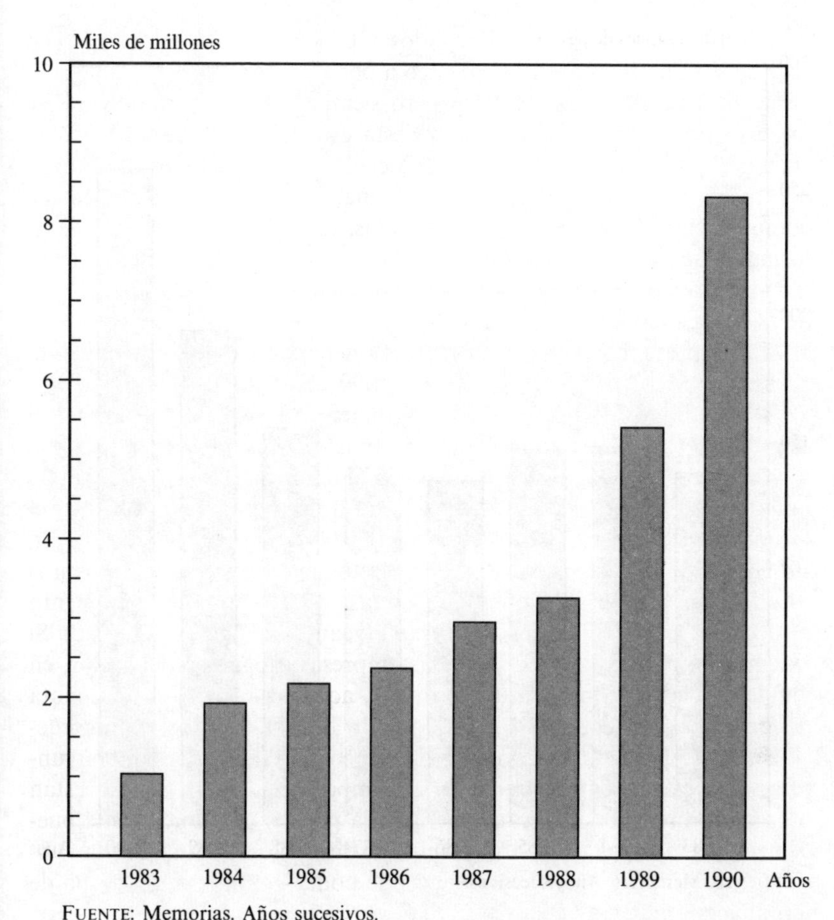

FUENTE: Memorias. Años sucesivos.

Figura 4.1.—Evolución de los beneficios antes de impuestos de Dragados y Construcciones, S. A.

Dragados fue la constructora española más activa en el exterior durante el pasado año. Ferrovial, la segunda compañía con mayor vocación internacional, obtuvo unas ventas en otros países de 10.500 millones, que representó el 7 por 100 de su facturación global. Huarte y Agromán sumaron una facturación en el exterior de 5.000 millones y 3.000 millones, respectivamente. En el caso de Huarte esta cantidad supuso el 5 por 100 de sus ventas, mientras que para Agromán representó el 3,5 por 100.

En 1989 Dragados y Construcciones ocupaba el puesto undécimo de las empresas europeas de la construcción, en cuanto a su capitaliza-

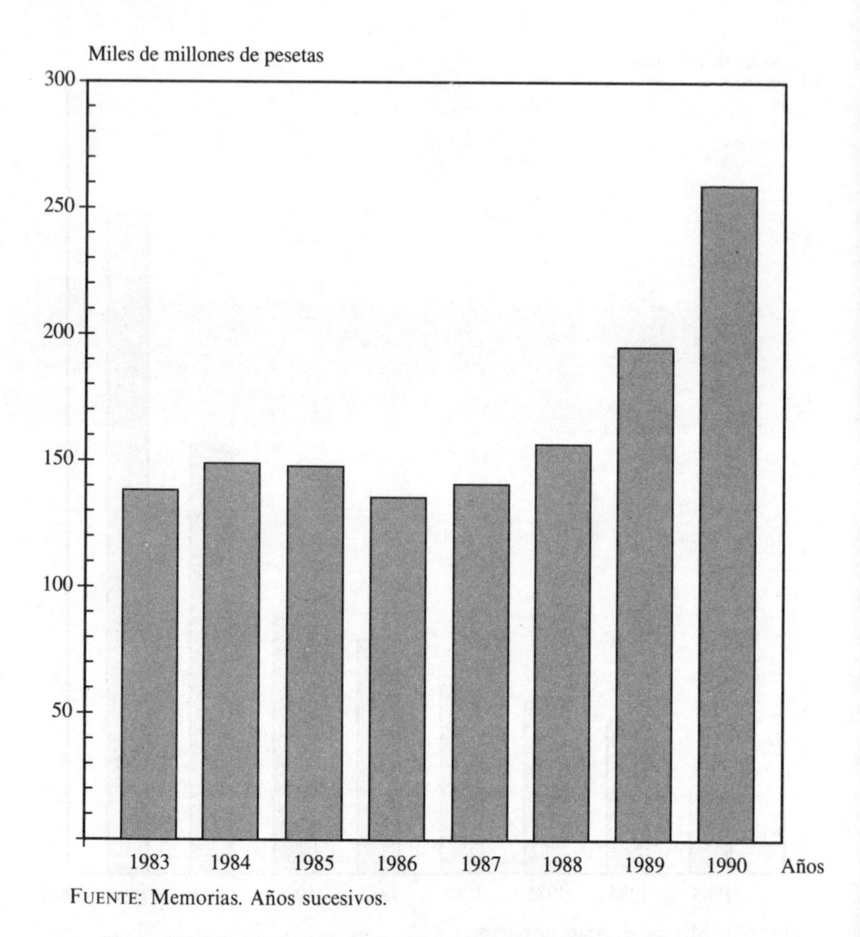

FUENTE: Memorias. Años sucesivos.

Figura 4.2.—Evolución de las ventas de Dragados y Construcciones, S. A.

ción bursátil, de acuerdo con el *ranking* elaborado por la sociedad francesa Euro Equities. En dicha clasificación, además de ella, sólo figuraba otra empresa española, Fomento de Obras y Construcciones, que ocupaba el puesto dieciocho. Este nuevo dato demuestra la confianza que se tiene depositada en esta compañía que ofrece unas perspectivas de desarrollo muy interesantes desde el punto de vista de un inversor financiero.

Esta situación positiva de la empresa, junto a la tendencia creciente de la industria española de la construcción y de los acontecimientos de 1992, hace que las multinacionales europeas del sector intenten penetrar en el mercado nacional mediante la toma de participación u operacio-

CUADRO 4.1

Distribución y evolución de las ventas en el extranjero (datos en millones de pesetas)

	1986	1987	1988	1989	1990
Marruecos	8.681	5.331	2.988	267	78
Argelia	5.499	2.349	3.157	4.342	5.745
Egipto	763	1.038	476	441	1.119
Túnez	1.860	5.015	2.511	2.143	974
Irak	1.888				
Filipinas	280				
Colombia	244	970	383	273	
Ecuador		951	3.392	2.301	790
Chile			478	1.822	2.582
Venezuela			654	1.998	1.807
Noruega				5.224	2.421
Francia				378	1.365
Gibraltar				1.134	607
Finlandia					200
Suecia					194
Portugal					47
Otros países	895	1.186	478		
Off-Shore	3.588	8.523	6.013		
Vtas. Dragados	23.648	25.363	20.530	20.323	17.929
Dycasa	5.953	6.982	5.457	3.722	7.706
Dycvensa	273	228	471	175	
Ramalho Rosa				800	1.005
Makiber, S. A.				238	2.544
Total	29.874	32.573	26.458	25.258	29.184

FUENTE: DyC.

nes de *joint-venture* con empresas domésticas. En este sentido, durante el mes de marzo de 1989 se compraron 1.700.000 de acciones de Dragados por algo más de 4.000 millones de pesetas, y, al mes siguiente, la suma adquirida fue de 3.800.000 de títulos por casi 11.000 millones de pesetas. Este volumen de contratación, que representaba cerca del 20 por 100 del capital de la empresa, podría encontrarse en manos de un único propietario. A este respecto, determinadas fuentes han adelantado que el grupo francés Bouygues, líder europeo y mundial de la construcción, estaría detrás de los intermediarios que han comprado estos paquetes de acciones. Pero la empresa Bouygues desmintió rotundamente esta toma de participación en Dragados y Construcciones, si bien nos consta el interés que tiene la multinacional francesa sobre Dragados. Esta toma de participación que acercaría a las dos firmas podría constituir un principio de alianza muy positiva de cara a la adjudicación de grandes contratos internacionales que aseguraría el futuro del grupo tras los acontecimientos de 1992.

En estos momentos, y de cara al futuro, las grandes constructoras españolas se disputan contratos en el extranjero. Dichas compañías optan a la construcción de cuatro aeropuertos (Quito y Guayaquil en Ecuador y los de Santiago de Chile y Atenas) que totalizan una bolsa de inversiones de más de cien mil millones de pesetas, una cifra mágica que sólo pueden ofrecer en España acontecimientos extraordinarios como la Expo de Sevilla, las Olimpiadas de Barcelona o el Plan General de Autovías.

En este sentido, la dirección de la empresa tiene como objetivo seguir fortaleciendo financieramente la empresa para hacer frente a la fuerte internacionalización de los mercados de la construcción, tanto en Europa como en otras zonas, como son Centroamérica, América del Sur y los países africanos y del Próximo Oriente de la ribera del Mediterráneo, y continuar el proceso de diversificación de reforzamiento, tanto en vertical como en horizontal.

4.2. El grupo de sociedades Dragados y Construcciones

Dragados y Construcciones es la empresa matriz de un grupo de sociedades establecidas en España y en el mercado extranjero, dedicadas a la construcción, promoción de inmuebles, ingeniería, geotecnia, exportación-importación, etc.

El cuadro 4.2 refleja el crecimiento del grupo Dragados desde 1984, y observamos que la compañía va afianzando su control empresarial tendiendo a ser mayoritarias sus participaciones accionariales. Es a partir de dicho año cuando, realmente, se van incorporando empresas filiales, configurándose el grupo de acuerdo a las áreas de actividad en las que operan.

Tradicionalmente, las empresas del sector se caracterizaron por su vocación local, pues según un estudio reciente sólo un 3 por 100 de las licitaciones públicas de los países de la CE se adjudican a empresas extranjeras. Pero, de cara a las excelentes perspectivas que ofrece nuestro país, las empresas extranjeras han tomado la iniciativa e intentan tomar el control financiero de firmas domésticas para posicionarse en

CUADRO 4.2

Participación en filiales
(en porcentaje)

	1984	1985	1986	1987	1988	1989	1990
Cobasa	99,97					100	100
Intecsa	99,83	99,94				100	100
Geocisa	96		98,22		99,89	100	100
Makiber	99					100	100
Tirssa	33,3						33,3
Aumar	26,07		27,12	22,65	22,71	25	25,05
Bética aut.	33,3		0				0
Bradyc		76,85	0				0
Dycasa						48,5	48,5
Dycvensa						16,5	16,5
Dycie	100						100
Polarsol				45		50	50
Dravo				45		50	50
Parques Emp.					45	50	50
Intecsa Ind.						100	100
R. Rosa						90	96
Aucat						20	20
Servs 93						20	20
Bermarmol							100
I-Uhde Ind.							50
Cae							55,53
Astaco							26
Urbaser							100

FUENTE: DyC.

el mercado nacional. Además, el establecimiento del Acta Única Europea incita a las empresas a la oligopolización con el fin de tomar posición y de que no se produzcan enfrentamientos para que el reparto del mercado se realice en beneficio de los más fuertes o, al menos, de los más dinámicos.

Ante este nuevo contexto, Dragados y Construcciones no se quedó inactiva y acometió un plan de saneamiento financiero que le permitió, en muy pocos años, lograr una mayor presencia en mercados foráneos y desarrollar una estrategia de diversificación de reforzamiento, forma de actuar ofensivamente ante las amenazas de los nuevos competidores europeos. El cuadro 4.3 muestra el grado de diversificación de las principales empresas del sector sabiendo que con este comportamiento es-

CUADRO 4.3

Ramas de actividad de las principales empresas del sector

	Dragados	Agromán	Focsa	Huarte	Cubiertas	Ocisa
Aparcamientos	—	—	Parcosa	Essa	—	—
Cimentación y Geotecnia	Geocisa	Kronsa	—	—	Terratest	
Construcción	DyC	Agromán	Focsa	Huarte	Cubiertas	Codoca, Obrec. Padrós
Control de tráfico	—	—	—	—	Cibertrafic	—
Dragados	Dravo	—	—	—	—	—
Fabr./Vta. Vehic. y Maq.	—	Kynos/Saki	—	—	—	—
Ingenier. Civil y M. Amb.	Intecsa	Ecoconsult	Proser, Afigesa	Entorno 2000	Est. y Proyec.	Intradel
gest. de recursos financieros/inversiones		Agromán Inv.				
Mobiliario Urbano	—	—	Cemusa	—	—	—
Montajes Eléctricos	—	Ticsa	—	—	—	Semi, Cobra, C.
Prefabricación metálica	—	Cenosa, Uniseco	—	—	Freyssinet	
Prod. Quím./Construc.	—	Expandite	—	—	—	
Promoción Inmobiliaria	Cobasa	Acasa, Agromán, Constain-Agromán	Focsa	Promiber	—	—
Publicidad	—	—	Publimob	—	—	—
Servicios Urbanos	Urbaser, Tirssa, Dragados	—	Focsa, Tirssa	—	—	—
Telecomunicaciones		Radiotrónica	—	—	—	—
Transportes Urbanos	—	—	Via gti, Cetsa	—	—	—
Ocio	—	—	—	—	—	Ocisa-Ocio, LT

tratégico las firmas pretenden desarrollar importantes sinergias productivas.

4.3. Un planteamiento estratégico para el futuro

El Mercado Único, que entrará en vigor en 1993, ya está revolucionando el orden de las cosas y transformando un sector, como es el de la construcción, tradicionalmente estable, en inestable. De este modo, las empresas que pretenden desempeñar para esta fecha un papel relevante están llevando a cabo una estrategia de anticipación que facilite la adaptación a las nuevas condiciones del mercado. Para el horizonte más próximo, el grupo Dragados, a través de su presidente Antonio Durán Tovar, se asigna tres objetivos prioritarios:

a) Su consolidación como importante grupo de construcción a nivel internacional fomentando su implantación en Europa.

b) El desarrollo de una política de tecnología avanzada que permita mayor eficiencia en los procesos productivos y una mejora de la calidad de los productos.

c) La obtención de mayores resultados fruto de la política financiera y de inversiones en marcha.

Para alcanzar estos objetivos, Dragados fundamenta su estrategia sobre unas determinadas fuerzas competitivas, como son: la calidad de sus productos, su presencia en mercados en crecimiento, la fiabilidad de sus clientes y la competencia de sus proveedores. No obstante, si nadie a nivel nacional cuestiona el liderazgo de Dragados y Construcciones, no es así a nivel internacional, donde la firma se tiene que codear con empresas multinacionales que detentan un poder de mercado significativo. De ahí que los directivos de la compañía española se empeñen en reforzar la presencia de Dragados en mercados exteriores. Hoy, el terreno de la concurrencia se ha desplazado para cualquier empresa con pretensiones de desarrollo. El mercado internacional prevalece en detrimento del mercado regional o nacional y es este primero el que dicta sus exigencias generando unas oportunidades de negocio para los más fuertes y unas amenazas para los más débiles. Ante este nuevo reto, una empresa como Dragados ha sabido aprovechar el dinamismo del mercado doméstico para reestructurarse y llevar a cabo, sin crisis, su adaptación a las nuevas condiciones competitivas.

Según los anteriores objetivos, podemos deducir que Dragados desarrolla una estrategia de crecimiento con especial atención a la diversificación y a la tecnología.

Dada la globalización de los distintos segmentos de mercado, el tamaño de la compañía ha logrado ser óptimo a nivel nacional y, por el momento, sólo aceptable a nivel internacional. A título de comparación cabe resaltar que los «gigantes» europeos obtienen cifras de negocio cinco veces superiores a las de Dragados. Para reducir cuanto antes esta diferencia, la empresa opta por ampliar regularmente su capital con la consiguiente mayor distribución del mismo, lo cual, según los expertos financieros, convierte a Dragados y Construcciones en una entidad fácilmente «opable». La entrada de nuevos accionistas debilita la actual estructura de propiedad, pero no cabe duda que en contrapartida se abren nuevas posibilidades de expansión a través de las empresas asociadas.

Ante el proceso de apertura de los mercados de la construcción en Europa, Dragados va desarrollando una base productiva en otros países mediante inversiones directas, tomando participaciones en empresas nacionales o actuando proyecto a proyecto *(case by case)* para protegerse y responder con las mismas armas al acoso que ejercen los competidores extranjeros en el mercado interior. De otra parte, sus experiencias e inversiones tanto en países árabes del Mediterráneo como en países americanos la posicionan con evidentes ventajas en esos mercados.

Este comportamiento conduce a la empresa a buscar un nivel de competitividad internacional y a posicionarse respecto a las empresas líderes, es decir, los competidores más eficientes. Este esfuerzo inversor que va destinado a la internacionalización implica, no obstante, una serie de gastos complementarios en materia de calidad, productividad y tecnología. Variables todas ellas a las que Dragados da un trato preferencial para equipararse internacionalmente con las empresas excelentes.

La empresa adopta una estrategia de crecimiento vía diversificación por dos razones esenciales. La primera tiene por objeto eliminar la dependencia de los resultados a los ciclos económicos a los que se ve sometida la construcción, siendo la meta de Dragados asegurarse una cierta estabilidad en la generación de recursos financieros. La segunda causa que ha motivado la diversificación es la búsqueda de sinergias y el logro de una complementariedad que permite a la compañía realizar unos proyectos a los que por sí sola no hubiese podido acceder. Éste es el caso, por ejemplo, de la fabricación de productos para el control de tráfico, la construcción de edificios inteligentes, el control de cuencas hidráulicas, etc. En realidad, esta preferencia por la diversificación obedece a una estrategia de especialización flexible, que trata por medio de empresas filiales de adquirir unos conocimientos muy específicos y entrar en industrias subsidiarias. Con este planteamiento la compañía minora su debilidad relativa de tamaño en el exterior y consigue protegerse de forma eficaz en el mercado doméstico.

Por otra parte, Dragados presta especial atención a la tecnología, la cual la sitúa a la cabeza del sector español de la construcción en la utilización de nuevos productos y técnicas propias y en la adaptación de aquellas tecnologías puntas existentes para dar respuesta a las necesidades de un mercado en constante evolución.

Si la empresa invirtió 435 y 478 millones de pesetas en los años 1985 y 1986, respectivamente, en investigación y desarrollo, encontrándose entre las 27 primeras empresas españolas clasificadas según su presupuesto en I + D, en 1990 esta inversión ascendió a 890 millones de pesetas, lo cual duplicaba prácticamente la cifra de cuatro años antes. Un claro ejemplo de esta actitud innovadora lo refleja el hecho de que Dragados colabora con el Center for Integrated Facility Engineering de la Universidad de Stanford y participa en dos programas BRITE destinados al control de plantas de fabricación de áridos y a la concepción de módulos cúbicos de edificación. Por otra parte, la empresa coopera en el Proyecto de Infraestructuras Inteligentes (INFRA) del Instituto Cerdá de Barcelona.

Dragados y Construcciones lleva también a cabo, en colaboración con otras empresas de ámbito internacional, un programa de investigación patrocinado por la CE relativo al desmontaje de plataformas petrolíferas *offshore*.

En electrónica de construcción, Dragados proyecta operar con nuevos productos para sus clientes tradicionales, a través de la asociación que constituyó a principios de 1989 al 50 por 100 con Alcatel Standard.

En relación a las diversas empresas que conforman el grupo Dragados, Geocisa participa de forma destacada en un proyecto EUREKA/EUROCARE EU-401 que trata de hacer operativo un corrosímetro portátil del que se han desarrollado hasta ahora dos prototipos, y en otro proyecto BRITE/EURAM cuyo objetivo es la mejora de las características superficiales de los pavimentos de hormigón.

Frente al reto que representa el mercado europeo, donde compañías multinacionales detentan un importante poder de mercado, Dragados hubiese podido iniciar su estrategia de internacionalización tras realizar previamente unas operaciones de fusión con otras empresas españolas. Pero, según la opinión de la dirección de Dragados, la posibilidad de fusión para lograr una mayor dimensión hubiese provocado sinergias de carácter negativo, las cuales hubieran perjudicado el desarrollo de su estrategia. En estas circunstancias, el posicionamiento de la empresa pasa fundamentalmente por una elevada especialización en actividades industriales afines en la que el componente tecnológico es determinante.

4.4. Conclusión

El sector de la construcción ha sido tradicionalmente estable en los distintos países occidentales. Con las importantes necesidades de obras civiles que surgieron tras el segundo conflicto mundial, las empresas fueron creciendo al amparo de un mercado local boyante, lo cual favoreció el desarrollo de un clima de entendimiento entre las mismas. Las empresas que no se veían obligadas a licitar obras en el extranjero para expandirse fueron constituyendo un oligopolio estable en sus mercados de origen donde se instauró, de hecho, un cierto reparto geográfico del mercado y unos acuerdos tácitos sobre políticas de productos y precios. Sin embargo, primero, en estos últimos años el sector de la construcción español ha sufrido una fuerte crisis superada muy recientemente, y segundo, venimos asistiendo a un desplazamiento de la competencia, la cual ha dejado de ser nacional para convertirse en internacional, y eso ha repercutido negativamente en el *statu quo* que mantenían las empresas. Por consiguiente, la mundialización de la concurrencia ha desestabilizado el sector y quizá España haya sido uno de los países más afectados por ello. Las interesantes perspectivas de negocio que ofrecieron los Juegos Olímpicos de Barcelona de 1992 y la Exposición Universal en Sevilla del mismo año, que celebró el quinto centenario del descubrimiento de América, desataron entusiasmos y perturbaron el ambiente. Empresas extranjeras han intentado tomar posiciones en nuestro atractivo mercado adquiriendo paquetes de acciones de importantes constructoras españolas, que ya controlan cuotas de mercado apreciables.

Por otra parte, hay que precisar que a nivel internacional las oportunidades de mercado son relativamente escasas y que cada vez serán menos; por ello, las empresas multinacionales ya han iniciado estrategias de diversificación global en la dirección de sectores emergentes.

Esta situación que acabamos de describir planteó un dilema a Dragados y Construcciones: acometer un rápido proceso de crecimiento con el fin de establecer una relación de fuerza equilibrada con las compañías multinacionales extranjeras para poder explotar, al menos en igualdad de condiciones, las oportunidades que propone nuestro país, o emprender una estrategia de especialización que se fundamente en la introducción de nuevas tecnologías sin incrementar desmesuradamente sus capacidades de producción.

En estas circunstancias, la empresa optó preferentemente por la segunda alternativa, sin sacrificar, no obstante, su liderazgo nacional y renunciar a una implantación exterior que le pudiese facilitar la captación de algunas obras muy específicas.

Si nos referimos a la evolución reciente de los principales indicadores económicos de Dragados constatamos que la elección estratégica ha sido acertada. A este respecto, el crecimiento selectivo que lleva a cabo la empresa se apoya en el reforzamiento de algunos factores clave para el éxito, como son la innovación tecnológica, la productividad, la calidad y la capacidad financiera. A eso hay que añadir que el dinamismo del mercado nacional, el cual registra desde hace tres años tasas de crecimiento muy altas, facilita el desarrollo del proceso de adaptación de Dragados a las nuevas exigencias manifestadas por los clientes. Un mercado expansivo permite que los proyectos de reestructuración se realicen sin trauma y mejora indirectamente el nivel de flexibilidad de las empresas que van adaptándose invirtiendo en actividades que toman, inmediatamente, el relevo de otras ya obsoletas que entran en una fase de declive.

Dragados, partiendo de un diagnóstico detallado y riguroso de su estructura y del entorno, ha formulado una estrategia de anticipación que está dando sus frutos. Se puede afirmar que con sus «respuestas sistemáticas» Dragados y Construcciones está impidiendo que surjan «sorpresas y problemas estratégicos» capaces de poner en peligro su eficiencia.

En definitiva, la empresa ha sabido apoyar su estrategia en cuatro tipos de ventajas competitivas, cuales han sido:

a) El tamaño.
b) La localización geográfica.
c) La configuración de su cartera de productos y mercados.
d) Su capacidad de innovación tecnológica.

Esta actitud innovadora, junto a la de internacionalización, han sido oportunamente combinadas con otros factores de dirección y la organización moderna y eficiente, para ser la base fundamental en donde se ha ido fraguando su éxito.

El futuro presenta retos importantes, tanto en el mercado doméstico como en el internacional, pero la experiencia y el «saber hacer» de Dragados y Construcciones es un aval para asegurar que la respuesta a los mismos se alcanzará con un resultado positivo.

BIBLIOGRAFÍA

«Dragados y Construcciones», trabajo monográfico (MBA, 1988-1989), dirigido por E. Bueno, IADE, Madrid, 1989.

«Dragados y Construcciones», trabajo monográfico (especialidad de Dirección y Organización de Empresas), dirigido por P. Morcillo, UAM, 1991.

European Research: Dragados, octubre, 1990.

Futuro: «Empresas con futuro», núm. 19, Madrid, 1988.

Futuro: «Material de la construcción. La innovación manda», núm. 10, Madrid, 1988.

Memoria de Dragados y Construcciones, S. A., de los años 1986, 1987, 1988, 1989 y 1990.

Mercado: «Cruje la Construcción», núm. 391, Madrid, 5 de mayo de 1989.

Seopan: «La Construcción en el horizonte de 1992», Madrid.

Valgest, S. A.: «Análisis del sector de la construcción», enero 1991.

5.

Chupa Chups: «La dulce innovación»

5.1. Nace una idea, nace una empresa

Enrique Bernat Fontlladosa nació en Barcelona en 1924, en el seno de una familia de pasteleros. Su abuelo tenía una fábrica de caramelos en la calle de Carders y su padre y sus tíos tenían pastelerías y confiterías en la Ciudad Condal. Desde pequeño trabajó en el negocio familiar y tuvo que despertar su imaginación, como el resto de su familia, para hacer pasteles sin harina y azúcar durante los años de la guerra civil española, ya que ambos productos eran de los más escasos. Parece ser que su abuelo logró la fórmula del azúcar cristalizado, que también supo explotar el nieto, y parece que fue uno de los primeros fabricantes de caramelos de España.

Ante las dificultades familiares al inicio de los años cuarenta, el joven Bernat tuvo que silmultanear sus estudios de peritaje mercantil con el trabajo de aprendiz y de dependiente en Massanes y Grau. Más adelante, en 1955, acepta la gerencia de una mediana empresa del sector en dificultades en Oviedo, Granja Asturias, S. A., creada el 9 de octubre de 1946, con un capital social de 150.000 pesetas. En esta empresa monta una fábrica de jaleas, peladillas, turrones y caramelos y al cabo de un año y medio su gestión se hace notar, ya que logra superar la crisis y la empresa comienza a tener beneficios.

Es el momento de plantear al Consejo de Administración de Granja Asturias una idea que le había venido dando vueltas en la cabeza en los últimos años: ¿Por qué fabricar tantos productos para un solo mercado y no un solo producto para muchos mercados? Había que encontrar un producto, un caramelo, que sustituyera a los casi tres centenares de productos distintos que se venían fabricando. Pero, además, el nuevo producto debía ser realmente innovador y estar orientado al cliente. En este terreno, parece claro que el consumidor del caramelo es el niño, pero el comprador es la madre (u otro familiar). Enrique Bernat recuerda «las veces que recibían bofetadas nuestros principales clientes, los niños, por ensuciarse las manos, la cara y el vestido con los caramelos». Nació la idea del «caramelo con palo» o del «caramelo con tenedor».

Esta idea la presentó a dicho Consejo de Administración, así como el plan de eliminación paulatina de los otros productos, hasta quedarse sólo con el propuesto. La idea fue juzgada como «una locura de un joven ambicioso». Él tenía fe en su idea y para poder llevarla a cabo fue comprando las acciones de Granja Asturias durante los años cincuenta. Así, pronto se convirtió en único accionista, comenzando la andadura de una empresa que, en veinticinco años de trabajo, sacrificios, préstamos y otros riesgos, sería conocida a nivel mundial. El proceso termina en 1959, en que se crea Chupa Chups, S. A.

Realmente el nombre inicial del «caramelo de palo» fue de «Chups», marca que registró de inmediato en un país en el que no existían prácticamente marcas registradas de caramelos. Oportunidad aprovechada y que le permitiría a Enrique Bernat convertirla más adelante en la marca actual: «Chupa Chups».

El nuevo producto comenzó a fabricarse en 1959; para ello se tuvo que importar la madera para los palitos de Europa central, buscando una calidad insuficiente en España, con el fin de lograr la máxima seguridad y durabilidad del «tenedor» a utilizar por el cliente.

La creación del nuevo tipo de caramelo llevó consigo la necesaria educación del cliente. Para ello se llevó a cabo una campaña televisiva que permitía enseñar a la gente a tomar un «Chups». Como el anuncio se basaba en una cancioncilla que reiteraba chupa un «Chups», se cayó en la idea de que el nombre más comercial sería el de «Chupa Chups».

Los resultados hablan por sí solos, ya que pronto se estaba fabricando 3.000 kilogramos de caramelos diarios y con un número creciente de puntos de venta. La nueva empresa comienza a vislumbrar, aunque aún en la lejanía, las mieles del triunfo.

Tras crear el «caramelo con palo», Bernat decide también desarrollar su propia tecnología, actitud muy alejada del comportamiento de un país que había dado la espalda a la modernización, a la innovación. Para ello compra en 1960, cerca de Barcelona, una empresa del sector metal-mecánico, en concreto Construcciones Mecánicas Seuba, a la que da como razón social Confipack, S. A.

De la fábrica de Barcelona sale la primera máquina de hacer caramelos esféricos, después saldrá una troqueladora para inyectar los palitos en las bolas de caramelo, y así hasta lograr, al cabo de los años, la más difícil, la de poner la envoltura (el papel de celofán) al caramelo. La «dulce innovación» es ya una realidad, pero esto será analizado un poco más adelante.

5.2. La dulce década de los sesenta: la innovación total

La década de los sesenta representa el crecimiento e inicio de maduración de Chupa Chups. Son años llenos de innovaciones que se van trasladando, con éxito, a los indicadores fundamentales en todo diagnóstico empresarial.

A principios de los sesenta la cadena de producción, utilizando las máquinas diseñadas por Confipack, viene fabricando 4.500 kilogramos de caramelos diarios. En consecuencia, se producen 80 millones de «Chupa Chups» anuales y se facturan 28 millones de pesetas al año.

También hay que reseñar que en 1960, cuando se inicia la época del plástico, Chupa Chups fue una de las primeras empresas del mundo en investigar en un tipo de palo de plástico, suficientemente flexible y más seguro que el de madera.

En el grupo Chupa Chups aún perdura el sistema de distribución que fue denominado en los sesenta como «la autoventa». Éste es el canal de distribución tradicional del grupo. Enrique Bernat comenzó con una red propia de distribuidores en iso-carros (vehículos de tres ruedas), más tarde en Seat 600, que recorrían las regiones españolas realizando una distribución en la que venta, entrega y cobro del producto se realizaba en el acto. Sistema que le ayudó a posicionarse en primer lugar en el mercado nacional con cierta celeridad.

En aquella época Enrique Bernat aplicó las técnicas más depuradas para realizar entre 20 y 30 visitas diarias con venta. Se concedía un descuento aproximadamente del 30 por 100 al entregar un sobre con 140 caramelos y cobrar 100 pesetas. El cobro se simplificaba al eliminarse los cálculos y el cambio de moneda tanto para el distribuidor como para el minorista y para el consumidor (los niños), ya que podían comprar el «Chupa Chups» al precio de 1 peseta unidad.

A partir de 1960 la red creció hasta un total de 500 distribuidores, lo que representaba tener cerca de dos tercios del personal de la empresa dedicado a estos menesteres. En 1970 la subida de los costes salariales obligó a independizar a los distribuidores, formando una red de empresas autónomas (sociedades anónimas) dirigidas por los jefes de venta y que constituye hoy la red más importante de España, red que viene siendo controlada por Chupa Chups Diversificación y que comentaremos más adelante.

Esta innovación en marketing se suma a las otras innovaciones de producto y de proceso que la empresa fue incorporando en estos primeros años. Política de innovación que, en nuestra opinión, es la clave del éxito de la compañía. Pero veamos con algo más de detenimiento estas innovaciones.

Los caramelos han existido toda la vida, elaborándose según técnicas totalmente artesanales, donde la experiencia y el buen arte del maestro caramelero eran indispensables.

Una de las operaciones más delicadas en otras épocas era la del cocinado o «cocida», como la llaman los profesionales; operación de gran importancia, ya que de ella dependía la calidad y conservación del caramelo. Por ello debía evitarse la recristalización y pegajosidad, para lo cual se utilizaba el «cremor tártaro» mezclado con el azúcar invertido, elemento básico, por sus propiedades, para la fabricación del caramelo.

El descubrimiento de nuevas materias primas, como el jarabe de glucosa, y la mejora técnica de cada una de las fases del proceso de producción, supusieron grandes avances en este campo. No obstante, aún se puede descubrir cierto aire artesanal en la técnica de elaboración de caramelos, a la vez que se siguen transmitiendo de padres a hijos las fórmulas con las que lograr un sabor característico, un grado de acidez determinado, la preparación de un relleno, cierta dureza o blandura original, un acabado brillante o rugoso, etc.

A la supervivencia de la citada tradición artesanal quizá contribuya el hecho de que el mercado varíe constantemente en su demanda, por lo cual se precisan continuas innovaciones y grandes dosis de ingenio para conseguir acabados, formas, colores y sabores que permitan ofertar cuantas variedades se soliciten. Éstos son precisamente los puntos fuertes de la nueva empresa, y que van desde la fórmula del abuelo de la cristalización del azúcar, desarrollada al máximo por su nieto y que hacen del «Chupa Chups» un caramelo no pegajoso y que no se desprende de su palo, mientras quede algo de caramelo, hasta las máquinas más sofisticadas para fabricar y envolver los caramelos.

La producción industrial de caramelos comenzó en el año 1850 en Estados Unidos, cuando el desarrollo de la maquinaria apropiada fue desplazando los antiguos métodos y a la vez ampliando los límites, hasta entonces existentes en los niveles generales de producción.

En España, los sistemas de cocción al vacío y la calefacción indirecta se empezaron a aplicar a partir de 1930, mientras que las primeras bastonadoras manuales fueron incorporadas en 1931. En aquellos tiempos la producción era de unos 25 kilogramos por empleado en una jornada de ocho horas de trabajo, índice que ha ido superándose a medida que se han impuesto las nuevas tecnologías y la maquinaria automática tanto en los procesos estrictamente de producción como en las fases de envoltura, etiquetaje o envasado, hasta tal punto que hoy se sitúa en un cifra diez veces superior a la citada con anterioridad.

Uno de los secretos de Chupa Chups ha sido la previsión de inversión a tiempo en tecnología. Enrique Bernat ha ido siempre por delante de su negocio. Aun antes de montarlos advierte la urgencia de mecanizarlos, e inventa una máquina para envolver los «Chupa Chups», saltando así la producción de 500 a 4.800 unidades por hora. El papel protagonista en este desarrollo lo desempeña Confipack, S. A., que fabrica, como hemos indicado antes, la primera máquina capaz de hacer caramelos esféricos, le sigue una troqueladora que inyecta los palitos en el caramelo, y, por último, una máquina que coloca las envolturas de papel de celofán.

Confipack no sólo fabrica maquinaria, sino que se dedica al estudio, investigación y desarrollo de tecnología industrial y utillaje para su manejo, en principio, en exclusiva por la firma madre, y posteriormente vendiendo a la competencia. Es la sociedad que ha desarrollado la tecnología que hoy se está exportando a China y a la antigua URSS.

Esta política innovadora es conocida en la casa como la cultura de la «totalogía»: hay que abarcar todos los aspectos, por diferentes que sean, estar en todos los mercados posibles, realizar un marketing-mix total, fabricar productos de la máxima calidad, desarrollar al máximo las tecnologías propias de carácter avanzado, en suma, hay que conseguir «todo del todo».

5.3. La necesidad de una estrategia de crecimiento: la diversificación internacional

En 1970 Chupa Chups vendía en el mercado interior el 90 por 100 de su producción y exportaba el 10 por 100 en 1990 las cifras se han invertido y se está exportando cerca del 40 por 100. Si a esto se agrega el negocio que se hace directamente en el exterior, el grupo Chupa Chups puede llegar a tener más del 90 por 100 de sus operaciones fuera del mercado nacional.

«En esa época —ha dicho Enrique Bernat— no podíamos crecer más, el mercado nacional estaba saturado, sólo nos quedaba la posibilidad de abrirnos al mercado exterior». Hay que recordar que en 1972 la distribución en el mercado interior con el sistema de «autoventa» se ve desplazado por el de venta a grandes superficies; aquél se cede a los empleados y supervisores de la empresa, que se convierten en mayoristas independientes por un período de cinco años. Esta decisión responde al estudio de dos opciones:

a) Buscar la diversificación por productos del sector alimentario en el mercado nacional.

b) Buscar nuevos mercados exteriores con base en el desarrollo de una cartera reducida de productos, basándose en el «Chupa Chups» original.

La elección fue clara, se optó por la segunda y todos los esfuerzos se centraron en los mercados exteriores. El análisis de la primera alternativa presentaba una serie de amenazas y riesgos, tanto por el volumen de inversiones como por los costes y los beneficios esperados, en un momento en el que la crisis de finales de 1973 estaba a punto de estallar. Además, esa opción estratégica suponía depender de una sola economía, con una inflación, unos costes salariales y unos gastos de distribución cada vez más elevados.

La diversificación por mercados presentaba unas oportunidades a la compañía y llevaba a una dilución de los riesgos internacionales, al operar conjuntamente en países con economías y monedas fuertes, caso de Francia, Reino Unido, República Federal Alemana, Estados Unidos y Japón.

Ya en 1966 Chupa Chups instala una oficina comercial en los Campos Eliseos, y se constituye General Pops Corporation, embrión de la primera filial en el exterior de la compañía: la Société Bernat et Cie, creada en 1968, con sede en París y con una fábrica en Bayona considerada en aquel entonces, y lo sigue siendo, como una de las más modernas del sector a nivel mundial.

A partir de estos momentos se empiezan a crear en los primeros años setenta las filiales destinadas a la distribución y venta de la producción de caramelos en las fábricas españolas y francesa. En concreto, el grupo disponía a finales de los ochenta de las siguientes fábricas:

— La primera, situada en el lugar denominado Llerón de Solapena, en Villamayor (Asturias), sobre un terreno de 9.000 metros cuadrados, de los que 4.500 están construidos.
— La situada en Can Canals, en la localidad de Sant Esteve de Sesrovires (Barcelona), sobre una superficie de 26.543 metros cuadrados, de los que 9.000 están construidos.
— La de Bayona, Francia, situada entre la nacional 10 y la carretera de Biarritz, en la zona industrial de Pontots, sobre un terreno de 13.000 metros cuadrados, de los que 8.000 están construidos.
— Por último, la de Elche, Alicante, bajo la razón de Regalín, S. A., sociedad de la que Chupa Chups es propietaria del 82 por 100 del capital, y que se dedica a la fabricación de productos de regaliz.

Ya en 1981 Bayona tenía una capacidad de producción de tres millones de caramelos diarios, mientras que en las de Asturias y Barcelona en 1984 dicha capacidad era de 20 y 60 toneladas diarias, respectivamente. En 1987 el grupo ha vendido más de mil millones de unidades y en 1991 espera superar los mil quinientos millones.

Las tres primeras filiales comerciales creadas en el exterior fueron las siguientes:

— Uniconfis Gmbh, con sede en Bonn (Alemania).
— Uniconfis Ltd. o Chupa Chups Ltd, con sede en Londres (Reino Unido).
— Uniconfis Corporation, con sede en Atlanta (Estados Unidos).

La importante estrategia de marketing-mix desarrollada por la empresa durante estos últimos años ha llevado a tener una presencia destacada en varios países. Así, por ejemplo, en la actualidad en Estados Unidos se está vendiendo más del 20 por 100 de la producción total, cerca de 300 millones de unidades al año, en Francia algo más del 12 por 100, en Japón se consume también cerca del 12 por 100, en España entre el 8 y el 10 por 100 y en Italia un 4 por 100 de la producción. En resumen, 20 países absorben el 85 por 100 de la producción anual (1.500 millones de unidades), de un total de 90 países en que se venden productos Chupa Chups.

Una pieza clave en la estrategia seguida por la empresa, para centrar la acción en lo internacional, es la creación de la nueva distribución nacional a través de la filial Chupa Chups Diversificación, creada en 1980. Con esta sociedad se llega a 80.000 puntos de venta por medio de 240 vendedores. El 50 por 100 de la facturación se hace al comercio detallista y el otro 50 por 100 a las grandes superficies, representando este último canal de distribución el 20 por 100 de los puntos de venta de la compañía.

Chupa Chups Diversificación también importa y distribuye productos de confitería, lo que ha permitido que en estos últimos años hayan entrado productos nuevos en el mercado nacional, con lo cual, en menos de siete años, a partir de 1980, las ventas interiores se han incrementado en un 500 por 100. Entre los productos importados por esta sociedad —segunda importadora de chocolate del país— destacan los siguientes:

— Los productos británicos Cadbury.
— Los huevos «Kinder» de Ferrero (Italia).
— Los caramelos «Ferrero-Rocher».
— Los productos «Mon Cheri».

— Los chicles «Wrigley's».
— El chicle francés en tubo «Lamy-Tutti».
— Las pastillas de menta «Vivil» (Alemania).

En suma, esta diversificación internacional se apoya en una adecuada estrategia de especialización del producto.

Entre los productos de fabricación propia que vende en los distintos mercados podemos destacar los siguientes: «Chupa Chups» (diez variedades); «Music/Melody Pops»; «Muñeca/Poupée Chups»; «Bom Bon D'Or»; «Gum Chups» (cinco variedades); «Soda Chups» (tres variedades); regalinas (cinco sabores); «Chuperly»; «Golia», y «Pencil Pops».

En cuanto a esta cartera de productos cabría que destacáramos los siguientes atributos, que actúan como puntos fuertes para la estrategia de la empresa:

— La *calidad,* basada en el uso de materias primas naturales.
— La *variedad,* tanto en la gama de productos como en los sabores y perfumes.
— La *conservación,* ya que la empresa garantiza un período de almacenaje de dos años sin que se alteren las cualidades de los caramelos.
— La *innovación* o la originalidad de los nuevos productos.
— La adecuada *especialización-segmentación* de los mercados.
— La *notoriedad* y *prestigio internacional* de los productos que se venden en un centenar de países.
— El *diseño cuidado* de los productos, de los que diez han sido creados por Salvador Dalí. La empresa en 1969 se gastó una importante suma para que diseñara envolturas y otros aspectos de los productos.

Respecto a este último punto hay que señalar que la empresa contrató en 1990 a la firma británica Laudor el diseño de su imagen corporativa. El resultado ha sido generalizar la marca y la imagen del «Chupa Chups», caramelo con palo, como genérica para la empresa y sus productos, ya que Chupa Chups es, en definitiva, el nombre de una empresa, de un género de productos, de un producto y de una idea.

5.4. Los datos fundamentales del dulce crecimiento

Para entender lo que han representado estos últimos años para la empresa Chupa Chups, no tenemos más remedio que acudir a un conjunto de datos económicos y financieros que expliquen, por sí solos, la importancia del crecimiento de la compañía. En la figura 5.1 se ha seleccionado el indicador capital social de la sociedad anónima Chupa Chups matriz del grupo empresarial que actualmente viene funcionando.

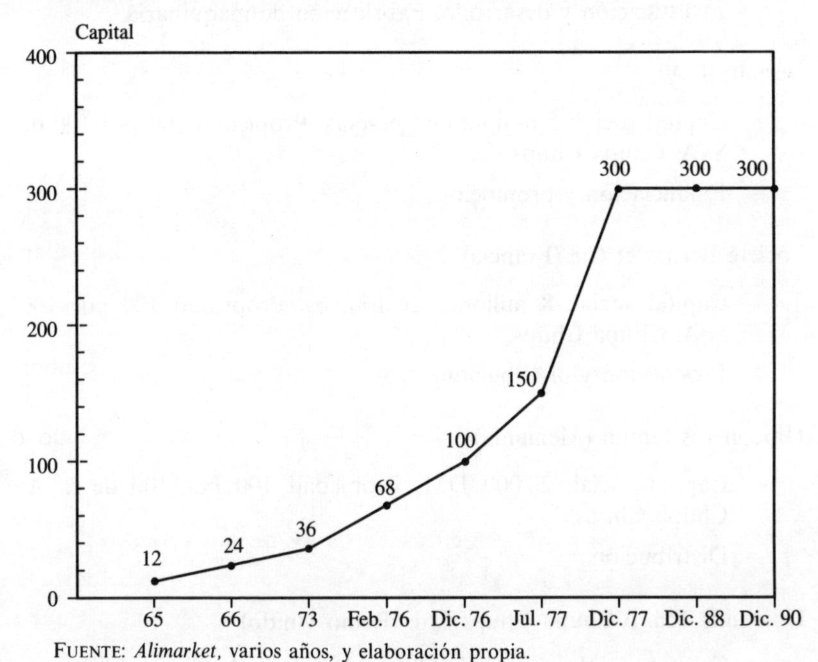

FUENTE: *Alimarket*, varios años, y elaboración propia.

Figura 5.1.—Evolución del capital de Chupa Chups (millones de pesetas).

El grupo Chupa Chups, al terminar el ejercicio 1990, estaba constituido por las siguientes sociedades principales, con independencia de las participaciones no mayoritarias en otras sociedades, caso por ejemplo de la compañía aérea Air Truck:

S. A. Chupa Chups

— Capital social: 300 millones de pesetas. Propiedad 100 por 100 de la familia Bernat.
— Compañía matriz del grupo. Producción y dirección estratégica.

Chupa Chups Diversificación, S. A.

— Capital social: 20 millones de pesetas. Propiedad 100 por 100 de S. A. Chupa Chups.
— Distribución en España.

Confipack, S. A.

— Capital social: 10 millones de pesetas. Propiedad 100 por 100 de S. A. Chupa Chups.
— Investigación y desarrollo. Fabricación de maquinaria.

Bernat, S. A.

— Capital social: 5 millones de pesetas. Propiedad 100 por 100 de S. A. Chupa Chups.
— Financiación y promoción.

Société Bernat et Cie (Francia)

— Capital social: 8 millones de francos. Propiedad 100 por 100 S. A. Chupa Chups.
— Producción y distribución.

Unicon Fis Gmbh (Alemania)

— Capital social: 20.000 DM. Propiedad 100 por 100 de S. A. Chupa Chups.
— Distribución.

Uniconfis Ttd. o Chupa Chups Ltd. (Reino Unido)

— Capital social propiedad 100 por 100 de S. A. Chupa Chups.
— Distribución.

Uniconfis Corporation (Estados Unidos)

— Capital social: 100.000 dólares estadounidenses. Propiedad 100 por 100 de S. A. Chupa Chups.
— Distribución.

Chupa Chups Holding (Holanda)

— Capital social propiedad 100 por 100 de S. A. Chupa Chups.
— Distribución.

Chupa Chups Trading (Jersey, Reino Unido)

— Capital social propiedad 100 por 100 de S. A. Chupa Chups.
— Distribución.

Regalín, S. A.

— Capital social: 54 millones de pesetas. Propiedad 82 por 100 de S. A. Chupa Chups.
— Producción.

Comercial Regalín, S. A.

— Capital social propiedad 82 por 100 de S. A. Chupa Chups.
— Distribución.

Iberia de Seguros Generales, S. A.

— Capital social propiedad 51 por 100 de S. A. Chupa Chups.
— Seguros.

Este grupo de sociedades está dirigido por un Consejo de Administración que presenta esta configuración:

— Presidente: Enrique Bernat Fontlladosa.
— Consejero-secretario: Nuria Serra Puig.
— Consejero delegado-director general: Xavier Bernat Serra.
— Consejeros: Nina María Bernat Serra, Ramón Bernat Serra, Marta Bernat Serra, Jean Martin Gautier.

Todos los miembros, excepto M. Gautier, director general de la Société Bernat et Cie, son los accionistas mayoritarios del grupo o poseedores del 100 por 100 de las acciones de la matriz.

En la figura 5.2 se puede apreciar cómo la evolución de las ventas ha seguido una clara tendencia de crecimiento. Si bien habría que comentar que existen en estos datos económicos, como en los que se reflejan en las figuras 5.3 y 5.4, una variación de las tendencias entre los ejercicios 1984 y 1985, época en la que Chupa Chups consolida su información como grupo, de su *holding* principal S. A. Chupa Chups, pero que no impide la observación sobre el crecimiento habido. Todo el grupo Chupa Chups en 1991 espera facturar la cifra de 17.000 millones de pesetas.

En la figura 5.3 queda claramente puesto de manifiesto el fuerte incremento exportador de los últimos años, aunque esta información sólo recoge la producción exportada desde España y no agrega la efectuada desde Francia.

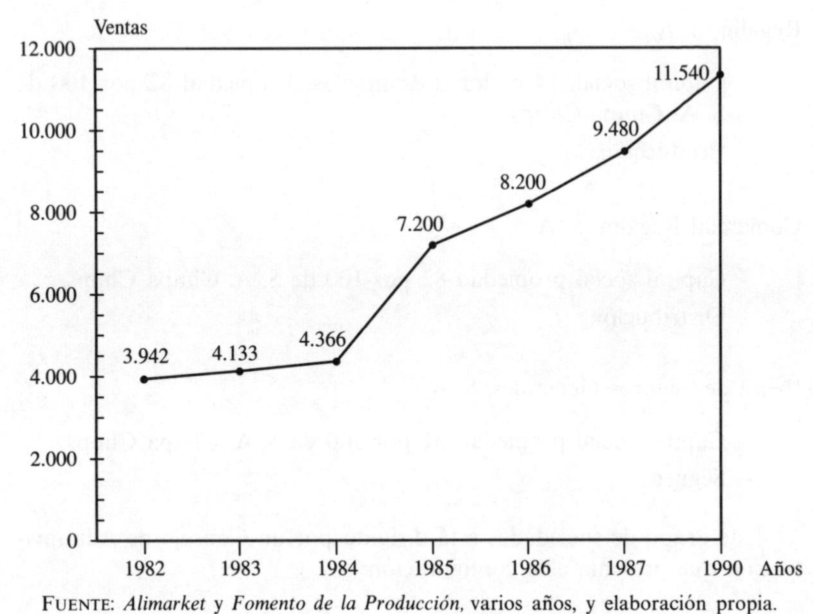

FUENTE: *Alimarket* y *Fomento de la Producción,* varios años, y elaboración propia.

Figura 5.2.—Evolución de las ventas de Chupa Chups (millones de pesetas).

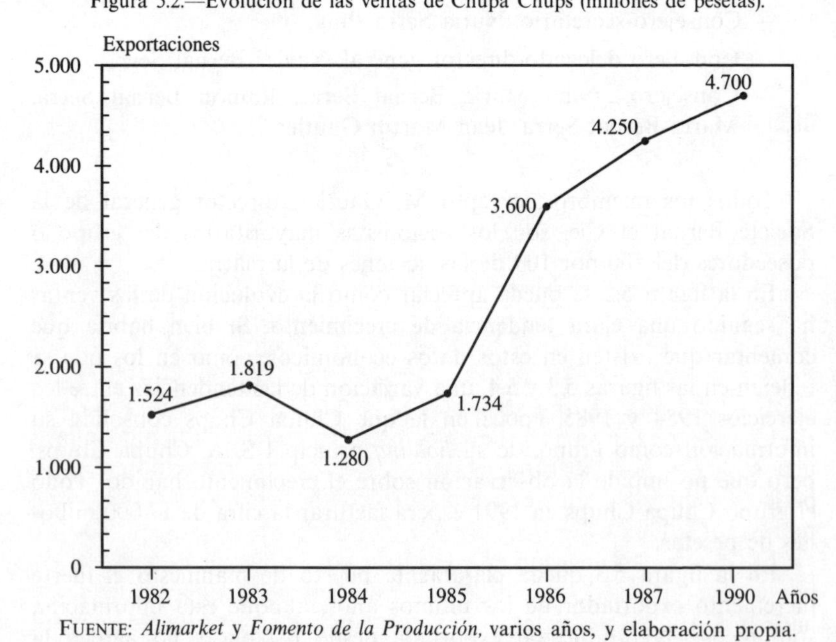

FUENTE: *Alimarket* y *Fomento de la Producción,* varios años, y elaboración propia.

Figura 5.3.—Evolución de las exportaciones de Chupa Chups (millones de pesetas).

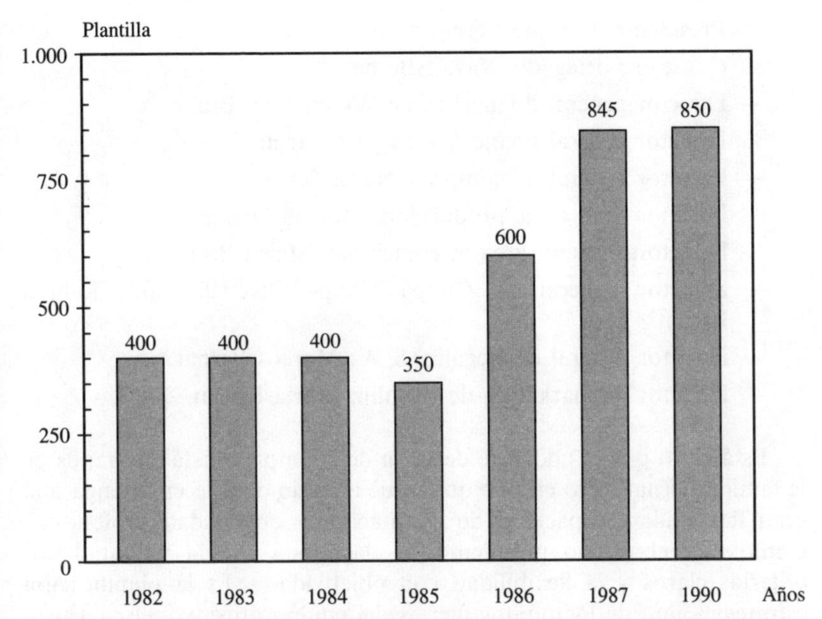

FUENTE: *Alimarket* y *Fomento de la Producción,* varios años, y elaboración propia.

Figura 5.4.—Evolución de la plantilla de Chupa Chups.

En cuanto a la plantilla hay que indicar que se distribuye en los últimos años entre las sociedades principales de la forma siguiente:

S. A. Chupa Chups	58,34
Chupa Chups Diversificación, S. A.	5,00
Société Bernat et Cie	20,00
Regalín, S. A.	7,83
Restantes	8,83
	100,00

Una nota característica de la empresa es que no ha tenido nunca una huelga y que el grupo humano, directivos y trabajadores, están perfectamente integrados e identificados con la imagen corporativa que representa Chupa Chups.

El Comité de Dirección está formado por la familia Bernat Serra y por unos profesionales cualificados y muy unidos familiarmente, desde hace años, con los propietarios. Así, este Comité está constituido de esta manera:

— Presidente: Enrique Bernat.
— Consejero delegado: Xavier Bernat.
— Director general de marketing: Willem Van Brakel.
— Director general financiero: Jorge Bofarull.
— Director general de compras: Nuria Serra.
— Director general de producción: Manuel Orriols.
— Directora general área internacional: Marta Bernat.
— Director general de Chupa Chups Diversificación: Ramón Bernat.
— Director general de Regalín, S. A.: Marcos Bernat.
— Director de marketing de Regalín: María Bernat.

Está claro que el poder de decisión de la empresa está en manos de la familia Bernat, pero ello no quita que el estilo de dirección tenga una gran flexibilidad, capacidad de adaptación y objetividad profesional. Como dice el propio presidente, la clave está en «la voluntad, los criterios claros y la flexibilidad con objetividad». Es la planificación estratégica uno de los puntos fuertes del equipo directivo, el cual procura anticiparse a los acontecimientos y sabe integrar la dirección general de la sede central con los directivos de las filiales extranjeras, lo que se traduce en una fuerza de marketing muy eficaz y agresiva.

Por ejemplo, la filial francesa dispone de un equipo directivo altamente cualificado y con gran experiencia en el sector de la alimentación. Veamos quiénes lo componían en 1988:

— Presidente-director general: Jean Martin Gautier.
— Adjunta a la dirección: Nina Gautier (responsable de compras del grupo Chupa Chups en España).
— Director de marketing: Pierre Begacon (profesor de Marketing del Institut Superieur du Marketing).
— Director comercial: Daniel Hannier (ex responsable de la división de confitería de la General Foods en Francia).
— Director de producción: Robert Plante (ex director de la línea «Tang» de la General Foods en Francia).
— Responsable de promoción: Dominique Morice (experta en comunicación comercial).
— Responsable de exportación: Jean Francois Cauvi.

5.5. En el futuro hacia la «totalogía» de la diversificación

A partir de 1986 la estrategia de diversificación de la empresa pretende seguir la dirección de la «totalogía», habiéndose perfilado un ambicioso plan que llega hasta mediados de la década actual.

Esta estrategia se desarrolla en base a dos líneas de actuación:

a) Continuar con la búsqueda y entrada en nuevos mercados extranjeros.

b) Abrirse a nuevos sectores, como estrategia de desarrollo horizontal, para explotar la marca Chupa Chups.

Las operaciones de China y de la antigua URSS se presentan como las dos opciones principales de la primera línea de actuación. Todo empezó con el éxito exportador del sector en países asiáticos, especialmente para Chupa Chups y General de Confitería, tales como Japón, Singapur, Malasia y Hong Kong.

En concreto, en el mes de mayo de 1986 una delegación china visitaba las oficinas e instalaciones de la compañía en Barcelona, viaje que tuvo su respuesta inmediata en una devolución de visita de los directivos de Chupa Chups a China, siendo recibidos por el Ministro de Industria Ligera. El proyecto planteado era crear una *joint-venture* con la empresa estatal Bei Jing, primera empresa china en el sector de la confitería. La inversión española ascenderá a 5 millones de dólares, representando el 60 por 100 del capital de Chupa Chups China, aportados la mitad en capital y la otra mitad en maquinaria y asistencia; estará situada en la provincia de Jianngxi y suministrará a todo el sur de China y países limítrofes. Su capacidad de producción será de 300 millones de unidades al año, dando empleo directo a 100 trabajadores, aunque indirectamente se estima que repercutirá en un total de cinco mil personas. Cifra de producción que pretende ir entrando en un mercado global de 1.200 millones de habitantes y en el que el 25 por 100 tiene menos de 14 años.

En la primera semana de julio de 1988, una vez que los estudios de viabilidad han sido aprobados por el Banco de China y las bases del acuerdo aceptadas, se ha firmado con el Gobierno chino la creación de la *joint-venture* y empezado a construir la primera fábrica en ese país asiático. Con posterioridad están previstas tres fábricas más, Shanghai, Pekín y Sechuán, para tener cubierto en 1994 todo el territorio chino. Además Chupa Chups crea en Cantón una Escuela de Formación de vendedores y cuadros medios, incorporando conceptos y técnicas de marketing desconocidos en China.

Las bases del acuerdo son las siguientes:

— Chupa Chups aportará la tecnología, la maquinaria y la asistencia técnica, así como el *know how*, no sólo referente a la fabricación, sino también a la distribución y gestión general.

— Bei Jing aportará los terrenos, los locales, las instalaciones y la infraestructura en general.

El problema fundamental de la operación está concentrado en la forma de recuperar la inversión o en los pagos de los *royalties* de la marca y el 60 por 100 de los beneficios esperados (ambas cosas se estiman en un 15 por 100 de la producción) y de las importaciones de materias primas, como los palitos, los colorantes naturales y el cartón, entre otras. El gobierno no desea que salgan divisas, por la escasez de éstas en el país, por lo que dicho pago motivaría otro tipo de compensaciones, como la de cobrar en otros productos o materias primas chinas. Solución que obliga a la empresa española a la creación de una *trading company*, como la constituida en Jersey (Reino Unido).

La situación política de la República Popular China en los tres últimos años ha retrasado el inicio del proyecto, pero la empresa está decidida y los obstáculos se están superando.

Después de China el objetivo principal es Rusia. Tras más de tres años de retraso respecto a los primeros contactos, se ha llegado a un acuerdo para la instalación de una fábrica en Leningrado (San Petersburgo), que entrará en funcionamiento un año después, aproximadamente, de que lo haga la primera china. Fábrica que tiene las mismas características y condiciones que la anterior y que pretende atender a un mercado potencial de 40 millones de niños. La nueva empresa es un *joint-venture* con la Leningrad First Confectionary Entreprise, con un capital de 2.000 millones de pesetas, correspondiendo el 60 por 100 a Chupa Chups. La factoría ocupa una superficie de 10.000 metros cuadrados y con una capacidad de 3.000 toneladas al año. Cuando la planta esté a pleno rendimiento dará empleo a 150 trabajadores.

El retraso de la operación primero se ha debido a la negativa soviética de dejar implantarse a la empresa española con cualquier tipo de *joint-venture*, prefiriéndose comprar una planta «llave en mano» y tener absoluto control sobre la misma. Con la llegada de Gorbachov al poder y la promulgación de la *perestroika* se han abierto nuevamente las negociaciones, concretándose la operación de forma satisfactoria para las partes bajo la fórmula de una *joint-venture*. Pero después, la fragmentación de la URSS y la independencia de las repúblicas, en concreto de la de Rusia, retrasó el proyecto hasta 1991. En estos momentos se han superado las razones técnicas y está en marcha el mismo, existiendo un plan para aumentar la inversión y llegar a una producción de 100 millones de caramelos anuales. También se han iniciado los contactos con la República de Ucrania para la instalación de una nueva planta en la URSS o en lo que quede de ella.

Por último, se están gestando dos operaciones de *joint-ventures,* una en Estados Unidos, con la Red Star CR Farm, con la que ya se ha firmado un protocolo gracias a la intermediación de la compañía Tabacos de Filipinas, y otra en Pakistán, con una empresa local, para atender a este mercado y al de Afganistán, un mercado con 190 millones de personas. Pero no sólo el crecimiento está en la fabricación en el exterior, ya que para el mercado doméstico y para los países comunitarios a primeros de septiembre de 1988 se ha comenzado a instalar una nueva fábrica junto a la actual de Barcelona, con una inversión de mil millones de pesetas, y que será la mayor y la más moderna técnicamente de las que posea la compañía.

La segunda línea de actuación estratégica está basada en la introducción de la marca «Chupa Chups» en una serie de productos dirigidos al público infantil.

Ya en 1986 se firma un contrato con la empresa francesa Jousse, S. A., líder en ese país en la confección de ropa infantil. La compañía española aporta su marca y su estructura internacional de distribución para un línea de ropa deportiva para niños entre dos y seis años. El grupo español recibe un 5 por 100 sobre las ventas en concepto de *royalties,* además de los beneficios que le corresponden. El éxito del primer año, duplicando previsiones de ventas, ha hecho que se esté iniciando la presentación y distribución de estos productos en Estados Unidos y Japón, a través también del grupo Indreco, de la cual es filial Jousee y que posee una línea de prendas y artículos deportivos con marcas de prestigio en Europa («New Man», «Klimbaby's», «Jacques Jaument», «Jacques Pernet», «Jousee», etc.)

La idea quiere desarrollarse en otros productos, como la juguetería y la papelería infantil, para lo que ya existen conversaciones con dos multinacionales norteamericanas. También con la empresa Procao de Navarra se ha firmado un acuerdo para fabricar calzado deportivo infantil para la venta en España con la marca «Chupa Chups».

Finalmente, recordar brevemente el intento fallido, al menos por el momento, de entrar en el sector financiero a través de la compra de paquetes de control del Consorcio Nacional de Leasing (CNL) por la filial del grupo, Iberia de Seguros. Operación que finalmente ha ido a parar al grupo financiero Torras que representaba Javier de la Rosa.

En resumen, han transcurrido casi treinta y cinco años desde que «un joven ambicioso» presentara al consejo de Granja Asturias una «locura de proyecto»; los resultados alcanzados hablan por sí solos para responder a aquellos diagnósticos, aunque queda por dilucidar un tercer diagnóstico: ¿cuáles serán los próximos pasos de la dulce innovación?

5.6. Conclusión

Si una idea, si una palabra tuviera que utilizarse para calificar a la empresa Chupa Chups, S. A., ésta es *innovación.* Evidentemente, nos enfrentamos ante un caso singular de la economía española, en que la capacidad de crear, el desarrollo de innovaciones y la gestión de la innovación son los aspectos más sobresalientes del mismo. Por ello, en un apartado del caso se llega a definir esta situación como de «innovación total».

Los fundamentos en que podemos basar el planteamiento estratégico de la dirección de esta empresa son los siguientes:

1. La presencia del *entrepeneurship* o de la auténtica función empresarial, según los términos clásicos de:

   — Creatividad y liderazgo.
   — Innovación.
   — Riesgo.

2. La gestión de la innovación total o en su sentido más amplio:

   — Innovación de productos.
   — Innovación de procesos técnicos.
   — Innovación de gestión.

3. La estrategia de diversificación orientada al cliente y con un vector de crecimiento de totalidad.

No es casual, como se puede leer en el caso, que el fundador de la empresa y actual presidente, Enrique Bernat, defina su estrategia como la de la *totalogía,* cuando acabamos de destacar los fundamentos de aquélla, en los que aparece el adjetivo total, con las palabras innovación y diversificación.

No es demasiado normal en estos años encontrar ejemplos de *entrepeneurship* o de auténtica capacidad de actuar como empresario, en la forma que desde Schumpeter se le ha categorizado: función de crear, de liderar, de innovar y de saber asumir riesgos. En este caso, estas características se dan plenamente, siendo una constante a lo largo de la historia de la empresa.

La preocupación por el producto, por destacar sus atributos y por el desarrollo de nuevos productos, es la primera faceta de la capacidad innovadora de esta empresa. Las innovaciones alcanzadas han generado unas ventajas competitivas indudables, que han permitido diferenciar claramente los productos Chupa Chups y, además, lograr una imagen de calidad a nivel internacional.

Junto a este tipo de innovación la compañía ha sabido desarrollar sus propios procesos técnicos, ha conseguido unos procedimientos revolucionarios a través del diseño propio de maquinaria especializada para la fabricación y envoltura automática de los caramelos. Estas innovaciones son fuente de importantes ventajas de costes.

Por último, cabe destacar los esfuerzos que la empresa ha venido realizando en el campo del marketing, consiguiendo unos sistemas de venta y distribución verdaderamente eficientes a la vez que nuevos en el sector de competencia.

Este conjunto de innovaciones confiere a la dirección de la empresa un matiz no corriente en la empresa media española, cual es la vocación para la gestión de la innovación como elemento clave para el éxito de la misma. Como es sabido por todos, la capacidad innovadora en nuestra realidad económica es escasa y, en el caso de existir, la calidad de su gestión es bastante deficiente.

El éxito de Chupa Chups no sólo se basa en su capacidad empresarial y de innovación, sino en otro conjunto de factores internos que han sabido ir explotando las importantes oportunidades que se le vienen ofreciendo a esta empresa en los mercados internacionales. De entre estos factores de éxito podríamos destacar por encima de todos la estrategia de diversificación que la empresa, desde sus orígenes, ha venido llevando a cabo.

Una estrategia de diversificación, tanto de productos como de mercados, requiere un adecuado análisis de oportunidades y de fuerzas de la empresa, para saber adoptar la decisión en el momento adecuado, especialmente cuando tiene que entrar en un nuevo mercado o en nuevo sector. Esta empresa ha ido desarrollando este tipo de estrategia basada en los siguientes ejes estratégicos:

— Procurar un desarrollo horizontal de sus productos, de forma que unos se apoyen en otros, y siempre potenciando la imagen de marca.
— Entrar en nuevos mercados, en distintos países por alejados que estén, no sólo aprovechando imagen y experiencia, sino sabiendo

gestionar las características o elementos competitivos del nuevo entorno competitivo, gracias a una buena explotación de sus ventajas comparativas respecto a ese país.

En general, la estrategia de internacionalización se ha basado en dos principios básicos de este tipo de decisión:

a) La existencia de una demanda insatisfecha y un crecimiento potencial de la misma muy importante.

b) El efecto de introducir un producto innovador en el nuevo mercado.

Es evidente que nos enfrentamos a una auténtica empresa multinacional española, líder por su innovación, de gran crecimiento, aunque, dado su sector, el tamaño no es demasiado importante. El reto está en cómo va a seguir en el futuro el eje estratégico de la diversificación total, en un proceso de tipo concéntrico como el que ha iniciado.

BIBLIOGRAFÍA

Actualidad Económica: varios años, números 1990-1992.

Alimarket: «Informes anuales», varios años.

Bueno, E.: «Aspectos organizativos y estilos de dirección en las estrategias de las empresas españolas», *Economistas*, núm. 28, octubre-diciembre 1987, págs. 22-26.

Mercado: varios números, 1986-1987.

Tiempo: 27-6-1988.

Trabajo monográfico: MBA-Dirección Internacional, curso 1986-1987, IADE-UAM (dirigido por E. Bueno).

6

Pedro Domecq: «Nobleza obliga»

6.1. Los orígenes del negocio

Todo empezó cuando a principios del siglo XVIII, en 1725 exactamente, un irlandés llamado Patrick Murphy se estableció en Jerez para fabricar tejidos y otros productos textiles. Sin embargo, al detectar las oportunidades que ofrecía el negocio del vino y las inmejorables condiciones que existían por estos parajes, se dedicó a comprar unos pagos y bodegas y en 1730 funda con un socio francés, Jean Haurie, en Jerez de la Frontera, una empresa de producción y comercialización de vino.

Al fallecer Patrick Murphy el negocio se quedó en manos de su socio, quien junto a varios miembros de su familia crea en 1791 Jean Haurie y Sobrinos. En 1794 muere Jean Haurie y el negocio se divide en partes iguales entre sus sobrinos Juan José, Juan Luis y Juan Carlos Haurie y Pedro Lambeye Haurie. Pero en 1814 los suministros realizados a las tropas de Napoleón son considerados como fallidos, lo que lleva a la empresa a declararse en quiebra un año más tarde. La junta de acreedores consiguió un plazo de seis años para liquidar todas las deudas en base al cobro del crédito al Gobierno francés.

Con el fin de sanear la empresa, en 1821 se une al negocio Pedro Domecq Lambeye, nieto de María Haurie, hermana del fundador de la firma Jean Haurie y Sobrinos. Éste es el primer miembro de la familia Domecq que se instala en Jerez. Pedro Domecq Lambeye nació en la región francesa del Bearn, que entonces lindaba con Navarra y Aragón y que actualmente forma el departamento de los Bajos Pirineos.

El primer documento en que se cita a la casa Domecq de la jurisdicción d'Usquain procede del siglo XIV junto con otras once casas de reconocida nobleza. Todavía hoy se conserva el acta de homenaje prestado por el noble Pedro Domecq d'Usquain a Luis XV de Francia en 1728 en la sala del Parlamento de Navarra del Castillo de Pau.

Dos años después de su llegada, Pedro Domecq Lambeye, gran conocedor del laboreo de viñas y elaboración de caldos de Burdeos, adquiere el famoso pago de Macharnudo y se hace cargo de su propio negocio de vinos. En 1839, previendo que ninguna de sus cinco hijas tomaría el relevo en la dirección del negocio familiar, Pedro Domecq Lambeye propone a su hermano Juan Pedro participar en el mismo con el 25 por 100 del capital.

A la muerte de Pedro Domecq, su hermano Juan Pedro forma sociedad con sus sobrinas por sextas partes iguales, aunque con el paso del tiempo todas fueron vendiéndole su participación hasta convertirse en el único propietario del negocio. Durante su dirección la empresa se expande de forma muy notable.

En el año 1869 muere Juan Pedro Domecq Lambeye, siendo su sucesor Pedro Jacinto de Domecq Loustau, que ya trabajaba con él desde 1867 cuando se creó una sociedad regular colectiva. El nuevo empresario potencia y desarrolla la política de crecimiento del negocio adquiriendo nuevos viñedos, construyendo bodegas y aumentando la capacidad exportadora. En estos años se inicia la producción y venta del brandy de origen español que nace como consecuencia azarosa del almacenamiento, durante cinco años, de unos aguardientes de vino que no llegaron a ser vendidos por su elevado precio a los padres cartujos de la Chartreuse y que, con el tiempo, fueron desarrollando un *bouquet* y paladar extraordinarios. De esta forma, en 1874 se comercializa la primera marca de brandy español con el nombre de «Fundador».

Tras la muerte de Pedro Jacinto de Domecq Loustau en 1894, su hijo mayor Pedro Domecq Núñez de Villavicencio pasa a ocupar la gerencia asistido por sus hermanos José Manuel y Juan Pedro. A partir de este momento la familia Domecq distribuye sus actividades en las cinco grandes ramas en que aquélla se configura que van a controlar la mayor parte de esas fértiles tierras de viñas, caballos y toros donde hoy viven la mayoría de sus cuatrocientos descendientes.

6.2. Los tiempos modernos

En 1916 la empresa adopta la razón social Pedro Domecq y Compañía y dispone de un capital social de cinco millones de pesetas.

Durante los años treinta, cuatro hombres comparten la gerencia de la empresa: Pedro Domecq Rivero (rama Marqués de Casa Domecq), Pedro Domecq González (rama Vizconde de Almocadén), Pedro Soto Domecq (rama Puertohermoso o Soto-Domecq) y Juan Pedro Domecq (rama Domecq de la Riva).

La empresa se transforma en sociedad anónima en 1941, siendo Pedro Domecq Rivero el primer presidente del Consejo de Administración. En esta fecha el capital social de la empresa asciende a diez millones de pesetas.

Cuando la empresa destinaba la mayor parte de sus exportaciones a los países latinoamericanos, ésta se ve directamente afectada por los cambios introducidos en las políticas económicas de los mismos. A partir de 1950, los países latinoamericanos acusan importantes desequilibrios en sus balanzas comerciales y adoptan una serie de medidas correctoras, de las cuales cabe destacar la drástica reducción de las importaciones. Con este proteccionismo la empresa entiende que debe reorientar su estrategia e inicia una nueva fase de crecimiento que se sustenta en tres ejes: la consolidación del mercado nacional, una mayor penetración del mercado europeo y el desarrollo de inversiones directas en países latinoamericanos potencialmente interesantes.

Nuevos acontecimientos van a incidir negativamente en la buena marcha de la empresa. Primero, aparece el gravísimo problema de los excedentes de vino a nivel internacional. En todos los países se fueron plantando viñas sin tiento y se dieron cuenta del error cuando el mal ya estaba hecho. En segundo lugar, la transición política que tiene lugar en España plantea problemas laborales a la empresa, que se enfrenta con múltiples y constantes huelgas. A título de ejemplo, podemos resaltar que en los meses de mayo, junio y julio de 1982 la empresa tuvo que soportar setenta y dos días de huelga.

Mientras tanto, Domecq continúa cuidando la calidad de sus vinos y licores y emprende una diversificación de productos dentro del sector de bebidas alcohólicas, que más tarde se extenderá al sector de la alimentación. Actualmente, el capital social de la empresa Pedro Domecq, S. A., se distribuye entre socios nacionales y extranjeros. La firma Hiram Walker Europa, S. A., posee una participación del 45 por 100 aproximadamente, y Scholtz, S. A., acaba de adquirir un 3 por 100. No obstante, la familia Domecq sigue ejerciendo un cierto control del negocio. El crecimiento de Pedro Domecq, S. A., le permite encabezar un grupo que viene configurado por unas veinte empresas implantadas en España y en el extranjero (véase Fig. 6.1).

En la dirección de la empresa, Joaquín Ysasi Ysasmendi sucede en 1978 a Pedro Domecq Rivero, quien falleció en 1979.

6.3. La estructura del grupo Pedro Domecq, S. A.

En la junta de accionistas celebrada por Pedro Domecq, S. A., el 8 de junio de 1991, su presidente José Joaquín Ysasi Ysasmendi señaló que el grupo es el primero español en el sector de bebidas y a nivel mundial ocupa el noveno puesto. Dichos resultados son consolidados y se refieren a toda la organización mundial de Pedro Domecq, que

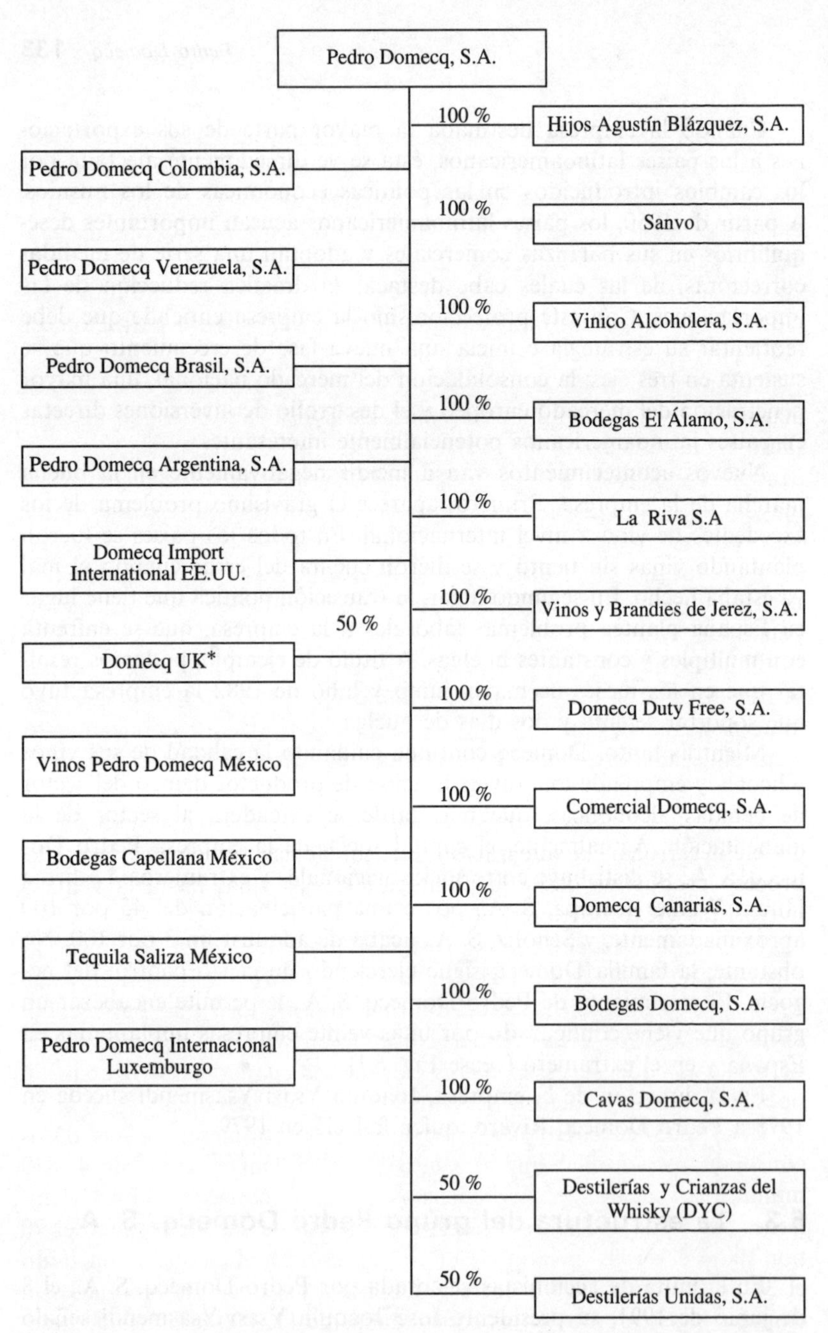

* La empresa española Pedro Domecq y la inglesa H. P. Bulner han acordado disolver su sociedad en Gran Bretaña Domecq V. K. en 1991. Las diferentes marcas de Pedro Domecq que se venden en el Reino Unido serán distribuidas a partir de 1992 por tres firmas inglesas.

Figura 6.1.—Estructura del grupo Pedro Domecq, S. A.

emplea una plantilla de 3.931 personas (mil más que en agosto de 1989) y un volumen de producción y comercialización de 17,7 millones de cajas de botellas frente a los 14,2 millones de cajas obtenidas en el ejercicio cerrado en agosto de 1989. Añadió el presidente que alcanzar estos resultados ha sido posible gracias a la política de adquisiciones de empresas emprendida por la compañía así como a la fuerte implantación de sus marcas en el mercado mundial, la cual supone para Domecq el 62 por 100 de las ventas totales.

La integración de las empresas dentro del grupo se establece de acuerdo a la actividad de las mismas. De esta forma, el grupo aglutina tanto en España como en el exterior empresas productoras, comercializadoras y de servicios. Con esta política se pretende alcanzar una mayor especialización de las empresas en su actividad más importante y evitar un tamaño que dificulte el control de las mismas.

Otra razón que justifica una estructura de grupo es la distribución del riesgo entre las distintas entidades que mantienen una cierta independencia entre sí.

El grupo Pedro Domecq lleva a cabo una estrategia competitiva que se fundamenta en la ventaja de la diferenciación y que le procura una imagen de marca con mensajes de calidad y tradición. Paralelamente, se persigue una estrategia de segmentación y de especialización con su gama de productos.

Una política particularmente importante ha sido la que ha consistido en desarrollar la integración vertical de las principales fases del proceso productivo desde la plantación de las viñas hasta la venta a mayoristas y expendedores.

En lo que se refiere a la implantación internacional de las empresas españolas del sector hay que subrayar que Pedro Domecq, junto con Freixenet, constituyen la excepción que confirma la regla. Tal y como lo refleja el cuadro 6.1, no deja de sorprender la todavía escasa presencia de nuestros bodegueros en países extranjeros cuando éstos ocupan un puesto de liderazgo dentro del contexto vinícola mundial.

El grupo Pedro Domecq, que facilitó por primera vez sus datos consolidados a nivel mundial, obtuvo en 1988 unas ventas de 43.819 millones de pesetas y unos beneficios antes de impuestos de 4.457 millones. Al 31 de agosto de 1989 el crecimiento de sus ventas fue del 70 por 100 y el de las ganancias del 16 por 100. En el ejercicio concluido el 31 de enero de 1990 y correspondiente a los doce últimos meses la empresa registró unas ventas consolidadas de 112.000 millones de pesetas, con un aumento del 50 por 100 mientras que los beneficios antes de impuestos ascendieron a 10.970 millones de pesetas, cifra que significó un incremento del 111 por 100 en relación a los 5.190 millones del

CUADRO 6.1

Bodegueros españoles en el extranjero

Empresa española	Ubicación	Filial	País	Actividad
Age, Bodegas Unidas, S. A.	Fuenmayor (La Rioja)	Age France Sarl (74%)	Petite Eguille (F)	Comercialización
Bodegas 501, S. A.	Puerto S.M. (Cádiz)	C. y J. de Terry Colombia, S.A.	Colombia	Envasado brandy
Bodegas Berberana, S. A.	Cenicero (La Rioja)	Arday Weinimport Gmbh	Alemania	Comercialización
Bodegas Capel, S. A.	Espinardo (Murcia)	Capel Vineyards of America	Estados Unidos	Comercialización
Cavas Cast. Perelada, S. A.	Perelada (Gerona)	Perelada International BV	Holanda	Comercialización
C. Vin. Norte Esp., S. A.	Haro (La Rioja)	C. Vin. Norte Esp. (France)	Montpellier (F)	Comercialización
Codorníu, S. A.	Barcelona	Codorniu USA Inc.	Estados Unidos	Comercialización
Codorníu, S. A.	Barcelona	Codorniu (U.K.) Ltd.	Reino Unido	Comercialización
Diego Zamora, S. A.	Cartagena (Murcia)	The Zamora Corp.	Estados Unidos	Ofic. marketing
DYC, S. A.	Palaz E. (Segovia)	Macnab Distilleries, Ltd.	Escocia (R.U.)	Whisky
Emilio Lustau, S. A.	Jerez (Cádiz)	Emilio Lustau (London), Ltd.	Londres (R.U.)	Comercialización
Freixenet, S. A.	S. Sadurní N. (Barna)	Champagne Henri Abele	Reins (F)	Vinos champagn.
Freixenet, S. A.	S. Sadurní N. (Barna)	Freixenet Sonoma Champ	California (EE.UU.)	Vinos espumosos
Freixenet, S. A.	S. Sadurní N. (Barna)	Freixenet México, S. A.	México	Vinos espumosos
Freixenet, S. A.	S. Sadurní N. (Barna)	Freixenet USA	California (EE.UU.)	Comercialización
Freixenet, S. A.	S. Sadurní N. (Barna)	Spanex	California (EE.UU.)	Comercialización
Freixenet, S. A.	S. Sadurní N. (Barna)	Freixenet Pacific Int.	California (EE.UU.)	Comerc. (Oriente)
Freixenet, S. A.	S. Sadurní N. (Barna)	Freixenet GmbH	Alemania	Com. (N. Europa)
González Byass, S. A.	Jerez F. (Cádiz)	González Byass (U.K.), Ltd.	Reino Unido	Comercialización
González Byass, S. A.	Jerez F. (Cádiz)	Glez. Byass de México, S. A.	México	Licores
Larios, S. A.	Málaga	Larios Corporation	Panamá	Comercialización
Larios, S. A.	Málaga	LLSA (24%)	Quito (Ecuador)	Licores
Larios, S. A.	Málaga	Cartol Internacional (25%)	Miami (EE.UU.)	Comercialización

CUADRO 6.1 *(continuación)*

Empresa española	Ubicación	Filial	País	Actividad
Manuel Fernández, S. A.	Jerez F. (Cádiz)	Bobadilla y Cía., S. A.	México	Vinos y brandies
Miguel Torres, S. A.	S. Sadurní N. (Barna)	S. Vin. Miguel Torres, Ltda.	Curicó (Chile)	Elaborac. vinos
Miguel Torres, S. A.	S. Sadurní N. (Barna)	Torres Wine North America	California (EE.UU.)	Comercialización
Osborne y Cía, S. A.	Puerto S.M. (Cádiz)	Osborne de México, S. A.	México	Brandy y vodka
Osborne y Cía, S. A.	Puerto S.M. (Cádiz)	Osborne de Portugal, S. A.	Oporto (Portugal)	Vinos de Oporto
Osborne y Cía, S. A.	Puerto S.M. (Cádiz)	Osborne USA Inc.	Estados Unidos	Comercialización
Pedro Domecq, S. A.	Jerez F. (Cádiz)	Pedro Domecq México, S. A.	México	Produc. brandies
Pedro Domecq, S. A.	Jerez F. (Cádiz)	Pedro Domecq Brasil, S. A.	Brasil	Producción
Pedro Domecq, S. A.	Jerez F. (Cádiz)	P. Domecq Colombia, S. A.	Colombia	Producción
Pedro Domecq, S. A.	Jerez F. (Cádiz)	P. Domecq Venezuela, S. A.	Venezuela	Producción
Pedro Domecq, S. A.	Jerez F. (Cádiz)	P. Domecq Argentina, S. A.	Argentina	Comercialización
Pedro Domecq, S. A.	Jerez F. (Cádiz)	Domecq U.K. (50%)	Londres (R.U.)	Comercialización
Pedro Domecq, S. A.	Jerez F. (Cádiz)	Domecq Import	Nueva York (EE.UU.)	Comercialización
Savin, S. A.	San Sebastián	Bodegas y Bebidas Wine	Wesport (EE.UU.)	Comercialización
Unión Vitivinícola, S. A.	Cenicero (La Rioja)	Chateau Camensac	Haut-Medoc (F)	Vinos Burdeos

FUENTE: *Alimarket*, núm. 4, octubre de 1988.

año anterior. Pedro Domecq, que ha cambiado la fecha de cierre del ejercicio del 31 de agosto al 31 de enero de cada año, había previsto para el último año alcanzar unas ventas de cien mil millones de pesetas, cifra que ha quedado superada con creces, en parte gracias a la incorporación de una nueva compañía del grupo, que es Destilerías y Crianzas del Whisky (DYC), y a la diversificación iniciada en México en el campo de la alimentación. Recientemente, el grupo Domecq firmó un acuerdo con Elosúa para comercializar productos alimenticios a través de sus canales de distribución.

6.4. Principales magnitudes económicas de Pedro Domecq, S. A.

A pesar del retroceso generalizado que sufre el consumo de bebidas alcohólicas, salvo el whisky, Pedro Domecq ha podido mantener y mejorar su posición competitiva reforzando sus cuotas de mercado en detrimento de sus competidores.

En 1991 los directivos optaron por dejar de publicar los datos económicos de la empresa Pedro Domecq prefiriendo divulgar magnitudes consolidadas. Esta alternativa implica que en las dos siguientes figuras los datos más recientes correspondan a los años 1988 y 1987.

En este sentido, la figura 6.2 recoge las cifras de venta no consolidadas de Pedro Domecq, S. A., durante el período 1981-1988. Si exceptuamos el año 1982, la evolución es constante y se van registrando tasas de crecimiento apreciables. Igualmente, en la figura 6.3 se presenta la evolución de los resultados en el mismo período. Desde 1983 los resultados han experimentado una franca recuperación. En 1987, por ejemplo, último año disponible, los 1.417 millones de pesetas de beneficios netos antes de impuestos representaban una tasa de rentabilidad del 5,42 por 100.

Con respecto a las exportaciones, se constata una cierta estabilidad en los últimos años. Dicha estabilidad debe atribuirse al poder de mercado que ejerce la empresa en determinados países, el cual le permite conservar intactas sus ventas exteriores, y a la sustitución de estas ventas exteriores por ventas interiores realizadas por filiales abiertas en dichas áreas geográficas. En 1990 el 56 por 100 de la facturación procedió de la exportación.

Cabe calificar a los niveles alcanzados por estos indicadores de excelentes, dado el difícil momento que atraviesan las empresas de este sector. Tratándose de una industria madura donde la demanda se encuentra medio estancada, la estrategia selectiva adoptada por Pedro Domecq ha producido sus frutos.

CUADRO 6.2

Salida a consumo de aguardientes compuestos y licores. Consumo interior + exportación (en hectolitros)

Año	Brandy	Anisados	Ginebra	Ron	Whisky	Los demás	Total
1967	958.770	477.120	155.070	59.090	12.569	268.200	1.929.810
1968	1.172.490	474.950	184.360	68.730	16.580	307.540	1.224.650
1969	1.292.830	493.530	192.320	76.650	12.660	301.030	2.369.020
1970	1.261.490	421.410	220.120	77.350	17.250	327.230	2.324.850
1971	1.347.070	413.540	235.710	87.500	34.530	390.730	2.509.070
1972	1.339.200	358.670	244.800	95.740	24.650	399.060	2.462.120
1973	1.271.840	377.830	290.260	120.360	33.491	400.869	2.494.850
1974	1.419.330	386.800	310.450	129.380	35.600	426.320	2.707.880
1975	1.483.720	375.750	342.570	108.840	49.650	420.320	2.780.710
1976	1.450.625	392.465	438.550	135.210	68.715	562.220	3.047.785
1977	1.660.851	427.056	516.919	204.483	98.728	528.488	3.427.525
1978	1.339.003	393.271	591.693	242.361	93.520	512.423	3.172.271
1979(1)	1.882.505	463.366	738.402	323.602	120.472	626.794	4.155.141
1980(2)	—	—	—	—	110.166	—	2.060.193
1981	1.251.835	342.999	662.336	208.473	110.168	479.672	3.055.483
1982	1.071.921	310.779	509.513	205.083	130.962	460.773	2.689.031
1983	1.157.953	317.389	619.160	257.570	141.176	516.263	3.009.511
1984	935.611	257.644	518.763	201.271	144.353	460.657	2.518.299
1985	1.288.549	344.080	653.116	271.966	152.585	540.709	3.255.489
1986	1.090.841	313.162	639.407	315.262	203.404	655.475	3.217.551
1987	940.442	297.860	644.318	290.851	199.885	609.305	2.982.664
1988	828.840	260.497	465.811	231.527	205.371	549.517	2.541.565

(1) Cifras anormalmente altas por la entrada en vigor, el 1 de mayo de 1980, de la Ley 39/1979.
(2) Se carece del desglose por productos.

FUENTE: Federación Española de Fabricantes de Bebidas Espirituosas, en *Aral*, número 1.022, junio de 1989.

6.5. La estrategia del éxito

En 1981, la nueva dirección de la empresa elaboró un plan de reestructuración para relanzar el negocio. La estrategia elegida consistía en desarrollar una diversificación selectiva buscando nuevos productos y mercados sin renunciar a la buena imagen de marca que ha acompañado tradicionalmente a los productos Domecq (véase cuadro 6.3),

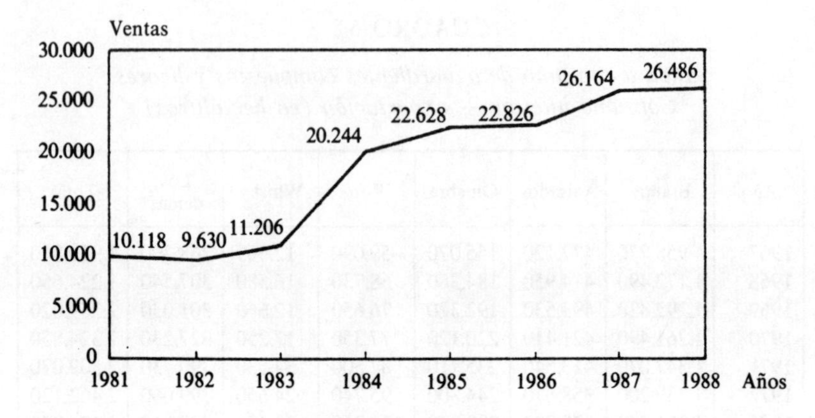

Figura 6.2.—Evolución de las ventas de Pedro Domecq, S. A. (cifras no consolidadas) (millones de pesetas).

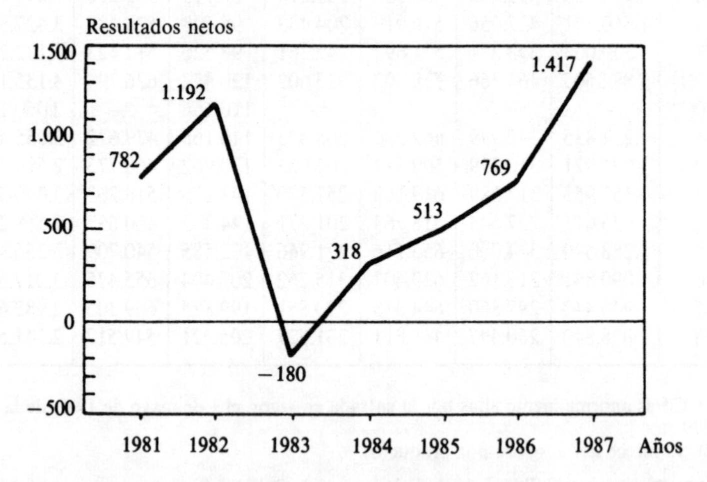

Figura 6.3.—Evolución de los resultados netos de Pedro Domecq, S. A. (cifras no consolidadas) (millones de pesetas).

Actualmente, la empresa produce y comercializa vinos, licores y brandies. Desde finales de 1987, el grupo Domecq ha dejado de fabricar y comercializar la ginebra «Gordon's» en España, de la cual se encarga ahora Bacardi en colaboración con el propietario inglés United Distillers, tras la cancelación unilateral por parte de este último del contrato de elaboración y distribución que ambas sociedades tenían firmado desde hace veinticinco años. El proceso de acercamiento de United

CUADRO 6.3

Litros de bebidas espirituosas salidas de fábrica en 1990

	Mercado interior			Exportación			
Producto	A Pen. y Bal.	A Canarias	Total	Ceuta/Melilla	Extranjero	Total	Total
Aguar. oruj.	588.196	1.279	589.475	0	18.698	18.698	608.173
Anís	17.507.829	177.702	17.685.531	327.441	631.154	958.595	18.644.126
Ron y caña	17.312.285	1.802.566	19.114.851	2.336	1.098.206	1.100.542	20.215.393
Brandy	57.076.165	2.071.754	59.147.919	65.785	77.970.881	78.036.666	137.184.585
Ginebra	40.546.707	396.169	40.942.876	392.646	761.663	1.154.309	42.097.185
Whisky	19.833.835	120.420	19.954.255	87.159	73.470	160.629	20.114.884
Aguar. comp.	15.071.927	984.209	16.056.136	455.785	393.869	849.654	16.905.790
Licores	41.872.211	2.008.640	43.880.851	62.966	2.499.122	2.562.088	46.442.939
Totales	209.809.155	7.562.739	217.371.894	1.394.118	83.447.063	84.841.181	302.213.075

FUENTE: *Aral*, 8-15 de junio de 1990.

Distillers a Bacardi se realizó después de que la multinacional Guiness adquiriese la empresa inglesa. Uno de los objetivos de Guiness era introducir sus marcas de whisky en nuestro mercado, y considerando que Pedro Domecq ya producía y distribuía con su socio Hiram Walker las marcas «Doble V» y «Ballantine's», era menester cambiar de cabeza de puente para introducirse en España y no hacer peligrar sus objetivos. El interés por nuestro mercado se justifica por ser éste uno de los más prometedores del mundo, ya que en 1987 fue el que mayor crecimiento registró (el 18,2 por 100), por delante de Japón (17 por 100). Los 15.000 millones de pesetas en que se puede valorar nuestro mercado nos sitúan en el quinto importador de whisky del mundo por detrás de EE.UU, Francia, Italia y Japón.

En este contexto, es importante ocupar una posición estratégica en el mercado español, y Pedro Domecq lo ha entendido perfectamente. Su asociación con DYC (líder nacional, con una cuota de mercado mayoritaria) les convierte en un potente grupo multinacional con una producción de whisky muy elevada. En lo que concierne a la clasificación de marcas importadas (más del 60 por 100 del total), «Ballantine's» ocupa el segundo lugar siguiendo a «J&B» (Gecepsa), que está a la cabeza con un tercio del mercado (véase cuadro 6.4).

CUADRO 6.4

Ventas de whisky en España (1990)

	Millones (pesetas)	Diferencia 89-90 (%)	Millones (litros)	Diferencia 89-90 (%)
J&B	42.078,0	25,3	11,6	23,6
Ballantine's	28.196,6	28,8	7,6	30,4
DYC	25.738,4	17,6	13,2	6,1
O. M. whisky escocés	15.472,0	9,4	3,8	9,6
Johnnie Walker	7.519,1	11,2	2,2	13,6
O. M. whisky español	6.651,5	17,6	3,7	−0,4
Dewars	6.217,7	−4,6	1,3	2,6
Passport	3.904,1	5,8	1,1	13,6
Cutty Shark	3.614,9	22,5	0,6	4,9
O. M. whisky	2.458,2	0,0	0,6	23,1
White Horse	1.446,0	−16,0	0,6	−14,8
Long John	1.301,4	−24,4	0,4	−14,8
Total	144.578	17,6	46,8	13,6

FUENTE: *Aral*, 1991.

Por otro lado, el grupo Domecq es líder mundial en producción de brandy, gracias a su filial mexicana que comercializa más de seis millones de cajas de las marcas «Presidente» y «Don Pedro», primera y tercera del *ranking* mundial de este licor. Sumando la tercera marca del grupo, la española «Fundador», que pone a la venta un millón y medio de cajas, el grupo asegura en torno al 11,5 por 100 de la producción mundial de brandy y el 20 por 100 de la española.

En España Domecq fabrica y distribuye las marcas «Carlos I», «Imperial», «Carlos III», «Felipe II», «Fundador» y «Marqués de Domecq». El consumo nacional de brandy «popular» y «medio» tiende a descender, mientras que el brandy «superior» o «gran reserva» se incrementa claramente. En este sentido, Domecq tiene marcas en los distintos segmentos: «Fundador» y «Felipe II» son las principales marcas que figuran en el segmento bajo, «Carlos III» es la primera marca de Domecq en el segmento medio y «Carlos I» es el líder nacional en el segmento alto.

Por otra parte, contando con las buenas perspectivas del vino «Rioja», la empresa funda en 1973 Bodegas Domecq, S. A., en Elciego (Rioja Alavesa). En este momento, la firma produce 1.250.000 cajas de vino de mesa donde destacan las marcas «Marqués de Arienzo», «Viña Eguia», «Domecq Domain» y «Privilegio del Rey Sancho» (véase cuadro 6.6). Cuando en este momento el «Rioja» goza de un reconocido prestigio internacional y las perspectivas de crecimiento son buenas, Domecq pone a disposición de la producción su amplia red comercial para

CUADRO 6.5

Marcas españolas situadas entre las 100 primeras de licor del mundo (millones de litros)

Marca	Empresa	Principal mercado	1986	1987	Posición de ranking
Presidente	Pedro Domecq, S. A.	México	36,9	37,8	13
Larios	Larios, S. A.	España	36,9	36,9	14
Soberano	González Byass, S. A.	España	18,0	18,0	45
Don Pedro	Pedro Domecq, S. A.	México	18,0	18,0	49
Veterano	Osborne y Cía, S. A.	España	17,1	17,1	51
Centenario	Fernando A. de Terry	España	15,3	15,3	60
Whisky DYC	Destilerías y Crianza de Whisky, S. A.	España	14,4	15,3	62
Fundador	Pedro Domecq, S. A.	España	13,5	13,5	72

FUENTE: «Impact databank», en *Alimarket*, núm. 4, 1989.

CUADRO 6.6

Principales empresas de vino de Rioja por hectáreas de viñedo propias

Empresas	Ubicación	Hectáreas
Bodegas Berberana, S. A.	Cenicero (La Rioja)	5.600
Coop. Vin. de Cenicero	Cenicero (La Rioja)	1.000
Coop. Vitiv. San Patrocinio	Uruñuela (La Rioja)	700
Bodega Coop. Sonsierra	S. Vicente de la S. (La Rioja)	700
Cía. Vin. del Norte de España	Bilbao (Vizcaya)	500
V. Cosecheros Labastida, S. A.	Labastida (Álava)	450
Bodegas Domecq, S. A.	Elciego (Álava)	350
Bod. Faustino Martínez, S. A.	Oyón (Álava)	350
Savin, S. A. (Grupo)	San Sebastián (Guipúzcoa)	300

FUENTE: *Alimarket,* núm. 4, 1989.

incrementar la presencia de estos vinos en los mercados exteriores, y no cabe duda que en el futuro la empresa intentará adquirir o crear nuevas bodegas riojanas para aumentar su capacidad productiva (véanse figuras 6.4 y 6.5).

En relación a la actividad de origen de la empresa, la producción y comercialización de vinos de Jerez (965.000 cajas de vino en 1989), cabe señalar que se trata de un sector maduro, de estructura oligopolística, donde las empresas establecidas han sabido crear barreras de entrada muy eficaces. A este respecto, destacamos las de *diferenciación de productos,* entendida como la referencia que tienen los consumidores por productos con marca de gran tradición, el *control de aprovisionamiento de materias primas, las fuertes cargas fiscales y gravámenes arancelarios, el alto nivel de competitividad* que atesoran las empresas del sector y *el poder de mercado* que ejercen las empresas del sector.

Las propiedades de Pedro Domecq, S. A., destinadas a la producción de vinos de Jerez se extienden hasta las orillas del Puerto de Santa María y Sanlúcar de Barrameda. Ahí se sitúan sus principales viñas en el mejor pago del Jerez superior controlando las dos terceras partes de esta tierra tan fértil. Se cultivan dos clases de cepas de forma casi exclusiva: la Palomino para los vinos secos y la Pedro Ximénez, para los dulces. Entre los principales vinos producidos por la empresa sobresalen el «Fino», el «Amontillado» y el «Oloroso». En una menor importancia podemos citar la «Manzanilla» y el «Cream», produciéndose este último prácticamente para los mercados extranjeros.

El vino de Jerez es el más conocido y apreciado de los caldos

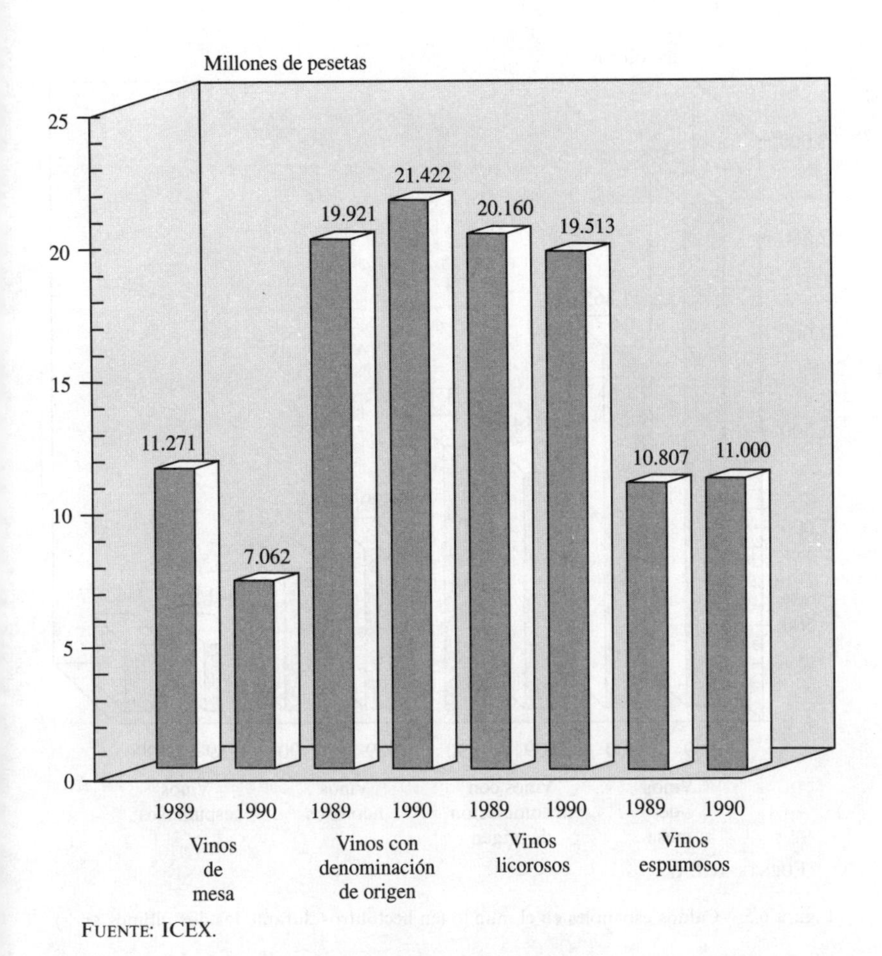

FUENTE: ICEX.

Figura 6.4.—Caldos españoles en el mundo (en millones de pesetas durante los dos últimos años).

españoles en el extranjero. En Inglaterra se comenzó a consumir hace quinientos años. Las exportaciones se dispararon a finales de la década de los setenta hacia el Reino Unido, Holanda y Alemania. Sin embargo, varias razones han propiciado un descenso de las ventas exteriores. Entre estas causas cabe destacar la nula adaptación del vino de Jerez a los gustos de los nuevos consumidores y la ausencia de una denominación de origen que les permita diferenciarse de otros productos de baja calidad como el Sherry, el cual se obtiene con mosto concentrado importado de Chipre.

El objetivo de Domecq es mantener su cuota de mercado en la

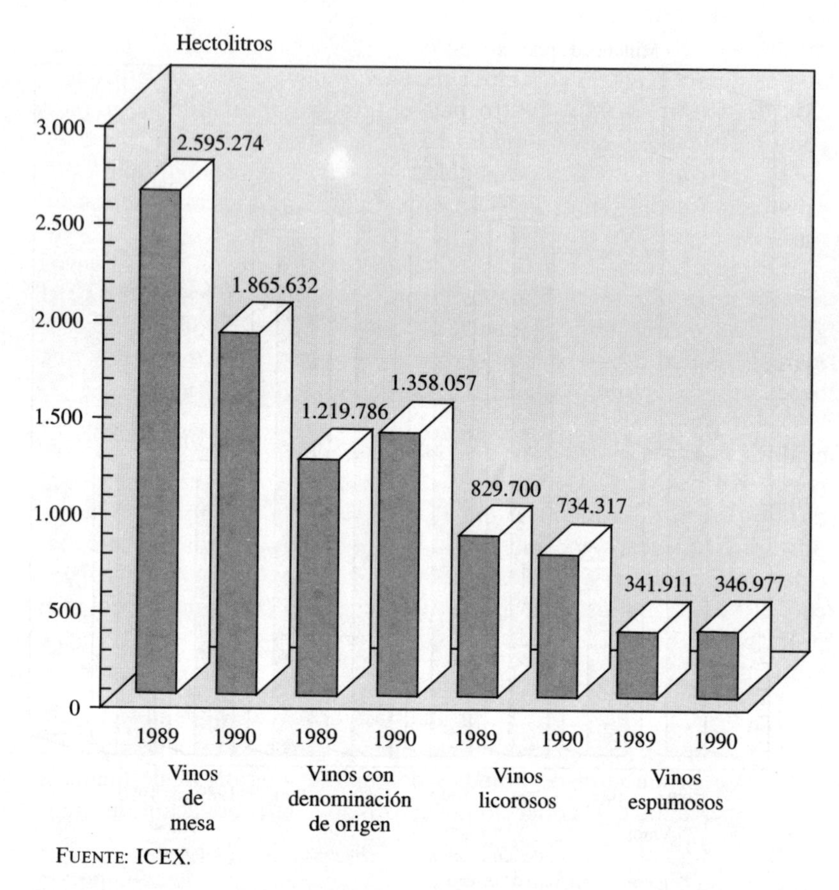

Figura 6.5.—Caldos españoles en el mundo (en hectolitros durante los dos últimos años).

producción y comercialización del Jerez. En caso de comprimirse la demanda, se iniciará un período de incertidumbre en el sector y se desestabilizaría el oligopolio. Con ello las empresas entrarían en posibles conflictos, pero no cabe duda que Domecq no sería la empresa más afectada debido a su determinante poder de mercado.

6.6. Conclusión

El consumo de bebidas alcohólicas y especialmente el de brandies, ginebras y otros licores tradicionales de alta graduación registra una reducción sensible desde hace unos años debido, básicamente, a la comercialización de bebidas bajas en calorías y a las insistentes llamadas a la moderación en el consumo. Únicamente sigue creciendo la producción de whisky, siendo nuestro país el quinto importador del mundo con un mercado que se valora en 15.000 millones de pesetas.

En relación a los vinos españoles, la moda y el prestigio que éstos están adquiriendo tanto a nivel nacional como internacional repercute positivamente sobre el consumo.

De forma general, se observa una característica común en los nuevos hábitos de consumo de brandies, licores, whisky y vinos. Se trata del gusto de los consumidores que se va decantando a favor de primeras marcas. Quiere decirse que el cliente se ha vuelto más exigente y que busca un producto diferenciado en calidad e imagen.

Antes estos cambios introducidos en la estructura del consumo, los cuales generan unas amenazas y oportunidades de mercado a las empresas del sector, Pedro Domecq elaboró su postura estratégica para dar respuesta a los retos e impactos de este nuevo entorno. Dicha postura estratégica se definió con la firme voluntad de adaptar la capacidad interna del grupo a los distintos segmentos de mercado y, para ello, él mismo organizó un sistema de respuestas capaz de solventar el problema planteado, en cada una de sus unidades estratégicas. En este sentido, Domecq actuó en todos los frentes:

1. *Brandy:* Mantener la producción aprovechando su posición competitiva internacional, ya que el grupo es el líder mundial. La producción de brandies de calidad inferior va destinada a mercados con poder adquisitivo bajo y la producción de brandies de calidad superior hacia mercados prósperos.
2. *Ginebra:* La ruptura con United Distillers ha dejado, por el momento, en suspenso la comercialización de este producto, el cual ha entrado en una fase de declive.
3. *Whisky:* La reciente asociación con Destilerías y Crianza del Whisky, S. A. (DYC) tiene como objetivo aunar esfuerzos con el fin de constituir un grupo que pueda competir en igualdad de condiciones con las empresas multinacionales extranjeras.
4. *Vinos de Jerez:* En este sector oligopolístico las empresas españolas, y especialmente Domecq, poseen un poder de mercado que les ha permitido levantar barreras de entrada para restringir la competencia. Siendo el Jerez un producto de gran prestigio en determinados países extranjeros y de gran consumo en nuestro país, las perspectivas comerciales son buenas. Además, las restricciones geográficas limitan de alguna forma la producción y es muy probable que aparezcan sobreproducciones.

5. *Vinos de Rioja:* Aprovechando la fuerte demanda nacional e internacional de vinos de riojas y que este producto entra en la línea de los artículos que comercializa Domecq, ya que tiene calidad, imagen y arraigo, la empresa decidió hace unos años crear esta nueva actividad y en el futuro la seguirá desarrollando dados los buenos resultados obtenidos hasta la fecha.

Sin salir de su negocio —producción y venta de bebidas alcohólicas—, el grupo Domecq lleva a cabo una estrategia de diversificación de reforzamiento horizontal y vertical y de proximidad con nuevos productos para mercados actuales o productos actuales para nuevos mercados. Esta estrategia pretende explotar los conocimientos, los canales de distribución y la imagen de empresa y marca que Domecq cuida con mucho esmero.

Esta respuesta y capacidad de adaptación en los factores competitivos de su entorno ha sido la clave del éxito de la empresa a lo largo de su historia. Posiblemente sea la herencia de sus fundadores, quienes siempre supieron formular una estrategia por encima de los límites del mercado doméstico.

El espíritu innovador, la actitud estratégica, la importancia de la calidad y de la imagen corporativa y su orientación a la internacionalización de sus mercados son los factores que han permitido al Grupo Domecq mantener una posición competitiva de privilegio a lo largo de sus décadas de existencia.

Estos factores de éxito están, además, siendo potenciados para convertir a la empresa en pocos años en líder mundial en su sector principal de actividad.

En resumen, el grupo de empresas Pedro Domecq pone de manifiesto su destacada flexibilidad, la cual permite desarrollar políticas específicas para cada una de sus unidades estratégicas. Estas diferentes actuaciones no debilitan en absoluto la estrategia global de la empresa porque todas ellas persiguen el mismo fin: ser los primeros sin dejar de ser los mejores en cada una de las ramas de actividad en las que está presente.

BIBLIOGRAFÍA

Actualidad Económica: «De granel a la calidad», 9 de septiembre de 1991.
Alimarket: Monográfico Bebidas, núm. 4, octubre, 1988.
Aral: 17/24 de junio de 1989 y 8 de junio de 1991.

Época: «La Dinastía de los Domecq», núm. 236, 18 de septiembre de 1989.

Expansión: «Domecq embarga a Tanqueray Gordon», 14 de julio de 1989.

Fomento de la Producción: «Pedro Domecq, noveno grupo mundial en el sector de bebidas», 15 de agosto de 1991.

Fomento de la Producción: «Las mayores empresas españolas», Número Anual. Varios Años.

Fomento de la Producción: «El whisky escocés arrolla en España», 15 de septiembre de 1991.

Pedro Domecq: «El Jerez». «La familia Domecq», documento interno.

Trabajo monográfico de Pedro Domecq-Instituto Universitario de Administración de Empresas (IADE), Universidad Autónoma de Madrid (dirigido por Patricio Morcillo).

7.

Freixenet: «Burbujas internacionales»

7.1. El nacimiento de una empresa familiar

Los orígenes que se recuerdan de la familia Ferrer datan del siglo XIII, época en que vivían en una finca llamada la «Freixeneda» situada en Sant Quintin de Mediona, a unos 12 kilómetros de Sant Sadurni d'Anoia (San Sadurní de Noya), centro de la comarca barcelonesa del Alt Penedés. Como otras familias de la región, de base agrícola, se dedicaban al cultivo de la vid y comerciaban con vinos.

A finales del siglo XIX, Pedro Ferrer Bosch contrajo matrimonio con Dolores Sala Vive, hija de una familia vecina que, como los Ferrer, también se dedicaba desde antiguo al cultivo de la vid. Los Sala venían exportando vinos a las colonias españolas de América, hasta que en 1877, entre las pérdidas de las colonias y la filoxera (enfermedad producida por un insecto que azotó duramente a los viñedos europeos, especialmente a los catalanes, desde 1860), acabaron con un próspero negocio.

Con motivo del citado matrimonio, en 1889 Pedro Ferrer, Dolores Sala y su padre Juan Sala Tubella fundaron Freixenet, S. A. La denominación social de la nueva empresa fue tomada del apodo con que se le conocía a Pedro Ferrer, el «Freixenet» (o el chico de la Freixeneda), nombre que además tenía un cierto aire afrancesado, lo cual tampoco venía mal para vender vino espumoso frente al afamado *champagne* francés. Era el comienzo de una empresa familiar y era el inicio del éxito internacional del cava español, pero hasta llegar aquí pasaron muchos años y bastantes cosas.

Los Sala aportaron su experiencia en el negocio y sus vivencias en el comercio internacional, mientras Pedro Ferrer poseía las instalaciones adecuadas para hacer buenos vinos, y una finca, la «Freixeneda», con magníficas viñas. Desde el inicio la empresa tuvo un carácter innovador con relación a los otros productores de la comarca. Los conocimientos de enología y la capacidad para el trabajo administrativo de Dolores Sala le permitieron a Pedro Ferrer concentrar sus esfuerzos en las actividades comerciales. En pocos años la empresa creció rápidamente y sus operaciones se extendieron desde Sant Sadurni a Barcelona, luego a toda Cataluña y finalmente a Aragón y a las Baleares. A principios de siglo el objetivo de Freixenet, S. A., era vender en toda España, al igual que también venía haciendo otra conocida familia de la comarca, los Raventós, dueños de Codorníu, S. A. Desde entonces ambas empresas han venido dominando el mercado nacional de los vinos espumosos y, más en concreto, del cava.

Una vez que la empresa se asentó en el mercado español y dado que Codorníu venía controlando más del 50 por 100 de dicho mercado, la opción era bien luchar por el liderazgo, lo cual dada la estructura del sector era bastante difícil, o bien comenzar la expansión internacional, decisión en la que los Sala aportaban su experiencia. Al principio sólo se trató de exportaciones esporádicas a Islandia y posteriormente a otros países.

En 1933, cuando terminó la «ley seca» en los Estados Unidos, Pedro Ferrer intentó poner en marcha una planta de producción y de embotellamiento en New Jersey. Si bien el proyecto estuvo muy avanzado, no llegó a materializarse. Aquella decisión hay que valorarla en el momento y en el contexto en que se produjo, premonición de la estrategia de diversificación internacional futura. En un comienzo el vino sería exportado a los Estados Unidos y allí se haría la segunda fermentación en la botella, para más adelante plantar los viñedos para que el proceso productivo fuera completo. Hubo que esperar algunos años para que fuera una brillante realidad.

Con la muerte de Pedro Ferrer en 1936 y el comienzo de la guerra civil española se terminó con este proyecto americano, pero también comenzaba una nueva etapa para Freixenet, ya que Dolores Sala Vivé se hizo cargo totalmente de la empresa tras la muerte de su marido. Son los inicios de una cultura y de la unidad de misión de la familia Freixenet, dirigida por el carisma de doña Lola como presidenta-directora gerente de la casa hasta su muerte en febrero de 1978.

7.2. La consolidación de la empresa y el sector del cava en España

En los inicios de la guerra civil el destino juega una mala pasada a la familia Ferrer Sala, ya que no sólo pierde la vida Pedro Ferrer, sino también su hijo mayor. Dolores Sala tiene que hacerse cargo de la empresa y de su familia: sus tres hijas, Pilar, Carmen y Dolores (la «tía Lola») y su hijo menor de diez años, José, futuro responsable del negocio familiar y heredero de una tradición.

Los años 1940 a 1950 fueron muy difíciles para la empresa, consecuencia lógica del estado general de la economía de un país destruido por una guerra civil y, en particular, de los propios problemas de un sector no considerado básico para la política económica de reconstrucción nacional. En 1947 José Ferrer Sala, al terminar su servicio militar, se incorpora de lleno al mundo de las bodegas de la familia. Para conocer mejor la competencia externa del sector se va a Europa en el año 1948, estudiando así las posibilidades de mercados para los productos de la «casa», como fueron primero el Reino Unido y después la República Federal Alemana. Así continúa con el proyecto de internacionalización de la empresa, antes perseguido por sus padres, aunque variando los puntos de mira, al menos por el momento.

El actual presidente de Freixenet, S. A., José Ferrer Sala, recuerda que fue su madre la que le enseñó casi todo lo que debía saber para dirigir el negocio familiar. Después de haber estudiado el bachillerato en los jesuitas de Barcelona, su formación la llevó a cabo junto a su madre y hermanas. En esta formación fue fundamental no sólo tener que trabajar en las bodegas, conocer el mercado nacional desde la base, sino los mercados europeos, en especial los que venían produciendo los vinos espumosos con el *méthode champenoise,* método descubierto por Dom Pérignon hacía tres siglos, tradición arraigada de los vinos franceses y dominadores del mercado mundial. Aquellos años de sus viajes a Inglaterra y Alemania, mostrando de tienda en tienda los vinos de la «casa», fueron fundamentales para ir creando las bases del desarrollo internacional de la compañía a partir de 1974.

En 1958 Dolores Sala deja al joven José como máximo responsable de la empresa, la cual se componía entonces de setenta trabajadores. Doña Lola murió en febrero de 1978 a los 88 años de edad, en una madrugada, después de haber trabajado la tarde anterior en el laboratorio haciendo pruebas con vinos. Su hija Dolores (la tía Lola) se encarga de la casa de Sant Sadurni d'Anoia y actúa de hecho como secretaria del Consejo de Administración de Freixenet, S. A., así como continuadora del ejemplo de su madre en mantener la visión y la cultura de la empresa familiar. En 1960 se inicia el despegue de Freixenet en el mercado interno, compitiendo con el líder del sector español, Codorníu, fecha que coincide con el fuerte impulso experimentado por la economía española durante esta década. El cava español comienza con éxito su etapa de consolidación, tanto en el mercado doméstico como dándose a conocer en el mercado europeo. En este éxito hay que señalar el efecto que tuvo la decisión, adoptada por las dos grandes marcas del sector, de optar por el *méthode champenoise,* siguiendo la tradición de Dom Pérignon, frente a lo que ocurriría en Alemania, Italia, Estados Unidos,

Rusia e, inclusive, en la propia Francia, fuera de la región del *champagne,* donde se eligió por razón de costes, el método Cuvée Close (método granvás) o de fabricación en grandes envases, frente a la segunda fermentación del vino base en cada botella ya en las bodegas (las cavas), como reza la tradición del *champenoise.*

Se pueden señalar dos razones básicas en la decisión de buscar los mercados europeos para los vinos de Freixenet. La primera radica en la situación existente en el mercado español, muy contraído en los años cuarenta y cincuenta, por lo que las dificultades internas eran muchas, y la segunda hace referencia a la oportunidad de concentrar esfuerzos en los mercados exteriores, ante las dificultades competitivas a corto y medio plazo del mercado interno, en el que el líder era, como sigue siendo, Codorníu.

El sector del cava español, junto con el champagne francés, goza de una posición privilegiada en el mercado mundial de vinos espumosos. Desde 1950 hasta la fecha las ventas de cava se han incrementado 25 veces, mientras el champagne lo ha hecho 6,6 veces y los vinos espumosos en general lo hicieron 17,5 veces. Datos que permiten ver el auge de este sector. En concreto, en 1974 se exportaron 3,5 millones de botellas, mientras que para 1991 se espera exportar los 48 millones. Es precisamente 1974 el inicio del auge exportador del sector y, en concreto, de Freixenet, líder español de la exportación de cavas. En el cuadro 7.1 se recoge la evolución de las ventas del sector de 1974 a 1990.

La estructura actual del sector del cava constituye el 92 por 100 del de los vinos espumosos y agrupa a 235 elaboradores, de los que más de 100 son de reciente creación, tal y como muestra la figura 7.1. Es un sector en el que se da una importante concentración, ya que más del 90 por 100 de la producción se realiza por los dos grandes grupos empresariales, Freixenet y Codorníu, y prácticamente entre ambos controlan el 100 por 100 de la exportación, destacándose la participación del primer grupo en la misma con cerca del 72 por 100. En el cuadro 7.2 se recogen los principales países en los que se vendieron los vinos espumosos españoles en 1987, y en el cuadro 7.3 se puede observar la evolución de las exportaciones de cava en los países de la CE durante el período 1985-1990.

El 99,5 por 100 de los cavas y vinos espumosos españoles se elaboran en Cataluña, fundamentalmente en la Comarca del Penedés, mientras que el 0,5 por 100 restante en comarcas como La Rioja, Requena (Valencia), Extremadura, Aragón y Galicia, lo que les hacen atractivos por su excepcionalidad; si bien, hay que aclarar que éstos no pueden utilizar la denominación de origen de cava, siendo el caso más reciente el intento no logrado del vino gallego «Fin de Siglo».

CUADRO 7.1

Evolución de las ventas de cavas españoles[1]

Año	Mercado interno	Exportaciones	Total
1974	53.458	3.542	57.000
1975	57.955	3.045	61.000
1976	62.551	4.449	66.000
1977	67.500	5.535	73.035
1978	70.000	5.888	75.888
1979	72.000	8.976	80.976
1980	72.000	10.048	82.048
1981	74.500	13.896	88.396
1982	80.973	17.952	98.925
1983	80.075	22.925	103.075
1984	82.581	26.419	109.000
1985	82.650	28.852	111.502
1986	84.303	31.044	115.347
1987	89.000	40.670	129.670
1988	91.670	47.270	138.940
1989	93.878	48.122	142.000
1990	92.500	47.226	139.726

[1] En miles de botellas de 750 ml.
FUENTE: Consejo Regulador de los Vinos Espumosos de España, 1991.

Los grandes fabricantes orientan sus productos a todo el mercado, tanto interior como exterior, siguiendo un enfoque amplio o estrategia de ámbito total, mientras que los pequeños productores buscan una estrategia de ámbito reducido o segmentando el mercado. En el caso de los cavas familiares de Juvé y Camps, Labernoya (Lácrima Bacus), Masachs, Mont-Ferrant, Nadal, Perelada, Recadero, Reixach-Begués, Rovellats y Torelló, entre los más conocidos y dedicados a los segmentos medio-alto y alto.

Hay que recordar que hasta 1983 existía un tercer gran competidor, representado por las cavas propiedad del Grupo Rumasa, Castellblanc y Segura Viudas, como las principales. Al ser expropiado aquél por el Gobierno español y tras el proceso de reprivatización, Freixenet compró en 1984 dichas cavas. Las sociedades adquiridas estaban en situación económica difícil, con cargas financieras enormes, sobredimensionadas, pero con buenas instalaciones y marcas conocidas. El coste de la compra fue de seis mil millones de pesetas, pero la capacidad de producción y la cartera de productos se incrementó sensiblemente. La operación

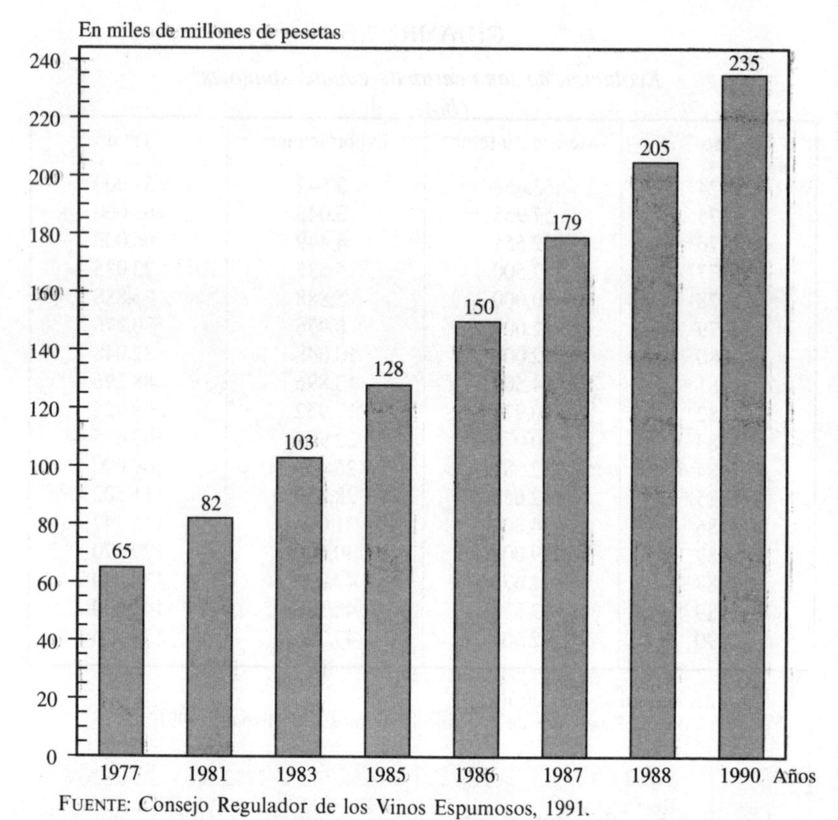

FUENTE: Consejo Regulador de los Vinos Espumosos, 1991.

Figura 7.1.—Evolución del número de firmas inscritas en el registro del cava.

encerró grandes riesgos, los competidores fueron escépticos, pero los resultados han sido los esperados por la direción de Freixenet.

Las marcas más importantes del grupo Codorníu son las siguientes: «Codorníu», «Rondel» y «Delapierre»; mientras que las de Freixenet, son: «Freixenet», «Dubois», «Canals i Nubiola», «Conde de Caralt», «Castellblanc» y «Segura Viudas».

El grupo Codorníu tiene algo más del 50 por 100 del mercado nacional, mientras que Freixenet detenta cerca del 40 por 100. El primero gana cuotas de mercado en los segmentos de precios bajos con las marcas «Rondel» y «Delapierre» (cavas), que compiten con las marcas del segundo: «Dubois» (método granvás o método cuvée) y «Castellblanc-Carta de Plata». Freixenet compró en 1982 el 50 por 100 de la empresa Unión Cellers de Noia (UCSA) a un grupo extranjero, siendo la propietaria del otro 50 por 100, Savin, S. A. (quien produce la marca

CUADRO 7.2

Principales países receptores de vinos «cavas» y «granvás» en 1987 (botellas)

Núm. de orden	País	Cava	Granvás	Total
1	Estados Unidos	20.182.673	—	20.182.673
2	Alemania	4.639.677	6.468	4.646.145
3	Canadá	2.981.619	66.360	3.047.979
4	Suecia	2.092.298	—	2.092.288
5	Reino Unido	1.754.257	—	1.754.257
6	Suiza	1.063.035	—	1.063.035
7	Japón	485.748	55.200	540.948
8	Italia	517.632	—	517.632
9	Noruega	474.684	—	474.684
10	Andorra	440.860	18.600	459.460
11	Dinamarca	411.884	1.728	413.612
12	Venezuela	354.156	—	354.156
13	Bélgica-Luxemburgo	342.632	3.072	345.704
14	Holanda	333.156	10.200	343.356
15	Polonia	121.896	118.500	240.396
16	Taiwan	136.872	—	136.872
17	Portugal	122.388	—	122.388
18	Austria	111.288	—	111.288
	Total	36.556.745	280.128	36.836.873
	Resto países	1.229.207	29.429	1.258.636
	Canarias y Z. ex.	2.884.892	499.548	3.384.440
	Total	40.670.844	809.106	41.479.949

FUENTE: Consejo Regulador de los Vinos Espumosos, 1988.

«L'Aixertell»), el mayor productor de vinos espumosos (granvás) de bajo precio en España; compra que tuvo como objetivo posicionarse en el mercado de precios bajos.

Sin embargo, Codorníu se enfrenta a una gran competencia en el mercado de precios medios debido a la amplia cartera de productos de marca Freixenet: «Carta Nevada», «Cordón Negro», «Brut Nature» y «Brut Rosé», más las otras marcas de Segura Viudas, Castellblanc, Conde de Caralt y Canals i Nubiola. Freixenet ha estado siempre en el segmento medio y medio-alto, haciendo esfuerzos en los últimos años para entrar en el segmento alto con la marca «Brut Barroco» y, últimamente, con la «Cuvée D.S.» (cava de reserva familiar en homenaje a

CUADRO 7.3

Exportaciones de cava a los países de la CE
(botellas de 75 cl)

País	Años					
	1985	1986	1987	1988	1989	1990
Alemania	2.061.188	2.161.253	4.639.677	8.090.851	9.441.363	10.714.255
Bélgica y Luxemburgo	146.021	401.566	342.632	467.171	393.136	418.264
Dinamarca	207.319	366.952	411.884	417.704	674.368	695.724
Francia	16.008	37.679	85.139	391.085	459.544	555.644
Gran Bretaña	1.102.481	1.224.548	1.754.257	2.148.555	2.423.956	3.229.897
Grecia	4.289	5.460	44.208	67.044	99.459	102.580
Holanda	214.427	218.113	333.156	437.520	711.559	827.412
Irlanda	62.280	42.840	72.389	26.580	128.569	92.636
Italia	456.439	500.500	517.632	927.840	981.447	990.915
Portugal		218.143	122.388	61.673	41.937	124.948
Dif. (% + –)	4.269.452	5.177.054 +21,2%	8.323.362 +60,8%	13.036.023 +56,6%	15.355.338 +17,7%	17.752.275 +15,60%
% CE s/exportaciones totales		16,7%	20,5%	27,5%	31,9%	37,6%

FUENTE: Consejo Regulador de los Vinos Espumosos, 1991.

Dolores Sala), segmento muy dominado tradicionalmente por Codorníu, a pesar del creciente avance de los productores pequeños de cava, diferenciando calidades. En este esfuerzo hay que añadir, junto a otros componentes decisionales, la compra en 1985 de las bodegas de Reims, corazón del champagne, Henri Abbelé; marca con la que no sólo quiere entrar a competir, como champagne francés, en el segmento alto español, sino muy especialmente en el del mercado norteamericano.

7.3. Las claves de la internacionalización: ventajas competitivas de Freixenet

Las razones por las que Freixenet ha logrado una posición altamente competitiva tanto en el sector español como a nivel mundial pueden ser las siguientes[1]:

1. El ser *una empresa «familiar» con sentido de la unidad y sentido de la misión.* Una familia que se amplía a un total de cerca de 1.000 empleados en todo el mundo (700 en España), muchos de los cuales son terceras generaciones en la empresa y que se consideran totalmente identificados con la «casa», lo que lleva a la práctica inexistencia de conflictos laborales.

2. El ser una *empresa grande,* con economías de escala, generadora de importantes excedentes que son reinvertidos en aumentar la capacidad productiva y mejorar la tecnología y, en consecuencia, aumentar la calidad de los productos. En la figura 7.2 aparece la facturación del grupo en los últimos años y en el cuadro 7.4 la evolución de la exportación de botellas, la cual en los dos últimos años representa cerca del 72 por 100 de la exportación total española y de la que el 40 por 100 va para el mercado estadounidense.

3. El ser una *empresa dinámica,* dotada de una dirección de tipo paternalista-profesional y participativa, conjugando tradición con progreso y añadiendo fuertes dosis de creatividad, imaginación y agresividad.

4. *La oportunidad de adquirir las cavas y bodegas del Grupo Rumasa,* que han dotado a Freixenet con una ventaja productiva decisiva, ya que sólo en España presenta los siguientes centros de producción:

---

[1] J. L. Bonet Ferrer: «La competitividad internacional del sector del cava», en E. Bueno (Ed.): *La competitividad de la empresa española,* monografía 12, AECA, Madrid, 1989, págs. 51-56.

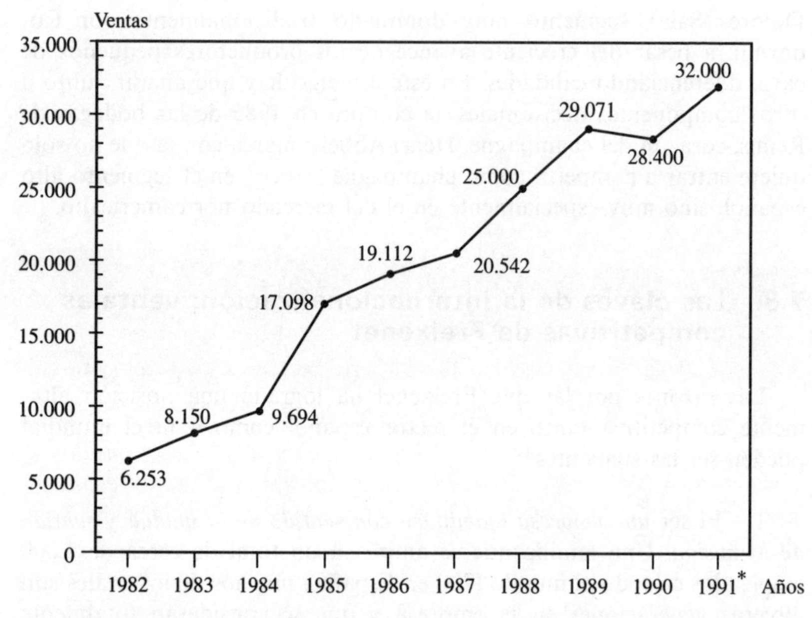

* Estimado.

FUENTE: *Fomento de la Producción*, varios años, y elaboración propia.

Figura 7.2.—Evolución de ventas de Freixenet (millones de pesetas).

CUADRO 7.4

Evolución de la exportación de Freixenet

Año	Botellas	Importe (pesetas)
1980	2.315.028	189.964.523
1981	5.014.838	549.499.735
1982	7.462.728	1.193.647.116
1983	9.721.476	2.132.977.409
1984	12.156.626	2.993.067.536
1985	19.200.000	4.000.000.000
1986	22.000.000	5.591.000.000
1987	27.935.544	6.334.384.602
1988	32.975.076	7.718.915.707
1989	32.180.112	7.685.683.416
1990	33.308.412	7.882.990.840

FUENTE: Freixenet, S. A.

— Centros de elaboración de cava *(méthode champenoise)* en Sant Sadurni d'Anoia (capacidad de producción en 1989 de 100 millones de botellas).

— Cavas Freixenet.

— Cavas Segura Viudas.

— Cavas Castellblanc.

— Centro de elaboración de vinos espumosos *(méthode charmat* o *granvás),* al 50 por 100 con Savin, S. A.

— Unión Cellers de Noia (UCSA).

— Bodegas René Barbier, dedicadas a la elaboración de vinos de mesa de calidad.

5. *Planteamientos publicitarios de gran impacto en los medios de comunicación social,* especialmente dirigidos primero a los *dealers* o grandes distribuidores de los Estados Unidos, y después a las cadenas de televisión europeas y norteamericanas.

6. *La estrategia de internacionalización,* como objetivo prioritario e inclusive permanente en la tradición empresarial de Freixenet. La implantación en los principales centros de elaboración mundial del *méthode champenoise,* le confieren una ventaja competitiva que le convierte ya de hecho en el líder mundial del sector. Dichos centros se localizan de este modo:

— Centro de la Comuna de Ezequiel Montes, en Querétaro (México). Elaboración por el *méthode champenoise* de «Sala Vivé», con una capacidad de un millón de botellas.

— Centro en el valle de Sonoma, en el estado de California (Estados Unidos), próximo a la bahía de San Francisco. Elaboración por el *méthode champenoise* de «Gloria Ferrer» (en honor a la esposa de José Ferrer), con una capacidad de 10 millones de botellas.

— Bodegas Henri Abelé en Reims, Francia (corazón de la Champagne) con una capacidad de un millón de botellas.

En el cuadro 7.5 se recogen los pricipales países en que ha exportado Freixenet en 1990.

Pero estas razones esconden, sin duda, un conjunto de ventajas competitivas, unas más o menos implícitas en dichas razones y otras más ocultas, que caracterizan las auténticas fuerzas de la empresa para ganar la batalla por el liderazgo mundial. A estos efectos puede verse el cuadro 7.6.

CUADRO 7.5

Principales países de exportación de Freixenet en 1990

País	Botellas	Pesetas
Estados Unidos	13.500.372	3.305.341.078
Canadá	1.161.360	261.402.780
Alemania	8.018.460	1.776.757.095
Suiza	1.613.184	414.319.424
Bélgica/Luxemburgo	252.432	72.910.776
Suecia	1.626.552	357.705.894
Noruega	566.772	118.549.810
Japón	559.320	146.821.500
Italia	555.204	135.053.373
Dinamarca	417.408	108.247.808
Australia	86.724	23.704.560
Finlandia	91.500	25.803.000
Francia	199.284	60.848.048
Holanda	394.656	104.386.512
Inglaterra	2.293.884	504.272.166
Nueva Zelanda	250.176	59.604.432
Ceuta, Melilla, Canarias y Andorra	188.508	64.969.883
Resto países	1.532.616	342.292.701
Total exportación	33.308.412	7.882.990.840

FUENTE: Freixenet, S. A.

Las ventajas principales las podemos clasificar en dos categorías:

— Ventajas de costes.
— Ventajas de innovación.

Es claro que Freixenet ofrece unas evidentes ventajas competitivas del lado de los costes. Éstas residen primero por los precios y selección de las uvas, cultivadas directamente o compradas a los agricultores del Penedés. Piénsese que en 1990 se ha estado pagando en la región del cava el kilogramo de uva a 43 pesetas, mientras que en la región del champagne se paga a 700 pesetas. El precio en la región del cava Freixenet lo ha mantenido en 1991 y la cosecha ha sido excelente. Segundo, por los menores costes laborales y, por último, por la mayor productividad de su proceso de transformación, consecuencia de la modernización de sus instalaciones y del nivel de mecanización que supone ahorro de costes sin menoscabo de la calidad del producto.

CUADRO 7.6

Las marcas de importación más vendidas en Estados Unidos (sparkling wines/champagne) (botellas)

Marca	1987	1988	1989	1990
Freixenet	12.180.000	14.304.000	12.240.000	12.600.000
Martini & Rossi	8.400.000	8.580.000	8.040.000	7.200.000
Tosti Asti	6.780.000	6.960.000	6.060.000	4.500.000
Codorníu	3.600.000	4.740.000	3.660.000	3.780.000
Paul Cheneau	3.360.000	2.220.000		
Moet & Chandon	6.000.000	6.300.000	6.240.000	5.580.000
Mumm	2.520.000	2.760.000	2.160.000	1.800.000
Perrier Jouet	1.080.000	1.008.000	1.080.000	1.080.000
Taittinger	1.020.000	936.000	1.020.000	840.000
Piper Heidsieck	840.000	—	—	—
Veuve Clicquot	—	—	720.000	840.000

FUENTE: Liquir Store Magazine and Impact Databank, 1991.

Esta mejora de la productividad engarza con una innovación tecnológica orientada no sólo en reducir costes, sino a alcanzar mejoras cualitativas en los vinos de base, como en la fermentación controlada y sometida a un procedimiento de bajísimas temperaturas. Innovación que tiene como consecuencia una excelente relación calidad-precio que le ha permitido a Freixenet apoderarse del sector medio y medio-alto mundial de los vinos espumosos. Pero esta innovación es también de gestión, ya que la compañía se ha caracterizado siempre por su agresividad comercial, su forma de distribuir y promocionar sus productos. Hay que recordar que la utilización de envases como la botella blanca de «Carta Nevada» y la botella negra de «Cordón Negro», de gran éxito en los Estados Unidos, fueron formas muy innovadoras de comercializar, por las que se ha logrado asociar a un producto prestigio y calidad.

Pero también decíamos que había unas fuerzas internas en la empresa, que han sido el motor del éxito. Estas fuerzas provienen de esa larga experiencia, de ese «saber hacer las cosas» durante generaciones, que han ido forjando una cultura, un estilo de dirección y una vocación claramente internacional, ya descubierta y puesta en práctica, en los mismos Estados Unidos, por el fundador, Pedro Ferrer.

7.4. La estrategia de internacionalización y perspectivas de futuro

Para una empresa con las ventajas competitivas como Freixenet los mercados internacionales han sido siempre un objetivo muy importante. El estancamiento actual del mercado nacional (aumentos anuales en torno al 1 por 100) y el éxito alcanzado en dichos mercados es una clave estratégica esencial para el éxito y expansión de la empresa. Vamos a estudiar este proceso con las fases habidas y plantearemos, finalmente, el reto del futuro.

7.4.1. Primera fase. El espíritu exportador de Freixenet: el mercado europeo

Como ya hemos indicado, la primera fase del proceso de internacionalización de Freixenet se inicia al fin de la segunda guerra mundial. La iniciativa de José Ferrer de buscar mercados en el exterior es criticada por los competidores del sector, siendo considerada una aventura inútil, con escasas garantías de éxito.

El primer país en el que se intenta penetrar es el Reino Unido, por dos razones:

a) El elevado consumo de champagne.
b) Todo su consumo se realiza a través de caldos importados, debido a la ausencia de viñedos y marcas locales.

La empresa se encuentra con dificultades especiales para entrar en este país, donde las expectativas han sido siempre superiores a los resultados obtenidos. Podríamos cifrar razones como:

a) Afianzamiento de las costumbres británicas.
b) Devaluada imagen de los productos españoles.
c) Falta de dinamismo y gestión conservadora de Direct Wines Suply, la empresa distribuidora de Freixenet en el mundo inglés.

Durante esta primera fase, aparte de sus actividades en tierras británicas, Freixenet comienza a exportar a varios países de Europa. En 1961 José Ferrer realiza un viaje para explorar el mercado de los Estados Unidos. Aquí firma un contrato con un representante de New Jersey para importar los cavas de Freixenet y distribuirlos en todos los estados. Este sistema de distribución, con un solo representante importador para todo el país, era el que utilizaba Freixenet para distribuir en Europa.

7.4.2. Segunda fase. Creación de filiales comerciales en Estados Unidos y Alemania

La segunda fase del proceso de industrialización comienza a principios de la década de los ochenta, con la creación de dos filiales comerciales, una en Estados Unidos y otra en Alemania.

En Estados Unidos las exportaciones de Freixenet crecen muy lentamente durante la década de los sesenta y gran parte de los setenta. La dirección de la empresa, tras analizar la situación, concluye que la clave está en la estructura de la distribución comercial. Un único representante con sede en la Costa Este no puede cubrir bien un país tan extenso, con diferencias regionales en sus mercados tan importantes. En 1981 se crea la filial Freixenet USA, Inc. y se descentraliza la distribución en casi 50 importadores-distribuidores independientes *(dealers)*, prácticamente uno por cada estado. Se logra penetrar con mucha más intensidad en cada mercado. La compañía Freixenet, USA, situada en New Jersey, se crea como una sociedad de marketing para dar apoyo a cada distribuidor.

La Freixenet GmbM Durscon Nort Europe, situada en Düseldorf (Alemania), se crea en 1984. Es también una sociedad de marketing, atendida prácticamente por una sola persona y que tampoco distribuye directamente, sino que da apoyo a todos los distribuidores ubicados en el norte de Europa, que eran uno por país. Las exportaciones al resto de Europa son coordinadas desde Sant Sadurni d'Anoia.

Alemania se había convertido, tras años de esfuerzo, en el segundo mercado para las exportaciones de Freixenet. En 1984 se venden 53.800 cajas, y ya en 1985 las ventas son superiores a las 100.000 cajas. Antes de crear la sociedad filial, Freixenet tenía sólo un importador-distribuidor en Alemania, el cual, por tener múltiples productos, no prestaba atención a los cavas de Freixenet. La sociedad filial sirve de presión constante para los vendedores, y siguiendo las indicaciones de Freixenet, formula el plan de marketing y coordina la publicidad.

7.4.3. Tercera fase. Las inversiones directas en filiales

La tercera fase se inicia simultáneamente en 1984 con la creación de la filial comercial en Alemania y con las dos subsidiarias americanas de producción, una en México y otra en Estados Unidos.

La de México se sitúa, como sabemos, en Querétaro, saliendo las primeras botellas de «Sala Vivé» en 1986. Posee unas 50 hectáreas de viñedos y una bodega para producir un millón de botellas, habiéndose realizado una inversión total de 500 millones de pesetas. La producción de esta factoría se destina al mercado mexicano y a los del resto de América Latina. La razón fundamental para invertir en México es que este mercado se había cerrado absolutamente a los cavas extranjeros.

La filial productiva en los Estados Unidos, Freixenet Sonoma Champagne Cavas, se crea a principios de 1985. Está constituida por 73 hectáreas en una zona considerada como la mejor para el cultivo de la vid. En su fase inicial produce un millón de botellas y con una inversión de 6 millones de dólares. En junio de 1986 esta factoría está terminada y tiene como misión producir y comercializar un cava californiano bajo la marca «Gloria Ferrer».

7.4.4. El establecimiento de dos *joint-ventures*

Al mismo tiempo que se desarrolla la tercera fase, el proceso de internacionalización se complementa con el establecimiento de dos *joint-ventures.*

La primera *joint-venture* de Freixenet se lleva a cabo en 1984 con Domecq. En efecto, esta empresa había creado una red comercial propia con 19 vendedores e importantes distribuidores, para comercializar conocidas marcas españolas y mexicanas de vinos y licores en el área de América del Norte. Esta red estaba sobredimensionada y entonces Domecq decide vender a Freixenet una parte de la misma para distribuir sus productos. A estos efectos crean una marca al 50 por 100, repartiéndose los gastos de marketing y beneficios en la misma proporción (la marca es «Lembey»). La producción de este cava es encargada a Freixenet, que lo elabora en Segura Viudas. Esta marca tiene un comienzo muy bueno en Estados Unidos, vendiéndose en un año unas 30.000 cajas.

En junio de 1985, Freixenet forma su segunda *joint-venture* con Menkell, uno de los mayores productores de vino espumoso de Alemania y poseedor de una gran red de distribución en este país. Se trata de otra sociedad a partes iguales para comercializar la marca «Don Cristobal» en Alemania.

Toda esta expansión ha configurado un potente y competitivo grupo de sociedades bajo el control y dirección de la familia Ferrer, capaz de atender el reto de los nuevos mercados en que puede entrar, cuestión que es comentada a continuación. La estructura del grupo empresarial se recoge en la figura 7.3.

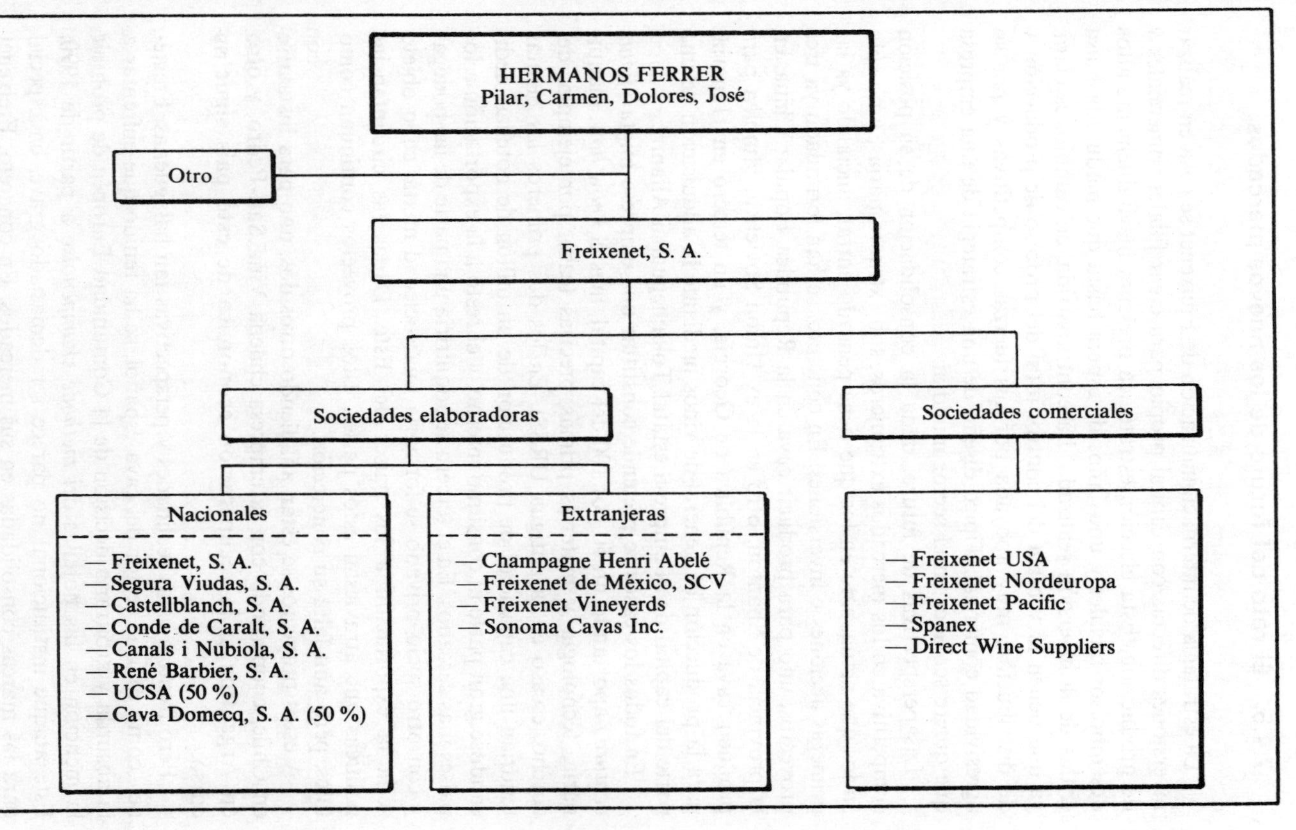
HERMANOS FERRER
Pilar, Carmen, Dolores, José
Otro
Freixenet, S. A.
Sociedades elaboradoras
Sociedades comerciales
Nacionales
— Freixenet, S. A.
— Segura Viudas, S. A.
— Castellblanch, S. A.
— Conde de Caralt, S. A.
— Canals i Nubiola, S. A.
— René Barbier, S. A.
— UCSA (50 %)
— Cava Domecq, S. A. (50 %)
Extranjeras
— Champagne Henri Abelé
— Freixenet de México, SCV
— Freixenet Vineyerds
— Sonoma Cavas Inc.
— Freixenet USA
— Freixenet Nordeuropa
— Freixenet Pacific
— Spanex
— Direct Wine Suppliers

Figura 7.3.

7.4.5. El reto del futuro de los nuevos mercados

La estrategia de internacionalización de Freixenet se basa en realizar inversiones directas con capital propio para crear filiales comerciales y de producción. Esta elección estratégica presenta inevitablemente altos desembolsos inciales y unos años de espera hasta que madure la masa crítica de la inversión realizada. La contrapartida, en cambio, es clara, ya que tienen la ventaja del control total del proceso de producción y de distribución, muy apoyada por sus fuerzas competitivas y por su agresividad comercial. Típico diseño de una estrategia de una empresa que quiere ser líder en el sector mundial.

Las perspectivas de futuro, dada la consolidación de su posición competitiva en los mercados extranjeros, son extraordinarias, y no sólo en los que actúa, sino en los que tiene pensado entrar, iniciando ya las primeras acciones e inversiones. En concreto, se han formulado ya tres proyectos, uno para producir cava en la República Popular China, en la provincia de Shantou; otro en la ex Unión Soviética, también para producir cava en la República de Georgia, y un tercero en Hungría, para la producción en general de vinos mediante la adquisición de una parte del capital de la empresa estatal Tokajhegualjai Allamri.

En todos los casos se pretende constituir una empresa mixta *(joint-venture)* aportando un 50 por 100 del capital, más el *know how*, maquinaria, tecnología y materias primas precisas (caso, por ejemplo, del corcho, escaso en la antigua URSS). En los dos primeros las plantas tendrían una capacidad de producción de un millón de botellas, dedicándose gran parte al consumo interno, y el resto a la exportación a los países más cercanos. En el tercero se adquiriría una parte de las bodegas y con otro socio privado se formaría una sociedad mixta, cuyo objeto sería la exportación a los países del Este. Dadas las circuntancias políticas que atraviesan estos países, estos proyectos continúan como tales, pero aún falta su concreción.

A estos proyectos se están añadiendo otros dos, uno para instalarse en Chile, cooperando con la empresa chilena Viña San Pedro, y otro en Argentina si la recuperación económica de este país sigue su curso.

Pero frente a estas realidades y perspectivas tan halagüeñas, Freixenet, como todo el sector del cava español, se ha tenido que enfrentar a la absurda y arbitraria decisión de la Comunidad Europea de prohibir la mención en las botellas del *méthode champenoise* a partir de 1990. Este ataque institucional no parece ser demasiado grave, en especial para las marcas consolidadas en sus mercados. En concreto, Freixenet sigue incrementando sus ventas en Europa, año tras año, y espera hacerlo aún más en los próximos, por lo que la batalla del Mercado Común parece ganada y el cava español saldrá beneficiado.

7.5. Conclusión

La antigüedad de la empresa y la herencia familiar no han actuado como factores de contingencia negativos en Freixenet, S. A., ya que la misma se está destacando internacionalmente por todo lo contrario: como una empresa moderna, innovadora y con gran dinamismo. Estos atributos son la consecuencia de un conjunto de factores internos y externos que han conducido a la compañía en estos últimos años al éxito, aún más, la han llevado a ocupar el liderazgo mundial en su sector de actividad: «los vinos espumosos».

De este caso se pueden destacar como aspectos importantes de un planteamiento eficiente de una dirección estratégica los siguientes:

1. Saber mantener y mejorar las ventajas competitivas.
2. Saber convertir las amenazas de su entorno competitivo en oportunidades para su crecimiento.
3. Formular una estrategia de crecimiento internacional verdaderamente modélica.

No vamos a entrar a pormenorizar cada uno de estos aspectos, pues los mismos han sido expuestos, con cierto detalle, en las páginas que preceden. Sólo pretendemos hacer reflexiones y presentar lo que entendemos como conceptos fundamentales de la dirección estratégica de esta compañía.

Cuando una empresa conoce con claridad sus ventajas competitivas (en este caso: ventajas de coste y de innovación), la formulación de una estrategia ofensiva se deberá basar al máximo en las mismas, en la consideración de que cuanto más se agrande el diferencial con los competidores, más posibilidades se tendrán para crecer y, si ése es el objetivo, en convertirse en el líder del sector. Estas ventajas se convierten, de saber ser dirigidas, en las auténticas fuerzas de la empresa para ganar la batalla de la competencia en el mercado de actuación que, en este caso, es el mercado mundial.

Las ventajas de costes son el resultado de una larga experiencia, de un «saber hacer las cosas» generación tras generación, y de un volumen de producción creciente, que hacen que funcione realmente la llamada *curva de experiencia,* con sus efectos reductores en los costes medios.

En los enfoques más actuales de dirección estratégica, una de las cuestiones capitales por parte de la misma es saber establecer y conocer las amenazas y las oportunidades que se ciernen o existen en su entorno competitivo. Ello requiere disponer de una actitud estratégica singular. Además, deberá añadirse la capacidad directiva de saber darle la vuelta al problema *(problema estratégico)* o, como se reconoce generalmente, que la amenaza y la oportunidad no son más que los lados de la misma moneda. Cuántas veces las empresas se han lamentado de no saber aprovechar determinada oportunidad, pues al no hacerlo ésta se ha convertido en una amenaza para su competitividad. Estos «valores estratégicos» aparecen en el caso Freixenet, y posiblemente han sido una parte importante del éxito de esta empresa, como se puede deducir de la lectura del mismo.

Para la dirección de la compañía catalana, generación tras generación, ha sido un objetivo fundamental introducirse en los mercados internacionales. El conjunto de las razones, el análisis de las fuerzas competitivas y el desarrollo de la estrategia de internacionalización puede considerarse como un magnífico ejemplo de cómo en la práctica se ha formulado una estrategia de este tipo, tal y como se suele recomendar en los manuales de dirección estratégica.

No sólo por el planteamiento de las distintas fases de la internacionalización de la empresa es destacable el caso Freixenet, sino también por la variedad de las fórmulas consideradas por la compañía.

Todos estos aspectos se apoyan en unos factores internos que han sido motor del éxito de la empresa. Factores que se han generado en torno a la familia Ferrer y cuyos máximos exponentes han sido doña Lola y la «tía Lola», tal y como se comenta en el caso. Estos factores destacables son:

— Una larga experiencia en el sector del cava.
— Una cultura empresarial muy fuerte.
— Un estilo de direción de base familiar pero muy profesionalizado.
— Una vocación internacional de la empresa, misión que ya existe en la misma desde su fundador.

Estas razones han situado a la empresa en la privilegiada posición competitiva que actualmente ocupa. Solamente habría que plantear una importante pregunta, cual es si la estrategia diseñada es la correcta o convendría variarla a tenor de una nueva, aunque relativa, amenaza a corto plazo, una vez superada la que representó para la compañía la prohibición de utilizar la denominación de elaboración con el *méthode champenoise*, cual es la observación de que tanto en el mercado español como en el norteamericano parece que la demanda se está estabilizando.

Ello implicaría un crecimiento diversificado, tanto de nuevos mercados, como de hecho se está planteando, como de nuevos productos. Decisión de diversificación que parece se está orientando hacia el sector de vinos de mesa y, posiblemente, más adelante, entrando en el sector de alimentación.

BIBLIOGRAFÍA

Bonet Ferrer, J. L.: «La competitividad internacional del sector del cava», en E. Bueno (Ed.): *La competitividad de la empresa española,* monografía 12, AECA, Madrid, 1989.

Bonet Ferrer, J. L.: «Las reglas de oro para competir en el mercado único europeo», II Jornadas, *El Nuevo Lunes,* Madrid, 1989, págs. 93-102.

Bueno, E.: «Aspectos organizativos y estilos de dirección en las estrategias de las empresas españolas», *Economistas,* núm. 28, oct.-dic., 1987, págs. 22-26.

«Freixenet», *Trabajo monográfico* (MBA: 1986-87), IADE, Madrid, 1987 (dirigido por E. Bueno).

Información facilitada por la dirección general de la compañía.

Mercado: «Freixenet», 21-3-1986.

8

Automóviles Luarca, S. A. (Alsa): «La vuelta al mundo en autocar»

8.1. Por los caminos de Asturias... «El gene del movimiento»

Para poder entender la evolución y proyección de Automóviles de Luarca, S. A., o Alsa «Transporte de Viajeros en Autocar», hay que remontarse a la Asturias del siglo XVIII, y más en concreto a Leitariegos (pueblo cercano a Cangas del Narcea), del que es natural la familia Cosmen, y localizado en la línea divisoria entre Asturias y León.

Dice la tradición que los asturianos llevan el «gene del movimiento». Ya los tatarabuelos de los Cosmen transportaban en diligencia a personas de los pueblos cercanos a Leitariegos a otras partes de la provincia, a otras ciudades y, sobre todo, a Madrid. Hay libros datados en 1728 y escritos en dicho pueblo que comentan cómo los antepasados de los Cosmen actuales se iniciaron en el servicio de carruajes y postas de Cangas del Narcea a Madrid, en viajes que se prolongaban algo más de seis días. También en los libros familiares consta un viaje del «tío Vicente», a principios de siglo a Buenos Aires para implantar allí un servicio de arriero. Al padre de José Cosmen Adelaida, actual consejero delegado y apoderado de Alsa, le tocó ir a Madrid, donde ya empezaba a hacerse notar la inmigración de Asturias. Esta región española siempre ha sido cuna de trotamundos y emigrantes. Ortega y Gasset escribió del asturiano que «es individualmente transitivo. Es un formidable trotamundos... En cualquier lugar del planeta, por extraño y perdido que sea el paraje, hay un asturiano que ha echado sus raíces en la gleba forastera, que ha dominado el contorno y le ha impuesto su sello de vida».

La emigración asturiana ha ido por concejos, los de Llanes iban a México, los de Polayalde a Puerto Rico, los de Tineo a la Argentina, y los de Cangas del Narcea, que no iban a América, estaban de serenos en Madrid. Ésta es una de las razones de que hubiera un tráfico continuo de familiares y amigos a Madrid desde Cangas, ya desde finales del siglo pasado.

A medida que el tren se iba extendiendo hacia el norte desde Madrid, el transporte de los asturianos, bien en diligencia, carro o reata de mulas, se fue modificando. Primero fueron de Cangas a Ávila, luego hasta Valladolid, finalmente hasta Ponferrada. Se les llevaba hasta el tren y se les acompañaba en el mismo hasta Madrid, haciendo de agente de viajes y guía, a imitación, entonces, de lo que hoy es función de los *tour operators.* Aún recuerdan los más viejos los billetes de «media burra» (media tarifa), que consistían en que cuando el carro tenía que subir una cuesta, se bajaba el viajero para ir andando y no cargar demasiado.

Los antecesores de la familia Cosmen actual bajaron de Leitariegos, allá por la sierra de los Picos de Ancares, a Cangas del Narcea y montaron un «negocio mixto-rural», en el que había desde una pequeña fábrica de embutidos a un comercio en donde se vendía todo tipo de utensilios agrícolas, artículos de ferretería y ultramarinos. Más tarde, con la experiencia familiar en el transporte de viajeros, se puso en servicio la primera línea de autobuses o «coches de línea» entre Cangas y Villablino (León).

En los años cuarenta, los negocios de los Cosmen, en especial las líneas de transporte de viajeros, fueron creciendo, en un ambiente familiar y regional de dificultades económicas, por lo que los siete hermanos tuvieron que alternar estudios y trabajo, estudios de título medio, pues había que dedicarse a una parte del negocio, a aquélla en que cada uno estuviera más preparado. José Cosmen, que estudió perito industrial, y su hermano Manuel, que lo hizo en la Escuela de Comercio de Gijón, se pusieron al frente de los «coches de línea».

En 1959, con la puesta en funcionamiento de nuevas líneas de transporte, entran a competir con Automóviles Luarca, S. A., una empresa creada como sociedad anónima en 1923, en la época de las diligencias, y con la que se llega a un acuerdo de absorción por el que los Cosmen detentan la mayoría de las acciones y asumen la dirección de la compañía. De hecho tienen un control absoluto, han profesionalizado y desarrollado Alsa, aunque los antiguos accionistas continúan y confían plenamente en la experiencia y en la capacidad directiva de los Cosmen.

8.2. El despegue de Alsa

Con el desarrollo económico español de los años sesenta surgieron los desequilibrios regionales y la emigración de trabajadores a Europa fue una constante, sin duda, de gran importancia. A este fenómeno económico-social se unieron las huelgas en las minas de Asturias, lo cual provocó una fuerza migratoria de asturianos hacia Bélgica, Suiza y Alemania, fundamentalmente.

Alsa estaba allí. La compañía trasladó a estos emigrantes y a sus familias y amigos como en épocas pasadas. La misión inicial de la empresa se seguía cumpliendo: hay que atender al viajero asturiano, hay que llevarle y traerle, hay que dar un servicio que satisfaga la vocación o la necesidad del «trotamundos».

Pero esta salida al extranjero no sólo respondía a la misión de la compañía, sino que también era necesaria ante la distribución del transporte de viajeros en España, dada la implantación de Alsa especialmente en el norte y la capacidad de crecimiento de la empresa. Las compañías españolas actúan con una distribución geográfica de las líneas principales, por lo que cruzar o atravesar la Península implica efectuar conexiones entre aquéllas, de forma que se ofrezca la mayor garantía de servicio al cliente. Esta actividad se ha incrementado y complicado en los últimos años, por lo que en España el transporte por carretera ha tenido que ser nuevamente regulado, muy recientemente, por la Ley de 31 de julio de 1988.

La dirección de Alsa ha considerado tres factores básicos para su salida al exterior, los cuales se han ido detectando en la última década, como son: *a*) el estado de las carreteras españolas; *b*) el crecimiento del parque automovilístico, y *c*) la despoblación rural.

Pero también el transporte por Europa presenta ciertas dificultades, basadas la mayoría en que hay que utilizar líneas domésticas para ir atravesando el continente. Alsa o ha ido moviendo estas líneas al instalarse en diferentes países o ha llegado a acuerdos con un *pool* de empresas radicadas en los países principales. De esta forma, el viaje se va enlazando, con unas condiciones de aportaciones económicas y kilometrajes acordados, muy similares en todos los países, que no suelen tener en cuenta las distancias reales. Todo este entramado del transporte europeo desaparecerá a partir de 1993, cuando el Acta Única Europea desmantele las barreras físicas y legales que permiten este tipo de funcionamiento.

También la configuración política de España en Comunidades Autónomas ha complicado el negocio de Alsa, teniendo que aliarse con empresas de otras Comunidades o teniendo que crear filiales en cada una de ellas, a pesar de los costes que ello implica, pero «había que estar allí».

El desarrollo del negocio principal se ha ido enriqueciendo no sólo en un simple transporte de personas y de mercancías. Para el primer caso, el objeto principal de actividad en la actualidad es el turismo, por ello la empresa ha ido efectuando un desarrollo horizontal hacia el negocio turístico, incorporando a las sociedades de transporte las agencias de viaje y otras relacionadas con la publicidad y la distribución comercial.

En definitiva, la expansión de Alsa ha ido incorporando un proceso de diversificación basado en el sector servicios, aunque el negocio principal se sigue centrando en el transporte de viajeros por carretera. Sus autocares «constituyen una red capital que une y vincula pueblos, aldeas y ciudades de Asturias con casi todo el mundo, y allí donde no llegan los grandes vehículos por las especiales dificultades de la orografía, lo hacen los coches todo terreno que cubren el servicio escolar». Con estas palabras José Cosmen muestra el orgullo de una misión centenaria asumida por la familia.

El éxito en el mercado interior hizo que, a finales de los setenta, se implantara en varios países europeos, pudiendo decirse que en 1982 había conquistado Europa. La implantación geográfica con sus filiales y delegaciones cubre una amplia área europea: en Francia (Lyon, Nimes, París y Toulouse), en Bélgica (Bruselas), en Italia (Florencia, Milán, Roma y Venecia), en Inglaterra (Londres), en Suiza (Basilea) y en España (Gijón, Irún-Behovia, La Coruña, León, Lugo, Madrid, Orense, Pontevedra, Salamanca, Santander, Santiago de Compostela, Valladolid y Vigo).

La evolución económica de Alsa a partir de 1982 ha sido muy positiva, especialmente si consideramos el grupo de sociedades, el cual será analizado en el apartado siguiente. En la figura 8.1 se puede observar el desarrollo de la cifra de ventas de la sociedad matriz, y en la figura 8.2 se puede conocer la evolución de su plantilla.

8.3. Un grupo de sociedades con proyección mundial

Según las propias declaraciones del presidente de Alsa, José Cosmen, la empresa «constituye un grupo pequeño formado por un conjunto de empresas pequeñas repartidas por toda Europa y en algún otro continente. La creación de estas pequeñas empresas se ha hecho para poder *llevarlas en la cabeza.* Él considera que una empresa multinacional debe cumplir dos condiciones: «estar en muchos países y tener una capacidad económica. Nosotros cumplimos la primera condición, pero no la segunda. Nuestros negocios son pequeños, cada cual con vida propia, jurídica y económicamente».

La base de su expansión, tanto nacional como internacional, ha partido de la idea de que los propietarios deben ejercer también de directivos, además de la suma de un grupo de ejecutivos jóvenes muy

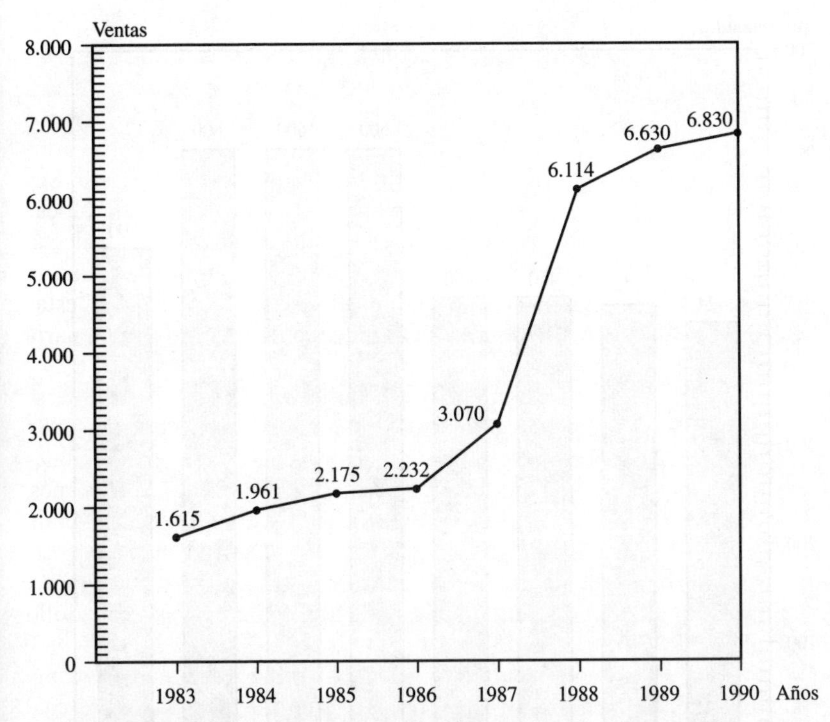

Figura 8.1.—Evolución de las ventas de Automóviles Luarca, S. A. (millones de pesetas).

preparados e identificados con la empresa. De esta forma, cada sociedad, cada negocio, tiene una dirección totalmente responsable al frente. La estrategia siempre ha considerado que hay que repartir muy pocos beneficios para poder amortizar mucho y autofinanciarse. Las operaciones en el extranjero se han apoyado no en créditos, sino en los *cash flows* generados por las sociedades. De esta forma, y con un gran espíritu de trabajo y dedicación, Alsa ha sabido ir, poco a poco, agregando esa capacidad económica que su consejero-delegado señalaba como no existente.

La importancia internacional del grupo ha conseguido que hace pocos años José Cosmen fuera nombrado presidente de la Asociación Internacional de Transportes por Carretera, con sede en Ginebra.

La forma de ir configurando el grupo empresarial y de desarrollar los negocios es conocido en Europa como «el modelo Cosmen». La búsqueda de la rentabilidad y de la rapidez en las tramitaciones de concesión de líneas han sido elementos decisorios importantes para la

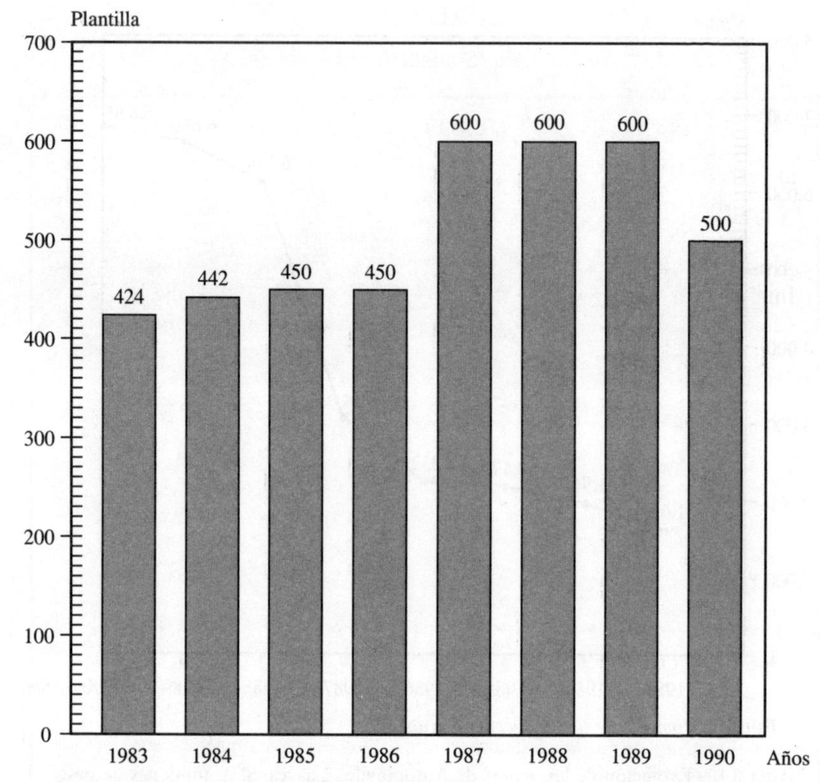

FUENTE: *Fomento de la Producción,* varios años.

Figura 8.2.—Evolución de la plantilla de Automóviles Luarca, S. A.

implantación internacional, además de otros factores que ya han sido comentados anteriormente.

La proyección mundial del grupo se hace evidente con la simple lectura del cuadro 8.2, «primera condición de la multinacionalidad». En el cuadro 8.3 se recogen las magnitudes económicas principales del grupo, expresión de la «segunda condición» de la multinacionalidad, antes definidas por el consejero-delegado.

La implantación geográfica de la empresa y la diversificación efectuada permiten conectar al máximo todas la actividades, tanto de transporte de viajeros como de mercancías, especialmente la paquetería y las de turismo, publicidad, hostelería y comercio exterior. En este sentido, la empresa se cuida mucho en asegurar el «retorno» de sus líneas de transporte, para que éstas vayan siempre llenas, única forma de asegurar una rentabilidad.

CUADRO 8.2

Grupo Alsa. Sociedades principales

A) TRANSPORTE DE VIAJEROS

a) *Nacional*

Sociedad	*Localización*
Alsa	España (Asturias)
Intercar	España (Galicia)
Cía de los ferrocarriles económicos de Asturias	España (Asturias)
Irubus	España (País Vasco)
Orencar	España (Galicia)
Cousa	España (Galicia)
Levancar	España (Valencia)
Rutas de Occidente	España (Andalucía)
Ebrobus	España (Aragón)
Easa	España (Asturias)
Calecar	España (Castilla y León)

b) *Exterior*

Sociedad	*Localización*
Autotourisme Leader	Bélgica
Julio Dos Santos Filhos e Cía	Portugal
Autotourisme Leman	Suiza
Autoreisen Limmat A. G.	Suiza
Spanish Speaking Services International	Gran Bretaña

B) AGENCIAS DE VIAJES

a) *Nacional*

Sociedad	*Localización*
Viaca	España (red nacional)
GPViajes	España (Galicia)
Royal Travel	España (red nacional)

b) *Exterior*

Sociedad	*Localización*
Viaca International Travel	Hong Kong
Khury Tours and Travel Inc.	Estados Unidos

CUADRO 8.2 *(continuación)*

C) SERVICIOS DIVERSOS (gestión, contratación, comercialización internacional y representaciones)

Sociedad	*Localización*
Distribución, Comercio y Servicios, S. A.	España (Asturias)
Central de Informática y Asesoramiento, S. A.	España (Asturias)
Alsa Internacional, S. A.	España (Asturias)
Representación de Vehículos	España (Asturias)

D) HOTELES

Sociedad	*Localización*
Hotel Principado	España (Asturias)

E) TALLERES DE MANTENIMIENTO DE VEHÍCULOS

Sociedad	*Localización*
Red propia en todas las Comunidades Autónomas por donde discurren los servicios	Galicia, Alicante, Asturias, Madrid...

F) ALIMENTACIÓN

Sociedad
Varias participaciones en empresas españolas y del extranjero

G) COMERCIO EXTERIOR

Sociedad	*Localización*
Comercio y Financiación Exterior, S. A. (COFINEX)	España, Hong Kong y China
Hover Century, S. A.	España y China

H) INMOBILIARIA Y CONSTRUCCIÓN

Sociedad	*Localización*
Interprovincial, S. A.	España (Madrid)

CUADRO 8.3

Las cifras del grupo Alsa en 1989

— Sociedades nacionales: 49.
— Sociedades extranjeras: 16.
— Total grupo: 65.
— La plantilla: 1.290.
— Ventas: 11.896 millones de pesetas.
— Inversión anual: 1.500 millones de pesetas.
— Red de transporte: 18 millones de kilómetros.
— Países: CE, Austria, Suiza, Yugoslavia, Bulgaria, Turquía, China, Estados Unidos, México, Venezuela y la Unión Soviética.
— Viajeros: alrededor de 52 millones.
— Flota de autobuses en España y Europa: 350.
— Flota de autobuses, microbuses y taxis en China: 125.
— Revisión técnica de la flota: cada 15 días.

8.4. Del Atlántico al Pacífico. Una estrategia para el futuro

Cuando la familia Cosmen se alejó de las costas de su Asturias, bañadas por el mar Cantábrico, hacia el Atlántico de las rías bajas gallegas, hace ya muchos años, aún no sospechaba que el discurrir de sus negocios llevaría a unir los dos grandes mares de nuestro mundo, pasando por el Mediterráneo. Alsa cruzó el Atlántico hasta Estados Unidos y hasta el Caribe por tierras mexicanas y venezolanas, y después vinieron las tierras del Pacífico: Hong Kong y la China Popular.

Como dice Cosmen Adelaida: «Hemos seguido una línea ascendente poco a poco, y por eso hemos llegado a China y a Hong Kong, y las dos costas del Pacífico son el mercado del futuro. Hay 2.200 millones de consumidores potenciales en esta área».

La estrategia está clara y la podríamos descomponer en estos elementos:

— El objetivo principal es posicionarse en las costas del Pacífico de China y en la norteamericana, sin olvidar el posible descenso por el continente americano desde México.

— Un segundo objetivo radica en explotar las posibilidades de los países de economía ex centralizada. Por ello, el próximo proyecto, ya bastante avanzado, será la inauguración de un servicio regular con Moscú.

— También recientemente se contrató el mantenimiento de los autobuses de Gazzaville en el Congo, una forma de tomar contacto con el continente africano, el cual tampoco puede olvidarse.
— Alsa compró (muy recientemente) el 70 por 100 del capital de la empresa británica de transportes turísticos Spanish Speaking Services, lo que representará cerca de 400 millones de pesetas, con lo que reforzará los viajes turísticos en el mercado europeo, al tener esta empresa suscritos diversos acuerdos de colaboración con otras empresas europeas del sector.
— Pero también existen otros proyectos importantes para el grupo: primero, participar, junto al grupo Masaveu, en la creación de una productora de televisión para los hispanoparlantes, radicada en Nueva York. Segundo, se ha invertido cerca de tres mil quinientos millones de pesetas en la compra de la empresa cántabra Turytrans (conglomerado de compañías de transporte de viajeros: Astibus, Cabus, Licerbus, Compañía de Autobuses de Navarra, La Burundesa, Viajes Turytour, Turyexpress y Zatraus); en este proyecto incorporará como nuevos socios también al grupo Masaveu. Tercero, está invirtiendo a través de la filial Rutas de Occidente en infraestructura en Sevilla, habiendo obtenido un contrato con la EXPO para el transporte de viajeros entre Sevilla y la Isla de la Cartuja y dentro del recinto de la exposición; con ello, se pretende potenciar los viajes nacionales e internacionales con la capital andaluza. Y cuarto, se ha solicitado la concesión de una compañía aérea de tercer nivel para la cornisa cantábrica, para lo que ha suscrito un acuerdo de colaboración con la compañía inglesa Wernitz Air, para operar no sólo en dicha cornisa, sino para estar también presente en el mercado inglés.
— Como es lógico hay que seguir manteniendo el nivel de servicio y de calidad de la red actual en España y Europa. En este sentido, está el servicio Supra, el cual presenta una serie de atenciones especiales al cliente, de forma que permita captar el segmento al que va dirigido el usuario del avión o del coche particular.

Tanto las operaciones realizadas en la República Popular China como las que se efectúan con la ex Unión Soviética, dadas las características de negociación con ambos gobiernos, sólo se pueden realizar a través de la constitución de sociedades mixtas, en las que Alsa participa con el 50 por 100 del capital, más su asistencia técnica en el negocio. Ante las dificultades actuales que atraviesa China hay que destacar que Alsa ha sido la primera empresa española que ha renovado su contrato por un nuevo período de cinco años, coincidiendo esta renovación con un cambio radical en el carácter de su explotación, ya que ha disminuido la flota de autobuses para transportar fundamentalmente a extranjeros por la región del sureste. Su flota actual china se compone de una combinación de autobuses, microbuses y taxis por un total de 125, esperando que estos últimos den una rentabilidad igual o mayor que la de los autobuses anteriores.

También en ambos casos, ante los problemas existentes en esos países de falta de divisas internacionales, la fórmula de pago de los beneficios y otros derechos se efectúan a través de mercancías (tanto materias primas como productos terminados) que obliga a la empresa asturiana a actuar como una *trading company*. Razón por lo que las operaciones de China se hacen a través de Hong Kong y con las sociedades Cofinex y Hover Century.

En resumen, el reto internacional ha sido aceptado por Alsa y está respondiendo con una estrategia de diversificación consecuente con el propio desarrollo de sus negocios y admitiendo que el futuro, después de 1992, no sólo está en Europa, sino fundamentalmente en las costas del Pacífico, planteamiento internacional que se refleja en la figura 8.3. Esta clara visión de las oportunidades que el mercado global ofrece es una de las claves en que se está apoyando el éxito de la empresa. Con ella se están cumpliendo las dos premisas que el propio presidente de Alsa había considerado, como necesarias, para que su grupo empresarial sea catalogado como una entidad multinacional.

8.5. Conclusión

Cuando una empresa de tamaño relativamente pequeño es sujeto de atención internacional en su sector de actividad es que algo posee que la puede sobredimensionar, es decir, tiene un evidente *poder sinérgico*. Esta evaluación se basa en la naturaleza y enfoque de su dirección estratégica.

Alsa es una compañía que ha sabido, generación tras generación, hacer una gestión dinámica y acorde con los tiempos que ha vivido, una gestión que se puede calificar como de «movimiento», pues es y ha sido su misión transportar y ayudar al viajero, primero de su tierra asturiana y hoy en día de cualquier parte del mundo.

Son tres aspectos fundamentales los que pueden ser destacados para caracterizar «qué es» y «cómo lo hace» esta empresa:

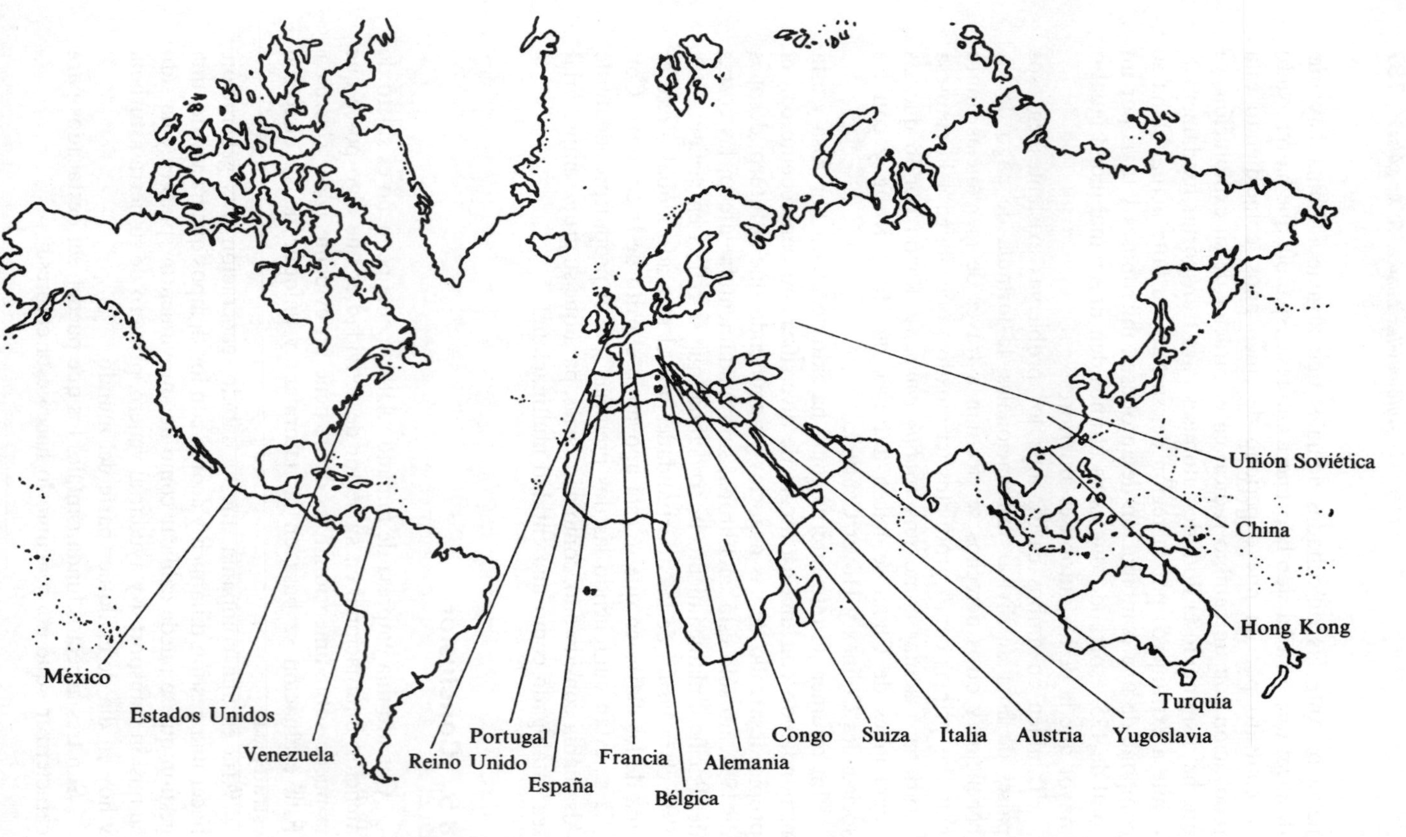

Figura 8.3.—Implantación geográfica de Alsa (filiales y actividades).

1. La clara visión del futuro que le permite mantener su misión de forma consistente, año tras año.
2. La capacidad de su dirección para flexibilizar y adaptar permanentemente sus actuaciones.
3. Una cultura organizativa muy arraigada, tanto en su cuna asturiana como en la familia que ha sabido mantener los niveles de eficiencia directiva.

La importancia de saber escrutar el futuro, de saber definir y defender la misión de la empresa, lo que tiene y lo que debe hacer, es una facultad importante que posee esta empresa. Ello no ha sido óbice para que, poco a poco, paso a paso, la compañía haya ido configurando un grupo de sociedades de implantación internacional para desarrollar un conjunto de negocios indudablemente interrelacionados.

La función de dirección ha sido siempre una tarea compartida por los diferentes miembros de la familia, que detenta el control de la empresa, y por los ejecutivos contratados, sabiendo guardar un buen equilibrio entre experiencia y juventud, pero siempre cumpliendo rigurosamente las condiciones de la máxima profesionalidad y de la total responsabilidad decisora. Este compromiso sólo es posible si el estilo de dirección se basa en la descentralización, en la participación y en el trabajo en equipo. Aspectos que se manifiestan claramente en el estilo de dirección de Alsa. Estilo que ha llevado a la empresa a lograr una buena productividad y competir con unos costes bastante reducidos.

Este comportamiento empresarial es el resultado de que exista una importante cultura organizativa muy desarrollada y que identifica a todos los componentes de la organización. Cultura arraigada y defendida como el valor más aceptado y, en consecuencia, como factor básico en el que se apoya permanentemente la gestión de la empresa.

Estos aspectos básicos son elementos que han venido configurando un modelo de empresa y una manera específica de formular sus estrategias. El crecimiento de esta empresa, sin duda de gran singularidad, se ha venido apoyando en dos cuestiones prioritarias:

a) Comenzar un nuevo negocio de actividad, tanto por incorporar un nuevo servicio o por introducirse en un país nuevo, ha sido una decisión muy sopesada y siempre partiendo de una experiencia o de un buen conocimiento de lo que se tenía que desarrollar.

b) A pesar de la diversificación nunca se han desatendido los negocios o los servicios originales, que siguen siendo los generadores de los *cash flows* o de los excedentes financieros principales de la empresa.

Esta combinación estratégica le ha permitido a la entidad mantener una posición sólida, económica y financieramente hablando, que le ha ido llevando a ocupar un papel preponderante en su sector principal. También el hecho de tener que actuar en países que no disponen de medios de pago internacionales le ha conducido a operar como una *trading company,* consecuencia de encontrarse con una serie de productos que tiene que comercializar internacionalmente.

La estrategia de diversificación de la empresa viene discurriendo por dos ejes estratégicos prioritarios: el primero configurando una tipología de diversificación de desarrollo horizontal, y el segundo buscando una internacionalización de sus actividades, basada en la captación de una oportunidad de mercado y en la decisión de invertir en el nuevo país gracias a las ventajas competitivas que posee el grupo de sociedades.

Estas ventajas competitivas se basan en la diferenciación que de sus servicios ha sabido efectuar la empresa y, sobre todo, por su *know how* o experiencia acumulada de saber transportar y atender por todo el mundo a sus clientes.

El reto que la empresa tiene en el futuro es que la dirección pueda continuar creciendo en productos y mercados, sin que se vean perjudicados los factores clave del éxito de la empresa hasta los momentos actuales.

BIBLIOGRAFÍA

Entrevistas concedidas tanto a los autores como a los periodistas Javier Cuartas y Paloma Díaz-Jares y publicadas, respectivamente, en los diarios nacionales *El País* (5 de septiembre de 1987) y *ABC* (20 de junio de 1989).
Información facilitada por la Dirección General de la empresa.

9

Construcciones y Contratas: «Un Eldorado en el subsuelo»

9.1. De la Alta Silesia a España para iniciar las contratas

A principios de los años cuarenta llega a España la familia Koplowitz Stemberg, natural de la región alemana-polaca de la Alta Silesia. Esta familia judía de habla alemana tuvo que emigrar, como otros muchos, para escapar de las garras nazis del III Reich. La pequeña expedición estaba compuesta por Ernesto Koplowitz, su padre don Guillermo (farmacéutico de profesión), su madre doña Clara y un tío.

El primer empleo de Ernesto Koplowitz lo logra, gracias a su lengua materna, en la filial española de la compañía alemana AEG. Su trabajo es de simple administrativo. A los tres años de su venida a España y como consecuencia de la derrota alemana en la Segunda Guerra Mundial, los aliados, a través de su Comisión de Control, intervienen AEG por sus actividades con fines bélicos, pasándola a la órbita del Banco Central. En estos años Ernesto Koplowitz conoce a una serie de personas relacionadas con su trabajo que serán fundamentales para dar el salto al mundo de los negocios.

A mediados de los cuarenta Koplowitz conoce a una administrativa del Banco Rural y Mediterráneo, en aquel entonces controlado por la Organización Sindical, llamada Isabel Amores Herrera, con la que tendrá dos hijos: Ernesto e Isabel Clara. Nunca se casó con Isabel, aunque reconoció a sus hijos, y siempre se ocupó de ellos, inclusive compartiendo aquélla un cargo en el Consejo de Administración de la empresa junto a su esposa legítima.

Cuando empieza la década de los cincuenta posee unos conocimientos del país, de la administración, de la banca, etc., que le serán muy útiles. Todos ellos, junto a la observación de todo lo que hay por hacer en Madrid, urgido de un plan de reconstrucción, le deciden a poner a prueba sus condiciones de hombre de negocios. Para dar este paso será trascendental el nuevo círculo de amistades que conoce gracias a su matrimonio con Esther María Romero de Juseu y Armenteros, hija de una aristocrática familia procedente de Cuba, y descendiente del político catalán Alejandro Lerroux. La madre de Esther María (María Armenteros) ostentaba los marquesados de Casa Peñalver, Casa del Real Socorro y Bellavista. En 1950 nace su primera hija, Esther, y en 1952 la segunda, Alicia, las cuales con el tiempo se casaron, como es sabido, con dos primos que el mundo de los negocios español ha denominado como «los Albertos».

La nueva familia alquila un hotelito en la Ciudad Lineal, el cual con el tiempo se convertiría en la primera sede de Construcciones y Contratas, en la actual calle madrileña Federico Salmón. A través de amigos y compañeros de trabajo se va introduciendo en las esferas municipales y en el conocimiento de las necesidades de alcantarillado, iluminación, viales, conducciones de agua y de gas y, en general, de infraestructura municipal. Con motivo de esas visitas se informa de que existe una empresa que se lleva un buen número de las contratas municipales: Construcciones y Reparaciones, S. A., sociedad constituida el 14 de octubre de 1944, presidida por Eduardo Cunchillar y como vicepresidente Juan Lillo, a su vez concejal de alumbrado público del Ayuntamiento y por el que pasaba la adjudicación de parte de las obras subterráneas.

Con motivo de la dimisión de Lillo como vicepresidente, la decisión de Ernesto Koplowitz no se hace esperar, adquiere la compañía el 10 de mayo de 1952 al suscribir totalmente la ampliación de capital de 350.000 pesetas (350 acciones de 1.000 pesetas). El 16 de junio de 1952 se registra el nuevo nombre de Construcciones y Contratas, dando así término a un antiguo litigio existente con la primera razón social con otra compañía de denominación similar. Él ocupa el puesto de presidente-consejero delegado y su esposa Esther María Romero de Juseu es nombrada vicepresidenta.

Koplowitz cuidó mucho las buenas relaciones, de forma que le permitieran acceder a las contratas municipales. Para ello fue incorporando a personas influyentes en su Consejo de Administración y en su gestión. De esta forma estuvieron Jose María Martínez Ortega (conde de Arjillo), padre de Cristóbal Martínez Bordiú, marqués de Villaverde y único yerno del general Francisco Franco; José María Rivero de Aguilar, por entonces subsecretario de Obras Públicas; Miguel Ardid, padre de Rafael, casado con Mariola Martínez Bordiú, nieta del general Franco; Alejandro Bermúdez, director entonces del Instituto de Moneda Extranjera, y otros importantes hombres de negocios y profesionales de la época como Fermín Fernández Orte, José González de la Fuente, Jesús Gallo Díaz y Francisco Pla.

En un principio, la empresa sólo trabajó para el Ayuntamiento, pero poco a poco, gracias al Consejo de Administración, de las citadas personalidades y de buenos profesionales, se fue dedicando a la realización de otras obras más comunes a una empresa constructora. En este sentido, cabe destacar su participación a finales de los cincuenta en la urbanización de El Encinar de los Reyes, de la que también tenía una participación en el capital, y la construcción de viviendas en la base militar de Torrejón de Ardoz para las fuerzas norteamericanas.

Este éxito en el mundo de los negocios, con más o menos altibajos y problemas, propios de unos años difíciles y oscuros de la economía y de la política española, se vio brutalmente cortado en la primavera de 1962, cuando jugando al polo en el Club de Campo madrileño cayó del caballo produciéndose unas lesiones de las que moriría a las pocas horas.

9.2. La incorporación de Ramón Areces a Construcciones y Contratas

Con la muerte de Ernesto Koplowitz, *alma mater* de Construcciones y Contratas, se produce, como es evidente, un vacío de poder y también una lucha por su herencia, de una parte su familia legítima, de otra la constituida por Isabel Amores y sus dos hijos. Finalmente, surge una tercera parte, aunque no contó en la partición de bienes, pues fue compensada económicamente, cual fue Albertina Rivero y una hija de ambos.

En toda esta difícil situación tuvo un papel destacado Ramón Areces y su equipo directivo de El Corte Inglés. Éstos aparecen en el Consejo de Administración como consecuencia de una serie de circunstancias que pasamos a relatar.

La dirección de la compañía pasó al consejero José González de la Fuente, como director-gerente, apoyado por hombres de confianza de Koplowitz en la gestión, como es el caso de Francisco Pla. En 1963 se incorpora nuevamente a la vicepresidencia de la compañía, tras un pequeño intervalo de tiempo, la viuda del empresario, así como Domiciano Abella, que actuará como apoyo jurídico de la empresa. En aquel entonces, el Consejo de Administración estaba compuesto, aparte de los citados, por José María Martínez Ortega, como presidente, y Cristóbal Martínez Bordiú, Alejandro Bermúdez González, Agustín Fernández de Peña, Juan Hernández Canut e Isabel Amores Herrera, como vocales.

En abril de 1964 José María Ruiz Gallardón se incorpora al Consejo en lugar de Juan Hernández Canut, el cual representaba jurídicamente los intereses de la familia «Koplowitz-Amores». Al año deja el cargo que es ocupado por José Romero de Juseu, padre de Esther María; con él también se incorpora como consejero Baldomero Blasco Ariza.

Tras cuatro años de desavenencias internas, enfrentamientos de «familias» y pleitos, la compañía comienza a sufrir las consecuencias. La amistad desde hace algunos años de Esther María Romero de Juseu con Ramón Areces, en parte facilitada por sus ancestros y experiencias cubanas y las desgracias familiares, hizo que aquélla acudiera al presidente de El Corte Inglés en busca de apoyo y de ayuda para sacar adelante a sus hijas y a su empresa. Hay que recordar que Ramón Areces conoció a la familia con motivo de la compra el 4 de febrero de 1952 de la sociedad Monteestrella, propietaria de un edificio en la calle Señores de Luzón y cuyos accionistas eran Ernesto Koplowitz y Miguel Ardid. Ramón Areces se hace cargo de la presidencia de Construcciones y Contratas el 15 de junio de 1966, continuando la viuda de Koplowitz como vicepresidenta; el resto de los miembros del Consejo estaba formado por Isidoro Álvarez, Florencio Lasaga y Juan Manuel de Mingo, consejeros de El Corte Inglés, y por José González de la Fuente, Isabel Amores y Baldomero Blasco Ariza, representando estos dos últimos los intereses de la otra parte y del pasado de la compañía. Como puede comprobarse, el cambio de timón se notaba ya en la cúpula de la empresa.

El 19 de abril de 1969 Ramón Areces incorpora al Consejo a Esther María y Alicia Koplowitz, lo que junto a la ampliación del capital de la sociedad en junio de ese año de 40 a 80 millones por capitalización de beneficios acumulados le permite ir comprando las acciones a la familia «Koplowitz-Amores» y quedarse las dos hermanas Koplowitz Romero de Juseu con la totalidad de las acciones. El 14 de marzo de 1970 Isabel Amores y Baldomero Blasco presentan su dimisión, últimos consejeros de la «oposición» de dicho período. El período conflictivo ha terminado y se puede afrontar con seguridad el futuro de la empresa.

Pero este mismo año está plagado de sucesos familiares. Primero, la muerte de Esther Romero de Juseu, al descubrírsele un cáncer irreversible y de actuación muy rápida, y después los compromisos de matrimonio de Esther y de Alicia con los primos Alberto Alcocer Torra y Alberto Cortina Alcocer, repectivamente. Al comenzar la nueva década se celebran los citados matrimonios y Ramón Areces vela por el futuro de sus proahijadas y guía en el mundo de los negocios a sus maridos. Es una época de dolor y de soledad para el presidente de El Corte Inglés, ante la pérdida de sus dos seres más queridos en muy poco tiempo: su esposa, enferma durante mucho tiempo, y Esther Romero. Posiblemente, como consecuencia de estas circunstancias, le sobrevino a Ramón Areces un ataque de hemiplejía que le fue retirando poco a poco de sus negocios y delegar en estos últimos años en Isidoro Álvarez[1].

El 16 de marzo de 1970 se incorporan al Consejo de Construcciones y Contratas, en lugar de sus esposas, Alberto Alcocer y Alberto Cortina. Todavía actuaba de consejero-director-gerente José González de la Fuente, el cual se va de dicho Consejo el 14 de abril de 1972, fecha en que entran aquéllos como consejeros delegados. Isidoro Álvarez pasa a ser nombrado vicepresidente de la compañía.

Durante estos años, la expansión de la empresa ha sido importante, gracias a la mano maestra de Ramón Areces y su equipo, quienes en ningún momento fueron titulares de acciones de Construcciones y Contratas, ni percibieron remuneración alguna por su papel directivo. Esta expansión también se basa en la incorporación de un equipo de ejecutivos muy competentes y que han permanecido casi todos en la empresa hasta fechas recientes: Justiniano de Miguel, Rafael Montes, Frutos Velasco, Antonio Pérez Colmenero y José Luis García Lozoya, entre otros. La compañía, sin abandonar su «Eldorado del subsuelo», introduce otras contratas municipales de gran interés como son la jardinería, obras de infraestructura, mantenimiento y conservación de viales e instalaciones en vías públicas, etc. También la empresa comienza a especializarse en la construcción de edificios «singulares» o complejos, iniciándose con la edificación de algunos de los centros comerciales de El Corte Inglés, momento que es coincidente con la que hemos llamado su década prodigiosa: 1965-1975.

El presidente de Construcciones y Contratas vigila directamente la formación empresarial de los nuevos consejeros-delegados, procurando inculcarles la filosofía y el estilo de dirección que tanto éxito ha tenido en su grupo empresarial. Continuamente les recordaba que «éste es vuestro patrimonio familiar, y tenéis que cuidarlo», patrimonio propiedad de sus esposas en un 98 por 100 y de ellos en un 2 por 100. También les aconsejaba que «para ganar dinero hay que evitar endeudarse. Lo que se gana hay que reinvertirlo en el negocio. La autofinanciación es la base del éxito en los negocios». Otra de sus recomendaciones continuas era decirles que «si por lo que sea, la noche anterior habéis estado de juerga y acostado tarde, al día siguiente hay que estar a primera hora en el despacho, dando ejemplo», como él siempre hizo.

---

[1] Véase el caso El Corte Inglés.

9.3. El crecimiento de la empresa: se crea el grupo

Los años setenta han sido fundamentales en la consolidación y profesionalidad de la empresa constructora y de sus cuadros directivos. Un ejemplo claro lo tenemos en cómo ha ido incrementando sus ventas y escalando posiciones en el *ranking* del sector de las empresas constructoras e inmobiliarias. En la figura 9.1 se muestra esta evolución, quedando claro la existencia de dos fases, la primera hasta 1979, en que el crecimiento es muy rápido, y la segunda en que se hace más lento pero sostenido y que lleva hasta la actualidad.

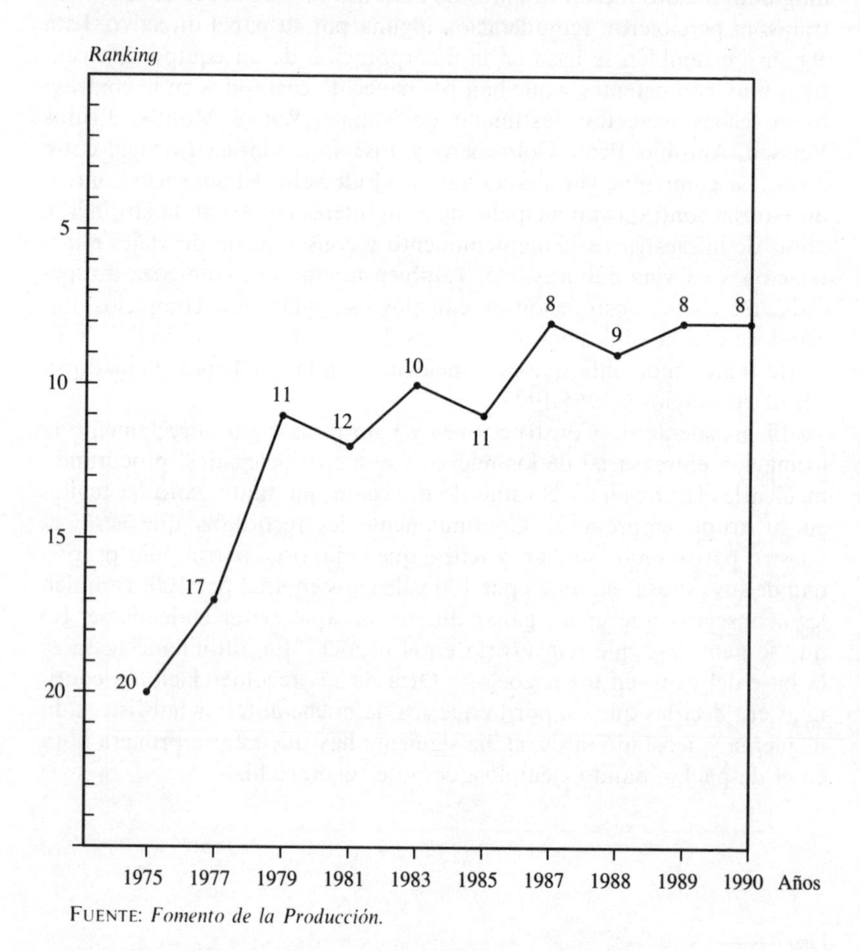

FUENTE: *Fomento de la Producción.*

Figura 9.1.—Evolución en el *ranking* de la construcción.

Existe también una razón de esta segunda fase de la figura 9.1, y es que a partir de 1979 la empresa ha ido creciendo, no sólo en su sector principal, sino también a través de su penetración en otros subsectores auxiliares de la construcción, para después ir poco a poco hacia una estrategia de diversificación amplia, forma de dar salida a los importantes excedentes financieros generados por Construcciones y Contratas.

Una evidencia de esta última afirmación la podemos ver en la evolución de la cifra de capital social de Construcciones y Contratas, crecimiento que se ha efectuado fundamentalmente a través de la capitalización de los beneficios obtenidos. Evolución que se muestra en la figura 9.2.

Si nos centramos en el período 1982-1990, como hemos hecho para otros casos, podemos contemplar a través de la figura 9.3 cómo la empresa ha continuado creciendo en su actividad constructora. En la figura 9.4 se ofrecen los datos de la plantilla en ese mismo período, y en la figura 9.5 se calcula la eficiencia empresarial, medida en términos de

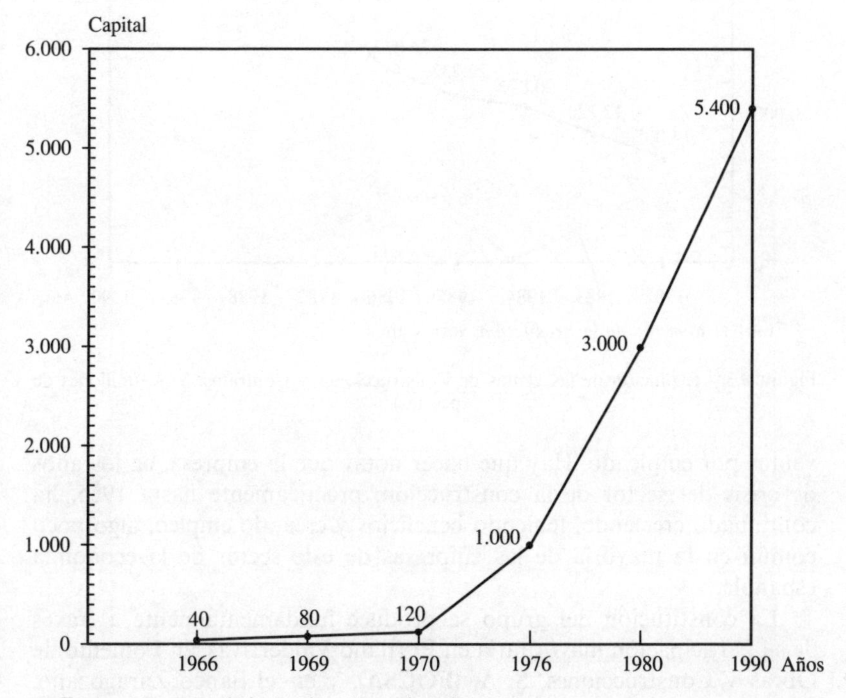

FUENTE: *Fomento de la Producción*, varios años.

Figura 9.2.—Evolución del capital social de Construcciones y Contratas, S. A. (millones de pesetas).

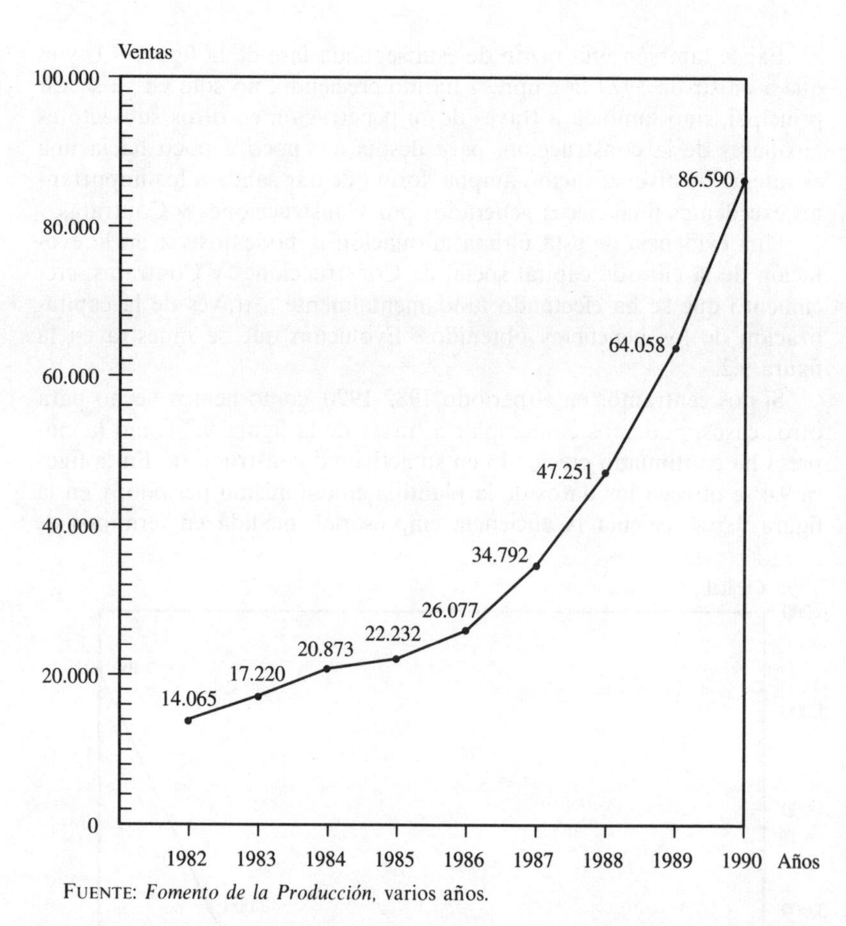

FUENTE: *Fomento de la Producción*, varios años.

Figura 9.3.—Evolución de las ventas de Construcciones y Contratas, S. A. (millones de pesetas).

ventas por empleado. Hay que hacer notar que la empresa, en los años de crisis del sector de la construcción, prácticamente hasta 1985, ha continuado creciendo, teniendo beneficios y creando empleo, algo poco común en la mayoría de las empresas de este sector de la economía española.

La constitución del grupo se produce fundamentalmente a través de su participación mayoritaria en Portland Valderrivas, en Fomento de Obras y Construcciones, S. A. (FOCSA), y en el Banco Zaragozano. Este proceso de toma de control y de adquisición de paquetes de acciones de otras empresas y en sectores diferentes comienza exactamente en 1976 con una primera operación de colocación de 500 millo-

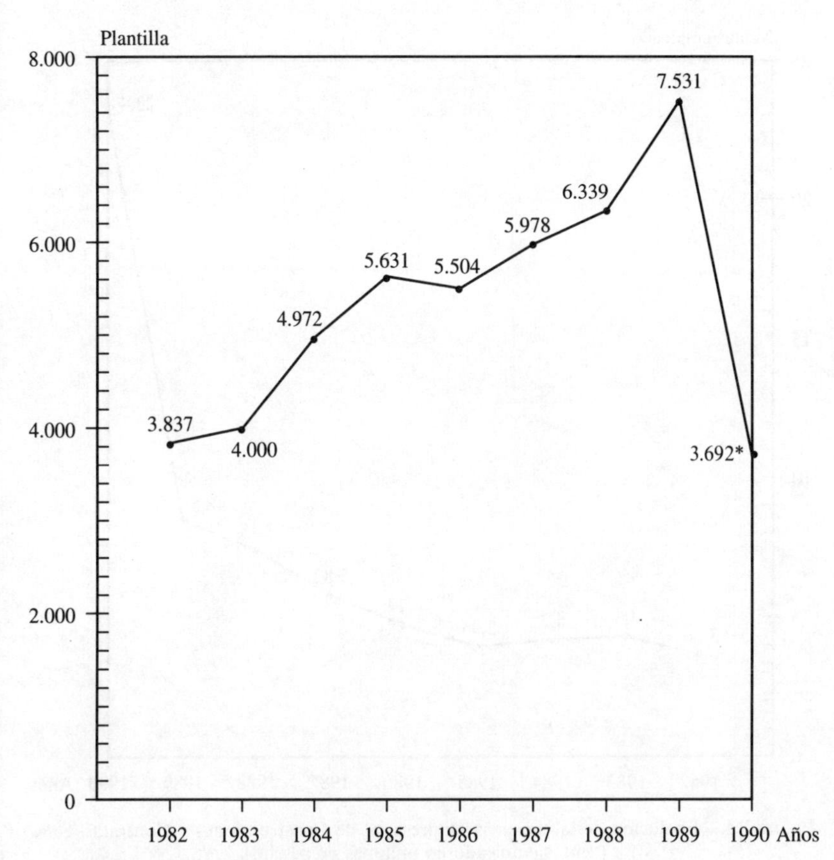

* Datos relativos solamente de la matriz.

FUENTE: *Fomento de la Producción,* varios años.

Figura 9.4.—Evolución de la plantilla de Construcciones y Contratas, S. A.

nes de pesetas en el Banco de Fomento, perteneciente al grupo del Banco Central, lo que representaba tener un paquete del 12 por 100 del capital.

En 1980 Construcciones y Contratas (en adelante CONYCON) inicia decididamente el proceso de crecimiento externo. Primero, comienza a comprar acciones de Portland Valderrivas, S. A., empresa cementera en la que está de consejero-delegado Alfonso Cortina, hermano y primo de «los Albertos»; segundo, acciones de Fomento de Obras y Construcciones, S. A. (FOCSA). En 1984 CONYCON posee el 29 por 100 del capital de la primera, paquete que se acrecienta con la compra de un importante paquete que poseía el Banesto y otro a título particular, de

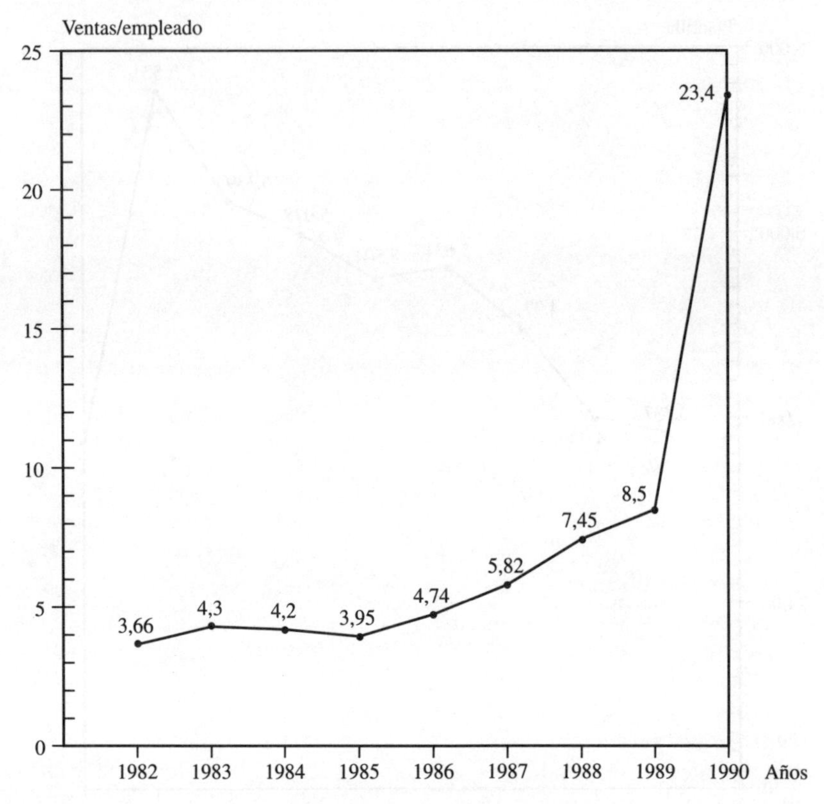

Figura 9.5.—Evolución de la eficiencia empresarial de Construcciones y Contratas, S. A. (ventas/empleado en millones de pesetas).

sólo el 2 por 100 en manos de Pablo Garnica Gutiérrez, operaciones que le llevan en 1987 a tener un control de la cementera del 47 por 100, tanto directamente como a través de FOCSA. De esta forma, se consolida una estrategia de integración vertical con un importante reforzamiento en el propio sector de la construcción e inmobiliario.

De la mano del Banco Santander la compañía se va introduciendo en FOCSA. La adquisición de acciones se va efectuando paulatinamente, para llegar en 1987 a controlar el 47 por 100 del capital social. Esta operación tiene un gran valor estratégico, dado que FOCSA es una compañía puntera del sector (la cuarta en el *ranking* de 1987 con unas ventas de 83.808 millones) con un tipo de obras y un arraigo importante en Cataluña, aunque actúa en toda la geografía española. Sociedad que también utiliza CONYCON para acudir a las contratas de «obra menor», pero altamente rentables, especialidad de la casa, pero que por alguna razón puede ser más conveniente o factible que acuda FOCSA a dicha contratación. Operación que culminará con la fusión de ambas entidades en 1991, configurando Fomento de Construcciones y Obras, la segunda empresa constructora española, después de Dragados y Construcciones. Cuestión que será comentada más adelante.

Por último, hay que comentar la tercera operación estratégica del crecimiento externo de CONYCON, cual es la adquisición del paquete de control del Banco Zaragozano. A través de la filial Inmobiliaria CONYCON, S. A., en 1983 y 1984 se adquieren dos paquetes de acciones, uno en poder del Banesto, del 6 por 100, y otro en manos del Banco Central, del 10 por 100, que junto a lo ya poseído por el grupo hace que se detente un 24 por 100 del capital social del banco. Después del verano de 1986 dicha sociedad vuelve a comprar un paquete de acciones del 8 por 100, en poder del Banco de Santander. En aquel entonces el gobernador del Banco de España, José Ramón Álvarez Rendueles, solicitó a Emilio Botín que clarificara su situación en el Banco Zaragozano, la cual se resolvió vendiendo a «los Albertos» dicha participación. En consecuencia, en 1987 ya poseía el 34 por 100 del capital, que ascendía a 5.740 millones, del Banco Zaragozano. Después de diversos contactos, el 22 de septiembre de 1987 se nombra al ex gobernador del Banco de España presidente de dicho banco, entrando en su consejo representantes del grupo CONYCON.

Para darnos una idea más precisa de la importancia del grupo en 1987, en la figura 9.6 se muestran las sociedades principales controladas y sus filiales correspondientes, así como el sector de pertenencia y cifra de negocios de cada matriz.

9.4. La entrada en la banca del grupo Construcciones y Contratas

El 17 de noviembre de 1987, Ramón Areces (presidente), Isidoro Álvarez (vicepresidente) y los vocales Florencio Lasaga y Juan Manuel de Mingo, todos ellos miembros del Consejo de Administración de El Corte Inglés, dimitieron del correspondiente de Construcciones y Contratas, quedando en dicho consejo los dos consejeros-delegados, Alberto Alcocer y Alberto Cortina, y el secretario Manuel Cervantes Ruiz. Con esta salida masiva se expresaba, de una parte, el querer dejar en plena libertad a los dos directivos responsables de la empresa en su nueva orientación del negocio y, de otra, manifestar su desacuerdo con sus incursiones en el mundo de la banca, sector con el que Ramón Areces siempre tuvo exquisito cuidado en sus relaciones, y así, además, evitar

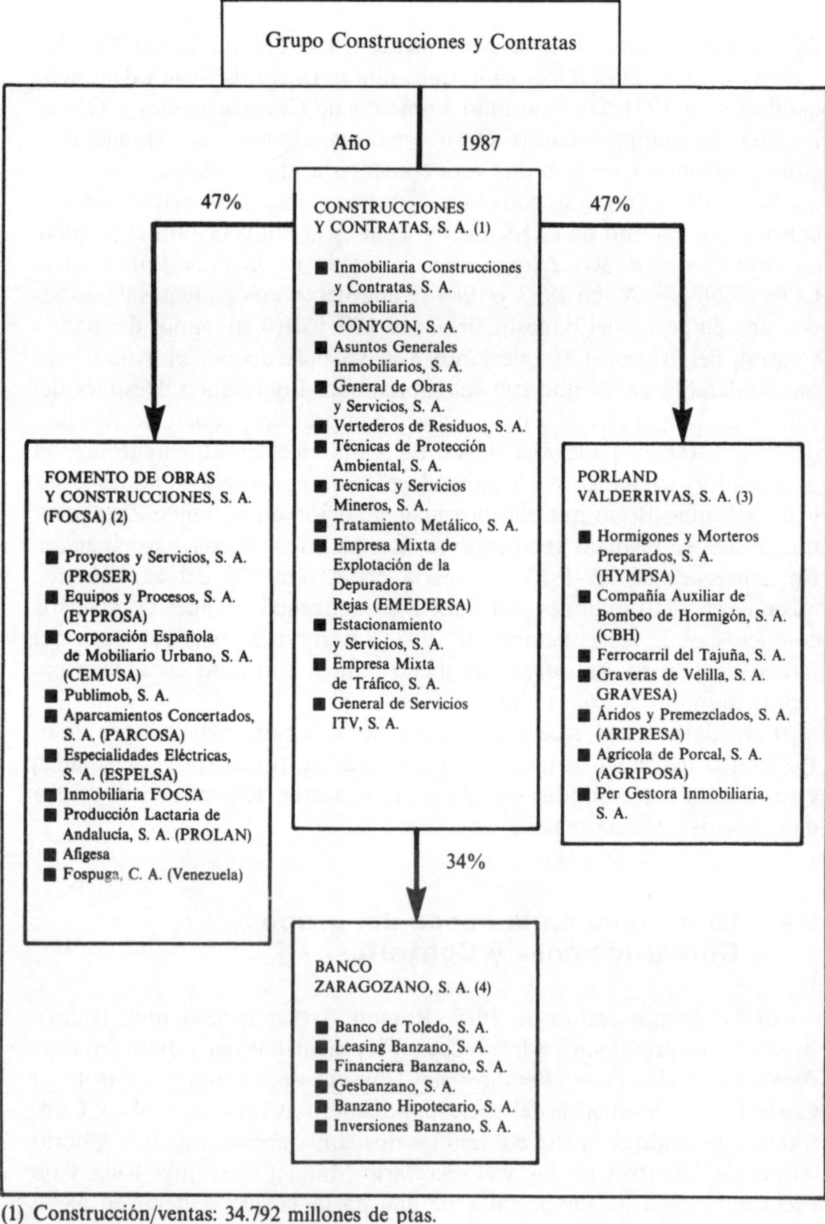

(1) Construcción/ventas: 34.792 millones de ptas.
(2) Construcción/ventas: 83.808 millones de ptas.
(3) Cemento/ventas: 13.237 millones de ptas.
(4) Banca/activos: 357.544 millones de ptas.

Figura 9.6.—Grupo Construcciones y Contratas en 1987.

problemas con su buen amigo Alfonso Escámez, presidente del Banco Central. Terminaban veintiún años al frente de CONYCON, colaborando, orientando y apoyando el negocio de sus dos ahijadas.

Desde la operación del Banco Zaragozano, decisión adoptada solamente por «los Albertos», el equipo de El Corte Inglés estaba incómodo, pues la prensa y los medios económicos veían en la misma la sombra de Ramón Areces. Se creía que era su desembarco en el sector bancario, aunque nada más lejos de la realidad. Esta situación se acrecentó con motivo de las primeras negociaciones con el industrial italiano Carlo de Benedetti, propietario de un importante grupo industrial y financiero en el que destaca la compañía Olivetti, quien declaraba en 1986 que sus socios en España serían El Corte Inglés y el Banco Zaragozano. A través del nuevo presidente de este último, quien conocía aquél por haber sido consejero de Hispano Olivetti, se iniciaron las relaciones con el Grupo Construcciones y Contratas.

A finales de 1987 se constituye la Corporación Financiera Reunida, S. A. (COFIR), con un capital de 5.530 millones, siendo Carlo de Benedetti su máximo accionista, con algo más del 40 por 100, después Construcciones y Contratas con un 20 por 100 y el resto de los socios lo integran el Banco Zaragozano, el Banco Bilbao Vizcaya y Shearson Lehman Hutton. En 1989 COFIR alcanza los 24.384 millones de recursos propios y sus inversiones principales en diversos sectores son las siguientes: adquiere el 33,3 por 100 del capital de Nuevos Hoteles, el 40 por 100 de Sanitas, el 25 por 100 de Pascual Hermanos —cediendo después un 10 por 100 a United Brands—, el 40 por 100 de Bodegas Berberana y el 40 por 100 de Mássimo Dutti.

Pero la operación más importante de la nueva orientación de los negocios y de penetración en el sector bancario lo representa la adquisición de paquetes de acciones del Banco Central. Pero, antes de entrar a comentar esta operación, hay que conocer primero el entramado empresarial que se diseña para abordar esta estrategia de diversificación y que se intensifica en el último trimestre de 1987.

El 18 de septiembre de 1987 se constituye GRUCYCSA, Grupo Construcciones y Contratas, S. A., cuyo objeto social es actuar de tenedora de paquetes de acciones de otras sociedades y cabeza de la estrategia del grupo. El capital inicial es de 10 millones, poseyendo el 33,34 Construcciones y Contratas, el 33,33 la Financiera de Servicios Rústicos (FINSEURSA) e Inversiones Koplocor el restante 33,33. Estas dos últimas sociedades instrumentales propiedad de los dos matrimonios Alberto Alcocer y Esther Koplowitz, y Alberto Cortina y Alicia Koplowitz, respectivamente. El 13 de octubre el capital se amplía a 45 millones, entrando Portland Valderrivas y FOCSA a través de la sociedad instrumental Asesoría Financiera y de Gestión, suscribiendo cada una 15 millones. El 19 de julio de 1988 se amplía a 2.045 millones, quedando CONYCON, Portland Valderrivas y Asesoría Financiera y de Gestión con la misma participación en el capital social. El Consejo de Administración de GRUCYCSA, tras esta ampliación, diseñador de la estrategia del grupo, estaba formado por Alberto Alcocer, Alberto Cortina, Romualdo García Ambrosio, Alfonso Cortina (los cuatro hombres clave de las operaciones), José Ramón Álvarez Rendueles y Guillermo Visedo. Es decir, una representación de las tres sociedades clave del grupo (véase la figura 9.6): FOCSA, Portland Valderrivas y Banco Zaragozano, además, claro está, de la matriz CONYCON.

La «operación Banco Central» necesita indudablemente de muchos recursos, y para instrumentarlo se necesitó de la intervención de tres compañías del grupo: Construcciones y Contratas Internacional, Corporación Financiera Hispánica y Urbanor. La primera fue creada el 11 de marzo de 1987 (antes se denominaba Proyectos y Servicios Urbanos) con un capital de un millón de pesetas, participando CONYCON con el 99,8 por 100. El 14 de diciembre de 1987 se amplía el capital hasta 21.399 millones de pesetas, con el fin de poder participar en Cartera Central con 21.040 millones de pesetas.

La segunda sociedad Corporación Financiera Hispánica (antes Naviera de Castilla), bajo control absoluto de CONYCON, amplía el 16 de diciembre de 1987 su capital a 528 millones de pesetas mediante la aportación de 110.000 acciones de Urbanor. El 28 de diciembre Urbanor, antes propiedad de la empresa italiana Condotte, amplía su capital de 500 a 6.000 millones de pesetas, en el que CONYCON posee el 58 por 100, Construcciones San Martín (de Pamplona) el 30 por 100, Inmobiliaria Astor (de Valencia) el 5 por 100 y el 7 por 100 restante un grupo de pequeños accionistas.

Una vez planteado el entramado empresarial vamos a describir la «operación Banco Central». El grupo de inversiones KIO (Kuwait Investment Office) había adquirido durante 1987 un paquete de acciones importante del Banco Central. Ante esta situación, el presidente de éste, Alfonso Escámez, solicitó aclarar la posición de KIO como inversor extranjero ante la regulación bancaria española. La intervención del Banco de España abre un proceso de negociación, por el que KIO tiene que desprenderse de dicho paquete o al menos «nacionalizarlo». Después de una serie de contactos se asocian CONYCON y KIO, apareciendo los primeros como accionistas principales. A este fin se acuerda a finales de diciembre de 1987 constituir Cartera Central, participando en ella CONYCON con un 51,2 por 100 y KIO con un 48,8 por 100, siendo su activo principal las acciones del Banco Central, entonces un

10,25 por 100 de su capital, por lo que se pensó constituirla con 32.775 millones de pesetas, pero al anunciar de forma sorpresiva el Banco Central la ampliación de capital en la proporción de una acción nueva por siete antiguas y una prima del 300 por 100, se decide acudir a dicha ampliación y aumentar el capital previsto de la nueva sociedad a 41.100 millones de pesetas.

Cartera Central se constituye el 7 de enero de 1988 para administrar un paquete de acciones del Banco Central del 12,25 por 100. Acuerdo entre CONYCON y KIO que se desarrolla con estas operaciones específicas, todas ellas realizadas en la misma fecha:

a) CONYCON (a través de Corporación Financiera Hispánica) transmite el 95,08 por 100 de las acciones de Urbanor, S. A. a la sociedad holandesa Koolmees Holding B.V., sociedad filial de KIO. Urbanor es propiedad de dos importantes solares en la Plaza de Castilla de 125.000 metros cuadrados, que fueron valorados el metro cuadrado a 210.000 pesetas. Simultáneamente, la Junta General Universal de Urbanor acuerda ampliar su capital social a 6.000 millones de pesetas, suscritos íntegramente por CONYCON, quien tiene que comprar los derechos de suscripción a los otros accionistas, desembolsando 9.000 millones, ahorrándose con esta fórmula el pago de plusvalías a Hacienda. Dicho 95,08 por 100 se valoró en 26.000 millones de pesetas y vendido a la Koolmees.

b) Se procede a la constitución de Cartera Central, cuyo accionariado queda formado por:

— Construcciones y Contratas Internacional con el 51,2 por 100.
— GSM Securities Management (Grupo KIO) con el 44,8 por 100.
— Torras Hostench (controlada por el grupo KIO) con el 4 por 100.

y con un capital de 41.100 millones de pesetas, cifra que incluye el valor de las 7.152.758 acciones del Banco Central en poder o bajo el control de KIO, que representa un 10,25 por 100 de su capital, y liquidez para poder acudir a la ampliación del capital de aquél. CONYCON aporta en metálico 21.043 millones de pesetas para adquirir 3.681.688 acciones del banco en poder de Private Bank (Grupo KIO), GSM aporta 3.471.090 acciones del Banco Central por un valor de 18.414 millones de pesetas y Torras hace su aportación en metálico. La aportación de CONYCON se hizo gracias a la venta de los solares y acciones de Urbanor. Torras, además, sindica un paquete de acciones del Banco Central, 1.402.548, que representa el 2 por 100 de su capital, con lo que Cartera Central controla un paquete del 12,25 por 100 de las acciones de dicho banco, el más importante existente en la banca privada bajo un solo titular.

El primer Consejo de Administración de la sociedad estaba constituido de esta forma:

Presidente: Alberto Alcocer.
Vicepresidente: Alberto Cortina.
Vocales por KIO: Fouad Khaled Jaffar y Muneer Al-Sabah.
Secretario: Romualdo García Ambrosio.

c) En los estatutos de Cartera Central se incluye una cláusula por la que si KIO quiere vender las acciones de esta sociedad, GRUCYCSA tiene derecho preferente de por vida para su adquisición, aunque la venta no podría efectuarse antes de cinco años.

d) Constituida Cartera Central se compran las 3.681.688 acciones del Banco Central en poder de Private Bank Trust & Co. de Zurich, operación previamente pactada con la compañía suiza que en los últimos meses había comprado dicho paquete y sobre el que existía un pacto de recompra por parte de KIO. Operación que se efectúa a través de agente de la Bolsa de Madrid el 8 de enero de 1988.

Por último, sobre esta etapa cabría hacer dos comentarios. El primero relativo a los solares de la Plaza de Castilla, propiedad de Urbanor, y el segundo referente a la construcción y promoción de la Torre Picasso, dos operaciones importantes para GRUCYCSA. Tras la venta de Urbanor por CONYCON a la Koolmees Holdings, entre Construcciones y Contratas y los hermanos José Luis y Julio San Martín, propietarios de Construcciones San Martín, se quedaron con el 4,92 por 100 de las acciones y con el acuerdo contractual de ejecutar las obras en los dos solares vendidos, torres cuya promoción también se reserva la compañía Promoción Inmobiliaria (PRIMA), en la que KIO posee directamente el 42 por 100 de las acciones e indirectamente, a través del Banque Populaire Suisse, el 8 por 100, y Alfonso Cortina un 15 por 100 de las mismas.

De otra parte, la Torre Picasso ha representado la obra más importante efectuada en Madrid de creación de un edificio de oficinas sofisticado y muy moderno en sus instalaciones y equipamiento técnico, con un coste de 20.000 millones y cuyo capital ha sido aportado entre GRUCYCSA y Portland Valderrivas, prácticamente al 50 por 100.

9.5. El entramado del grupo Construcciones y Contratas y el replanteamiento de la estrategia

Tal y como hemos ido relatando, la expansión y diversificación del grupo Construcciones y Contratas, en especial en estos últimos años, ha sido uno de los sucesos más espectaculares del mundo de los negocios en España y posiblemente de Europa. En este desarrollo estratégico hay que hablar de dos etapas, la primera hasta mayo de 1990, fecha en que Cartera Central vende sus acciones del Banco Central a éste, y la segunda en que se diferencian los caminos a seguir entre la constructora y matriz CONYCON y los otros negocios asignados a la compañía GRUCYCSA.

En 1989 GRUCYCSA amplía sus inversiones al sector de los medios de comunicación, participando en Canal Plus con una aportación del 10 por 100 del capital social inicial, gracias a su antigua participación en Estructura, S. A., propietaria del diario económico *Cinco Días,* que pasó a controlar PRISA (compañía editora del periódico *El País*).

Estas inversiones más las recientemente efectuadas en el sector del seguro (Uniseguros), de la banca (Cartera Central) y, en general, participando en cualquier tipo de inversión empresarial, a través de COFIR, definen a Construcciones y Contratas como una empresa constructora e inmobiliaria sólidamente arraigada, pero que ha optado hacia una diversificación total a través de la colocación de sus importantes excedentes financieros en la adquisición de paquetes de control y de participaciones en otras empresas, de sectores diversos, pero con un denominador común; la alta rentabilidad esperada junto a la novedad del negocio. En ese momento, las compañías principales en que se apoya el grupo aparecen recogidas en la figura 9.7.

Para poder dirigir este ambicioso proyecto, el 24 de mayo de 1989 se amplía el capital de la sociedad Castellana 89, que cambia su nombre por GRUCYCSA. Dicha sociedad fue creada en noviembre de 1987 como sociedad de inversión mobiliaria, pasando a mediados de 1988 a cotizar oficialmente sus acciones en Bolsa, aunque su concurso en el mercado de valores ha sido meramente testimonial. Su función fundamental es ser la «piedra angular» de la estrategia de participaciones empresariales del grupo. Castellana 89 se constituyó con 200 millones de capital, distribuido entre Construcciones y Contratas, FOCSA, Portland Valderrivas y Banco Zaragozano. En diciembre de 1988 se amplía el capital en 5.000 millones, que fueron suscritos en un 51,2 por 100 por Alberto Alcocer y Alberto Cortina.

La última ampliación sitúa el capital en 10.400 millones de pesetas,

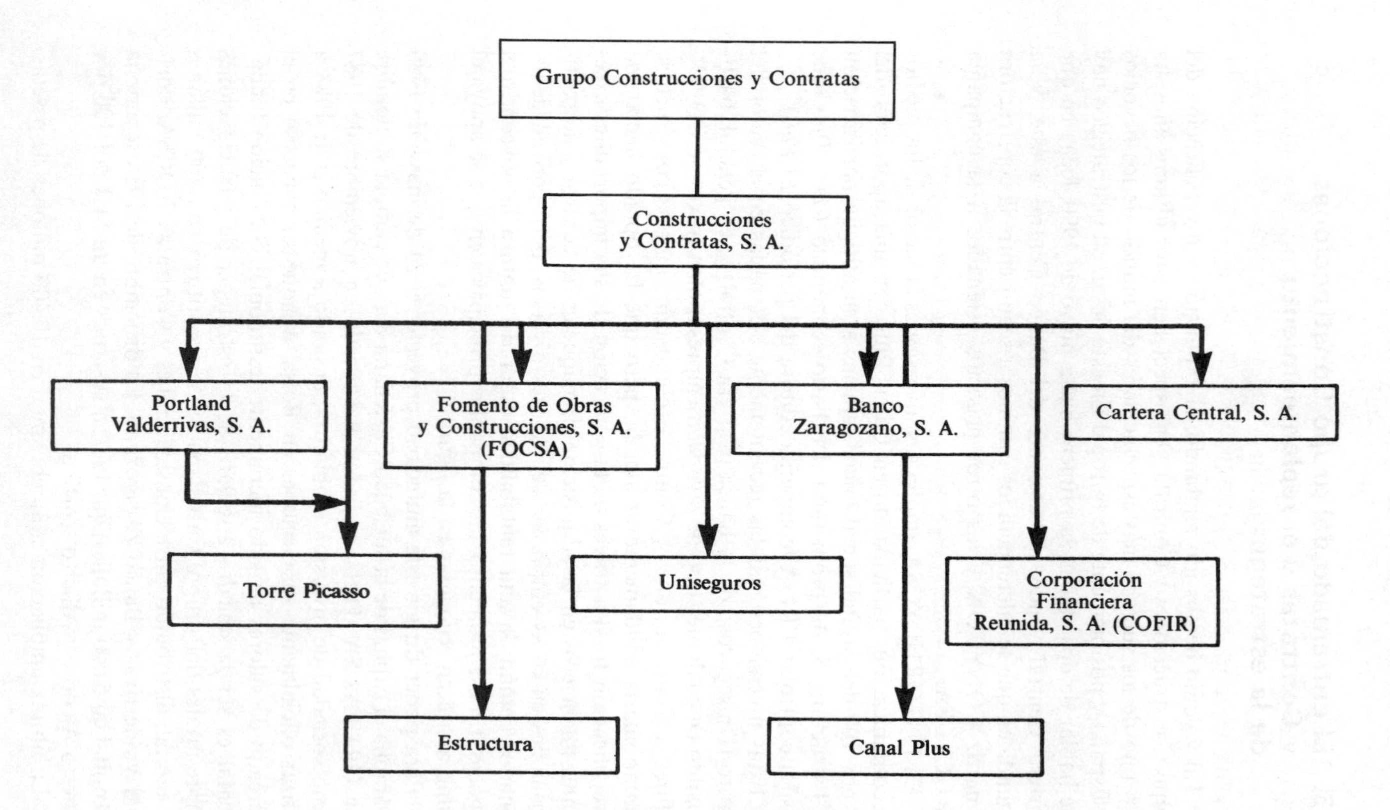

Figura 9.7.—Grupo Construcciones y Contratas en 1989.

siendo suscrito principalmente por GRUCYCSA, con lo que Construcciones y Contratas, S. A., consolida su posición de empresa matriz, a la vez que también FOCSA y Portland Valderrivas incrementan su participación, con lo que las tres compañías controlan prácticamente el 90 por 100 del capital social. El 10 por 100 restante de las acciones se reparten entre Alberto Alcocer y Alberto Cortina y un total de 115 directivos del grupo (fórmula que recuerda a la establecida en El Corte Inglés). Al mismo tiempo se inscribe en el Registro Mercantil con el nombre de GRUCYCSA, por lo que esta razón social ya actúa como una sola entidad jurídica que cotizará en Bolsa. La cartera de GRUCYCSA está constituida, principalmente, por acciones de Portland Valderrivas, FOCSA (ambas a su vez principales accionistas), Banco Zaragozano, COFIR, Grupo Estructura, Uniseguros, Canal Plus y Cartera Central.

Pero esta importante estrategia de crecimiento ha saltado en los meses siguientes a primera plana de los medios de comunicación por dos circunstancias que han desatado una serie de sucesos, que no vamos a considerar aquí por superar los objetivos y dimensiones del caso; la primera relativa al asalto del Consejo de Administración del Banco Central, en lo que se ha llamado la «guerra bancaria», dado que además se mezcló en todo este asunto el intento fallido de fusión del Banco Central y el Banco Español de Crédito. La segunda circunstancia es la relativa a la crisis matrimonial de Alicia Koplowitz y Alberto Cortina, motivando prácticamente la separación de éste de la codirección del grupo empresarial.

En noviembre de 1988 se nombra presidente de Cartera Central a Miguel Boyer, ex ministro de Economía y Hacienda y en ese momento presidente del Banco Exterior de España. Con este nombramiento se pretende impulsar la operación de control del Banco Central y estar bien posicionada Cartera Central ante el futuro del nuevo banco resultante de la fusión proyectada entre aquél y el Banesto. En junio de 1988 se habían incorporado como consejeros del Banco Central «los Albertos» y Romualdo García Ambrosio. Tras las promesas del presidente de aquél de aceptar la presencia en el Consejo de hasta siete representantes de Cartera Central, sólo se logran a la vuelta del verano dos consejeros más, Alfonso Cortina y Álvaro Alepuz. Proceso que se desarrolla con grandes tensiones y dificultades.

Los últimos días de 1988 y los primeros meses de 1989 son intensos de noticias acerca del término de la «guerra bancaria» y el brote de la crisis de la pareja Alicia Koplowitz-Alberto Cortina, la cual a los pocos meses también le llega a la otra pareja, Esther Koplowitz-Alberto Alcocer. En concreto, Mario Conde, presidente del Banesto, decide el 22 de febrero de 1989 paralizar la fusión con el Banco Central, a la vez que se logra que Cartera Central retire posiciones vendiendo acciones del Banesto.

Una consecuencia de esta situación es la retirada de KIO de Cartera Central, vendiendo por 42.000 millones de pesetas a Construcciones y Contratas el 48,8 por 100 de las acciones de aquélla. Con ello, esta compañía se queda con el 100 por 100 de Cartera Central, lo que representa un paquete de acciones del Banco Central del 12,5 por 100 y otro del Banesto del 2 por 100 de sus capitales sociales respectivos. Dicha venta se realiza el 5 de mayo de 1989.

Unos meses antes, en enero de 1989, se llegó a un acuerdo entre la Organización Nacional de Ciegos Españoles (ONCE) y GRUCYCSA para una colaboración empresarial, adquiriendo aquélla el 2 por 100 de las empresas Portland Valderribas, FOCSA y Banco Zaragozano, operación que se valoró en 4.000 millones de pesetas.

En todo este relato de acontecimientos es cuando se puede comprender mejor el porqué de la ampliación del capital y cambio de denominación social de Castellana 89, acaecido el 24 de mayo de 1989, y que hemos comentado con anterioridad.

En conclusión, se le abre una nueva etapa al grupo empresarial, una etapa de clarificación de su estrategia, en la que como hemos indicado se distinguirán dos partes diferenciadas: *a*) Construcciones y Contratas, S. A., empresa matriz del grupo y compañía con posicionamiento y misión definidas en el sector de las empresas de construcción e inmobiliarias, y *b*) GRUCYCSA, sociedad filial principal que coordinará todas las inversiones financieras y negocios en que participe el grupo. Partes que se van definiendo como áreas diferenciadas de actuación, de un lado de las Koplowitz, y de otro de sus ex maridos y socios.

En marzo de 1989 se nombra un nuevo Consejo de CONYCON, formado por Alberto Alcocer, presidente, Alicia Koplowitz como vicepresidenta, y como consejeros Justiniano de Miguel, Rafael Montes y Manuel Delgado, directivos tradicionales de la empresa y de confianza de la familia Koplowitz. En cuanto a GRUCYCSA, «los Albertos» comparten la presidencia y Romualdo García Ambrosio ocupa el puesto de consejero delegado.

9.6. La ruptura y la recuperación de la misión

En enero de 1990 se produce la ruptura de la segunda pareja, formada por Esther Koplowitz y Alberto Alcocer, y con ella se va agudizando la separación de los intereses de unos y de otros en el grupo empresarial, además de que va facilitando el replanteamiento del negocio, o mejor dicho, de los negocios de CONYCON y la recuperación de la misión original de la empresa.

La ruptura total de las hermanas Koplowitz y de «los Albertos» se produce en febrero de 1990, consecuente a la salida de Romualdo García Ambrosio como consejero y directivo del grupo y la posterior dimisión de Alberto Alcocer como presidente de la empresa. Con ello, el nuevo Consejo de Administración se recompone y cierra filas en torno a las propietarias mayoritarias de la entidad. Así, Alicia se hace cargo de la presidencia y su hermana Esther de la vicepresidencia, quedando como consejeros antiguos colaboradores de la compañía, como Justiniano de Miguel —secretario— y Rafael Montes.

La reestructuración de GRUCYCSA se produce necesariamente, y así, se establecen dos partes claramente diferenciadas; la primera, la más importante, se configura básicamente en torno a Construcciones y Contratas, S. A., FOCSA, Portland Valderrivas, Torre Picasso, Cartera Central y Grupo Estructura, mientras que la segunda, correspondiente al nuevo grupo que constituyen Alberto Alcocer y Alberto Cortina, se forma a partir de las participaciones en COFIR, Canal Plus, Uniseguros y Banco Zaragozano.

La estructura original del grupo, antes de la ruptura, es muy compleja, tal y como queda reflejado en la figura 9.8. La separación económica de los cuatro socios de GRUCYCSA es lenta y complicada, pero las líneas maestras son claras. Veamos sintéticamente las mismas.

El primer planteamiento es claro; las hermanas Koplowitz quieren terminar con las hostilidades con el Banco Central. En consecuencia, el 7 de mayo de 1990 se llega a un acuerdo entre los presidentes de las dos entidades, Miguel Boyer por Cartera Central y Alfonso Escámez por Banco Central, por el que éste compra el paquete de acciones —un 12 por 100 del capital— por 59.194 millones de pesetas. Con esta cifra Cartera Central logra una plusvalía de 7.070 millones de pesetas, cobrando 29.194 millones el 31 de mayo y el resto en un pagaré con fecha de vencimiento al 31 de mayo de 1991, devengando un interés del 15 por 100, lo que implica una nueva plusvalía de cerca de 5.000 millones. Con este acuerdo se termina una polémica «participación» de dos años y medio con la que el fallecido Ramón Areces y sus proahijadas nunca estuvieron de acuerdo.

Siguiendo en esta línea, las Koplowitz traspasan el 10,4 por 100 que las corresponde del Banco Zaragozano a «los Albertos». De esta forma, se consuma el abandono de aquéllas de sus intereses en el sector bancario.

A cambio, se produce otro planteamiento importante, cual es el

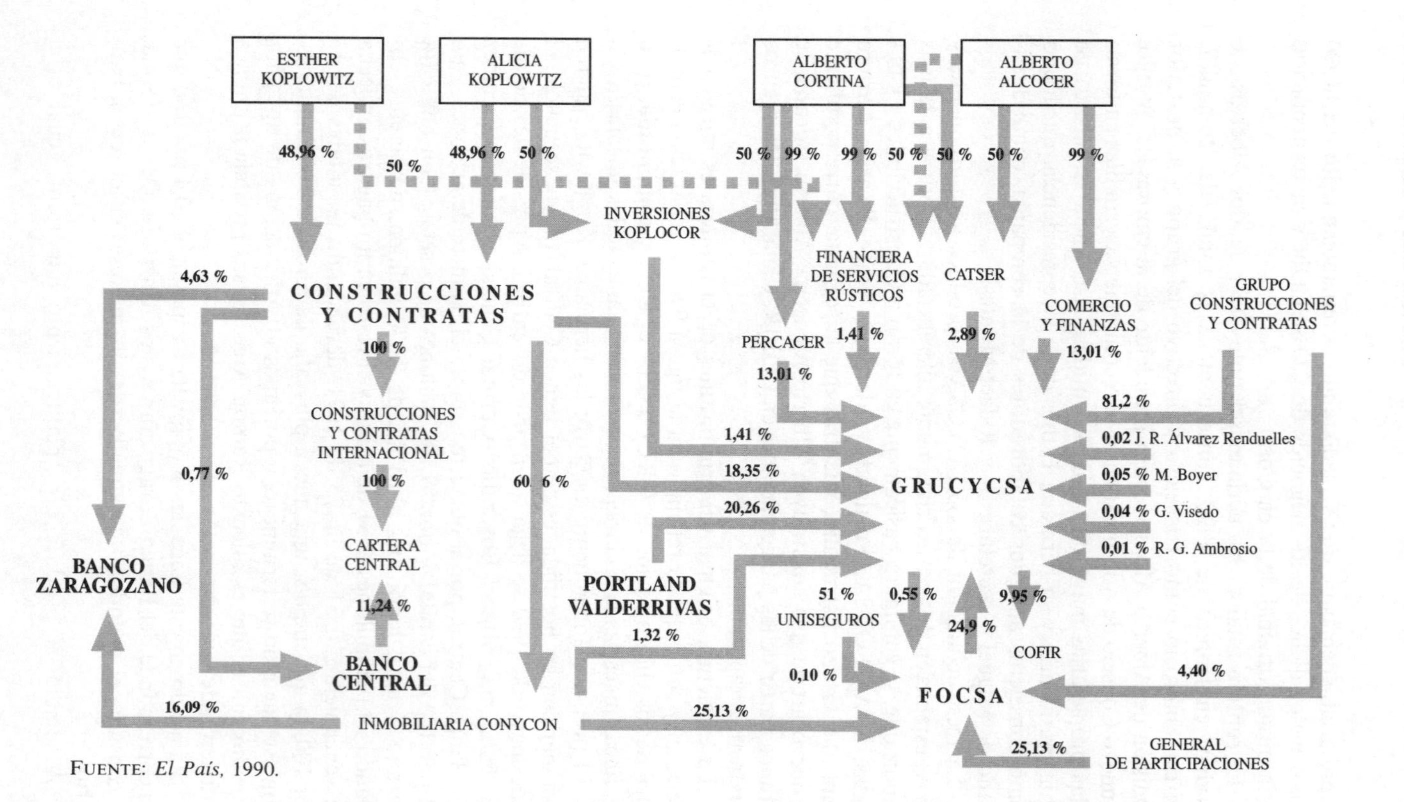

FUENTE: *El País*, 1990.

Figura 9.8.—Estructura de propiedad del Grupo Construcciones y Contratas en 1990.

lograr la mayoría del capital de FOCSA. A este fin, en abril de 1990 CONYCON le compra al Banco Santander un paquete del 5,26 por 100 del capital de aquélla. Con él, Construcciones y Contratas llega a tener la mayoría del capital social de Fomento de Construcciones y Obras, en concreto un 50,26 por 100.

Terminado el proceso de separación de los negocios de GRUCYCSA, la gran noticia no se hizo esperar. Así, el 6 de mayo de 1991 se acuerda la fusión de Construcciones y Contratas y de Fomento de Construcciones y Obras. Con esta operación la nueva Fomento de Construcciones y Contratas se constituye en la segunda constructora del país, muy cerca de la líder del sector, Dragados y Construcciones.

La operación se instrumentará a través de la Bolsa y a estos efectos CONYCON sale a cotización para evitar una *opa* de exclusión al absorber a FOCSA. En este planteamiento de fusión también se prevé la obtención de importantes beneficios fiscales. En concreto, FOCSA amplía su capital en 2.148 millones con cargo a reservas, elevándose su capital social a un total de 6.088 millones y CONYCON lo amplía en 3.044 millones, con una prima de emisión de algo más de veinte mil millones, elevándose su capital social a la cifra de 8.444 millones. De esta forma, la operación queda preparada el 15 de noviembre de 1991 y se culmina durante los primeros meses del emblemático 1992.

Las cifras básicas de la nueva empresa se recogen en el cuadro 9.1.

Con esta fusión la nueva empresa se posiciona de forma muy significativa en el sector, tanto respecto a ventas como a beneficios. Estiman-

CUADRO 9.1

Principales datos económico-financieros de Fomento de Construcciones y Contratas (en millones de pesetas)

Datos	1991*	1990
Ventas	330.000	258.927
Beneficio neto	15.000	8.192
Cash flow	22.000	14.132
Activo total	251.325	216.916
Recursos ajenos	195.129	164.768
Capital social	8.444	**
Empleados	30.000	29.038

* Previstos.
** Dato no comparable.
FUENTE: *Actualidad Económica*, 1991.

do para 1991 estas magnitudes, el cuadro 9.2 ofrece la situación de las principales empresas constructoras que cotizan en Bolsa.

CUADRO 9.2

«Ranking» estimado por ventas y beneficios en 1991 de las principales constructoras españolas (en millones de pesetas)

Empresas	Ventas	Beneficios
1. Dragados y Construcciones	362.000	11.300
2. Fomento de Construcciones y Contratas	330.000	15.000
3. Cubiertas y MZOV	183.000	6.300
4. Agromán	167.424	3.284
5. UCISA	153.000	5.000
6. Huarte	96.713	3.114

FUENTE: *Research Associates*, 1991.

Con este replanteamiento, la empresa vuelve a su misión original, a basar sus negocios en la construcción y la promoción inmobiliaria, aquella que supo inculcar Ramón Areces, de forma que la empresa mantenga un fuerte crecimiento, una situación financiera saneada, una gran capacidad de generación de recursos y dedicada a negocios menos polémicos. Parece que queda atrás la «batalla» planteada en el sector financiero y se define una nueva, en la que siempre pensó su creador, Ernesto Koplowitz; ser una empresa líder en la construcción y en las contratas.

9.7. Conclusión

Posiblemente éste sea uno de los casos más interesantes de la empresa española, con independencia de su reciente protagonismo en todos los medios de comunicación social, por su desarrollo y por el tipo de estrategia de crecimiento que ha mantenido en los últimos años.

Una empresa que para entenderla hay que conocer el caso de El Corte Inglés, al menos hasta el momento presente, dada la vinculación que esta empresa tuvo durante muchos años con Construcciones y Contratas, ya que el presidente y gran parte de los miembros del Consejo de Administración eran los mismos, aunque las dos empresas nunca hayan tenido vinculaciones patrimoniales y puedan ser consideradas como dos entidades totalmente diferenciadas. Otra cuestión es la de las vinculaciones personales, afectivas y comerciales que han tenido y puedan mantener estos dos importantes grupos empresariales.

El caso de Construcciones y Contratas es un claro ejemplo de cómo una decisión de diversificación empresarial puede ser revisada. Si tenemos en cuenta que el sector principal de actividad, y original, es la construcción y lo inmobiliario, y que desde prácticamente sus orígenes se han ido generando importantes excedentes financieros, consecuentes con altas tasas de rentabilidad, el problema estratégico al que se ha tenido que enfrentar la empresa es cómo invertir dichos excedentes.

Esta decisión de inversión se ha configurado en una primera etapa en una estrategia de diversificación de reforzamiento de la actividad principal, fundamentalmente en un sentido de integración vertical. Pero, dada la situación y perspectivas de crecimiento del sector de la construcción y sus subsectores afines, los límites son evidentes. Situación que lleva a una segunda etapa, en que la diversificación ha presentado un aspecto amplio, llegando inclusive a introducirse de forma significativa en el sector bancario. Decisión que ha sido atraída por la rentabilidad y evolución de la demanda en los sectores que ha entrado. Por último, como tercera etapa, hay que señalar cómo se vuelve hacia la primera, intensificando su papel y protagonismo en su sector principal y abandonando algunos de los nuevos negocios en que se diversificó.

La naturaleza de la diversificación llevada a cabo ha seguido una estrategia de crecimiento externo, coherente con el objetivo de invertir rápida y rentablemente los excedentes generados o *cash flows.* Esta forma de crecimiento ha partido de un factor importante, existente en la dirección de la empresa, cual es el saber aprovechar rápidamente las oportunidades de negocio que se han venido dando en los últimos años en la economía española.

Esta visión del negocio, esta capacidad directiva, es un valor existente en la empresa desde su fundación. Basado en una forma peculiar de entender el negocio de la construcción, generando un tipo de empresa diferenciada y una forma de segmentar el negocio que, en estos últimos años, ha sido sujeto de imitación por otras importantes compañías del sector.

Los factores de éxito en que se ha fundamentado la dirección estratégica de la empresa son diversos, tanto desde el plano externo como interno.

Los factores externos siempre han sabido ser aprovechados por esta empresa, en especial los relativos a las oportunidades de mercado y a su capacidad para negociar con el «agente frontera» que representa la Administración.

De otro lado, los factores internos existentes siempre han sido importantes, pues de otro modo una estrategia de crecimiento externo y con fuerte diversificación difícilmente puede llevarse con garantías de éxito. En la presencia de estos factores tiene un protagonismo indudable Ramón Areces y su grupo de colaboradores del Consejo de Administración de El Corte Inglés, en la larga etapa que ocuparon puestos similares en Construcciones y Contratas, lo que permitió definir el estilo de dirección y los restantes atributos garantes del éxito de la empresa.

De esta forma, se pueden identificar con claridad factores internos tales como los siguientes:

1. Una actitud creativa e innovadora.
2. Una dirección profesional y eficiente.
3. Una organización eficaz y adaptativa.
4. Una buena orientación al mercado, o más bien una buena información sobre su estructura y comportamiento.
5. Una importante solvencia económica y autonomía financiera.
6. Una gran libertad a la hora de la formulación de estrategias.
7. Una productividad destacable que lleva a unos costes altamente competitivos.

Todos estos aspectos, junto a los anteriormente citados factores externos, han producido unas ventajas competitivas muy destacables, que le han llevado a una mejora importante de su posición en su sector de actividad principal, la cual se verá claramente beneficiada tras la efectividad de la fusión con FOCSA.

En el caso se han podido observar todos los componentes que explican las ventajas y desventajas, tanto del crecimiento externo como de una fuerte diversificación, en especial cuando la misma se lleva en un plazo temporal reducido, provocado, sin duda, por el aprovechamiento de factores externos.

También es importante resaltar cómo la entidad decide reducir su nivel de diversificación en aras a recuperar su misión, la cual se estaba perdiendo por la amplitud de aquélla.

Finalmente, con este caso se puede comprobar, como ha sucedido con otros anteriores de este libro, en qué han coincidido empresas de un mismo sector, como es ahora el de la construcción, que los planteamientos estratégicos muestran ciertas singularidades y características diferenciales, propias de los factores de contingencia que influyen en las organizaciones, por lo que nos enfrentamos a formas diferentes de dirección estratégica entre esta empresa y Dragados y Construcciones, actual líder del sector.

El futuro del grupo empresarial que constituye Fomento de Construcciones y Contratas puede ser uno de los temas estratégicos más interesantes en nuestra economía, futuro que se está configurando en estos momentos y del que es difícil, todavía, hacer algún diagnóstico.

BIBLIOGRAFÍA

Cacho, J.: *Asalto al poder,* Ediciones Temas de Hoy, Madrid, 1988.

García Abadillo, C., y Fidalgo, L. F.: *La rebelión de los Albertos,* Ediciones Temas de Hoy, Madrid, 1989.

Prensa económica diaria y revistas de información económica.

Trabajo monográfico: Especialidad de Organización de Empresas, quinto curso, 1988-1989, UAM (dirigido por E. Bueno y P. Morcillo).

10.

El Corte Inglés-Hipercor: «La imagen de la solidez y la eficiencia»

PARTE PRIMERA: EL CORTE INGLÉS

10.1. Los orígenes de la empresa o la existencia del empresario

Un día del año 1935 Ramón Areces Rodríguez le pagó a Julián Gordo Centenera, padre de siete hijos, 30.000 duros por el traspaso de una modesta sastrería, «aparte de las existencias», como ha comentado el primero. Para el joven empresario era una tienda preciosa, era un pequeño establecimiento que presumía ser el único en Madrid que daba a tres calles: Rompelanzas, Carmen y Preciados, aunque siempre se ha asombrado que un padre de siete hijos se desprendiera de su medio de vida. En la sastrería, según reza un anuncio de la época, se podía encontrar desde «novedades para caballeros» a «trajes y abrigos de todas clases para niños». Una de las especialidades más afamadas de la casa eran los «macferlanes y gabanes», razón, parece ser, que justifica el que la sastrería llevara el nombre de El Corte Inglés.

Después de algo más de medio siglo ese nombre sería conocido como la imagen o como el buque insignia de un grupo empresarial que ha facturado más de 900.000 millones de pesetas en 1990, y dado empleo a más de 54.500 personas[1]. Una empresa modélica para la economía española, ejemplo de solidez y de eficiencia, líder del sector Grandes Almacenes y Cadenas de Alimentación en España y décima o undécima mundial, después de los más conocidos grandes almacenes norteamericanos.

Pero estos resultados no proceden únicamente de las ventas de una tienda con salida a tres calles madrileñas, sino a varias sociedades, 29 centros comerciales, innumerables delegaciones y tiendas de menor tamaño y seis fábricas. Es el fruto, en definitiva, del esfuerzo y de la dedicación de un auténtico empresario, es la obra de Ramón Areces (un

---

[1] En estas cifras se incluyen los grupos de sociedades El Corte Inglés, S. A., INDUYCO y Móstoles Industrial.

asturiano nacido en Grado el 15 de septiembre de 1905 y muerto en Madrid el 30 de julio de 1989), así como de un grupo directivo plenamente identificado con él.

La historia de El Corte Inglés comienza realmente a forjarse cuando en 1919 el joven Areces, a los catorce años, sale del puerto de Vigo en el «Alfonso XII», rumbo a Cuba, en tercera clase, «y porque no había cuarta (dice él mismo); tardamos doce días en llegar a La Habana. Inmediatamente comencé a trabajar en los almacenes El Encanto como *cañonero* (chico para todo)». En dichos almacenes, propiedad de la familia española Solís Entralgo, ocupaba un cargo de responsabilidad (encargado) su tío materno César Rodríguez, gracias al cual encontró el empleo; también en esos almacenes estaba ya trabajando su hermano mayor Manuel. «Estuve cerca de seis meses barriendo la acera de la calle a las seis de la mañana, realizando todo tipo de trabajo, para pasar luego a la sección de cintas. Fui siempre soldado raso, pero allí aprendí lo esencial». Aprendizaje que siempre recuerda como base del éxito posterior, cuando preside una de las empresas más sólidas, no ya de España, sino de la Comunidad Europea.

Las inquietudes y los deseos de lograr mayores conocimientos de administración de negocios llevaron a Ramón Areces a viajar en 1924 a Estados Unidos (Nueva York) y a Canadá (Montreal), donde compaginó el trabajo con la realización de estudios comerciales, con lo que perfecciona y aumenta sus conocimientos empresariales. En 1928 vuelve a trabajar en Cuba con un familiar, donde permanece hasta que en 1934 regresa a España en compañía de su primo José Fernández Rodríguez, quien también había trabajado con su tío César Rodríguez en El Encanto, llegando un poco tiempo después de su primo Ramón.

Ambos jóvenes, llenos de ideas e ilusiones, pronto quisieron demostrar sus aptitudes empresariales montando en el mismo año (1935) sendos negocios del ramo textil-confección: Ramón compra El Corte Inglés y «Pepín» monta en la cercana calle de Carretas («al otro lado de la Puerta del Sol») Sederías Carretas, invirtiendo dos millones de pesetas, primera piedra de lo que luego sería la empresa Galerías Preciados. Así se inició una competencia que duró décadas, hasta que esta compañía comenzó a cambiar de propiedad y empezar una importante crisis económica, de la que está logrando salir poco a poco, contrapunto del éxito de su competidor El Corte Inglés. En ambos proyectos actuó de mecenas su tío César Rodríguez aportando como capital en cada caso cifras en torno a las cien mil pesetas.

El negocio comenzó con siete empleados y con éxito inmediato, por lo que fue necesario efectuar una ampliación; por ello, tras el intervalo de la guerra civil española, se trasladó en 1940 a la calle Preciados esquina a Tetuán al comprar los Almacenes El Águila, nueva tienda que, tras sucesivas ampliaciones, se convertiría en el primer centro comercial de la empresa: el centro de Preciados. Como curiosidad, cabe recordar que su primo José Fernández se quedó con la tienda de Rompelanzas, para tras las ampliaciones correspondientes, convertirlo en la primera tienda Galerías Preciados.

Para Ramón Areces, en gran parte, la base de su éxito ha sido estar al *pie del cañón:* «mis únicas universidades han sido la vida y el trabajo». Introdujo nuevas ideas y nuevos criterios comerciales que se correspondían con los de los más importantes grandes almacenes americanos. Sus ideas básicas siempre han sido tres: *a*) considerar que el éxito de una empresa se basa en la integración del equipo humano; *b*) la autofinanciación y evitar endeudarse es la madre del éxito, y *c*) atender por encima de todo al cliente, demostrar la máxima seriedad comercial e innovar permanentemente para satisfacción del cliente y desarrollo del negocio. Estas nuevas ideas y el saber aplicarlas cristalizaron en un indudable éxito económico, caracterizado por un crecimiento espectacular y configurando un estilo de dirección y una cultura organizativa dignos de elogio. Después de su fallecimiento, poco después de la una de la tarde del domingo 30 de julio de 1989, su ejemplo como empresario ha sido un reto para el futuro de su grupo empresarial asumido desde ya hacía algunos años por el actual presidente Isidoro Álvarez, quien le ha sabido dar continuidad.

10.2. Un crecimiento espectacular: «la década prodigiosa»

El 28 de junio de 1940, cuando todavía los efectos de la guerra civil española se muestran con desgarradora plenitud y en un Madrid casi en ruinas, Ramón Areces, con sus hermanos menores, Luis y Celestino, constituyen El Corte Inglés, S. L., con un capital de un millón de pesetas, propiedad prácticamente de Ramón, cifra de importancia para aquella época. Las necesidades del desarrollo económico del negocio aconsejan transformar la compañía en sociedad anónima y, además, gracias a los beneficios habidos. El 2 de enero de 1952 se constituye El Corte Inglés, S. A., con un capital social de diez millones de pesetas.

Una importante decisión se había tomado dos años y medio antes, dentro de una clara visión estratégica de integración vertical: se constituye en julio de 1949 Industrias de la Confección, S. L. (INDUYCO), siendo sus propietarios los mismos que los de El Corte Inglés, S. L. El objetivo de la nueva compañía era asegurar el suministro de prendas confeccionadas para atender al éxito comercial de la tienda de Preciados. Hay que entender esta medida en el contexto de una industria española con grandes dificultades, tanto de escasez de materias primas como de capital para disponer de la maquinaria y útiles necesarios. INDUYCO también se transforma en sociedad anónima el 6 de diciembre de 1955, con un capital social de un millón de pesetas.

Con estas dos sociedades, y su adecuada interrelación, comienza a forjarse el proyecto empresarial de Ramón Areces. Como él recuerda, fueron unos años muy duros, de mucho trabajo y ahorro, ya que cada peseta que se ganaba era reinvertida en el negocio. En estos primeros años INDUYCO sólo fabricó para El Corte Inglés, para después, poco a poco, ir abriendo su mercado fuera del grupo empresarial.

El nuevo propietario de El Corte Inglés, nada más iniciar su negocio, se casó con Victoria Dolores González Arroyo, viviendo en un piso de alquiler en la calle O'Donnell. Ramón Areces no tuvo hijos, muriendo su esposa tras una larga enfermedad en 1968. Puede ser que estos hechos influyeran en él, un hombre hogareño que no logró una descendencia, por lo que centró su cariño en tres personas: Isidoro Álvarez y las hermanas Koplowitz. Ramón Areces proahijó prácticamente a Isidoro Álvarez, nacido en Asturias en 1935, el cual no sólo es su actual sucesor al frente del grupo empresarial, sino que en los últimos años vino prácticamente dirigiendo la empresa, por la precaria salud de Areces. Éste dedicó todo su tiempo para que pudiera dirigir sus negocios formándole de manera similar a su propio aprendizaje, incorporándole a la plantilla de El Corte Inglés cuando contaba dieciocho años. También tuvo una profunda amistad truncada por la desgracia en 1969, cual fue la de Esther María Romero de Juseu, madre de Esther y Alicia Koplowitz, y a las que Ramón Areces siempre consideró como sus ahijadas. Esta cuestión es tema de comentario en el Caso de Construcciones y Contratas, incluido en esta obra.

Como decíamos, todos estos hechos influyeron en su personalidad y forjaron el hombre de empresa que llevó, a partir de los sesenta, a una fuerte competencia de El Corte Inglés con Galerias Preciados, la empresa de su primo, en la lucha por la supremacía en el sector de los grandes almacenes. Competencia que le fue adversa en esta década, pero que superó con creces a partir de los setenta.

El período 1965-1975 se puede considerar como la «década prodigiosa» de El Corte Inglés, dado que, como muestra el cuadro 10.1, las variables que permiten explicar el crecimiento así lo atestiguan.

Esta importante evolución del negocio no sólo ha sido producto de la actividad desarrollada por el Corte Inglés, S. A., tal y como muestran las figuras 10.1 a 10.6, sino también de la estrategia de crecimiento de

CUADRO 10.1

El crecimiento de El Corte Inglés hasta 1980

Años	Ventas	T.C. (%)	Recursos propios	T.C. (%)	Plantilla	(%)	Superficie de venta	(%)	Núm. centros comerciales
1940	—	—	1,0	—	14	—	—	—	1
1950	22	—	10,0	90,0	269	182,1	—	—	1
1960	168	66,3	83,8	73,8	848	21,5	10.000	—	1
1965	1.319	137,0	190,0	25,3	2.246	32,9	32.000	44,0	2
1970	8.773	113,0	940,0	78,9	9.655	65,9	118.000	53,7	6
1975	43.000	78,0	25.933,0	531,7	18.800	18,9	334.000	36,6	11
1980	120.597	36,1	60.841,0	26,9	20.750	2,0	417.151	4,9	13

FUENTE: *Fomento de la Producción.*

Notas: El ejercicio de El Corte Inglés se cierra el 28 de febrero. Así, por ejemplo, los datos de 1980 corresponden al ejercicio cerrado el 28 de febrero de 1981. Las cifras de ventas y recursos propios aparecen en millones de pesetas. La superficie de venta viene dada en metros cuadrados. T.C. = tasa de crecimiento anual según el intervalo temporal considerado.

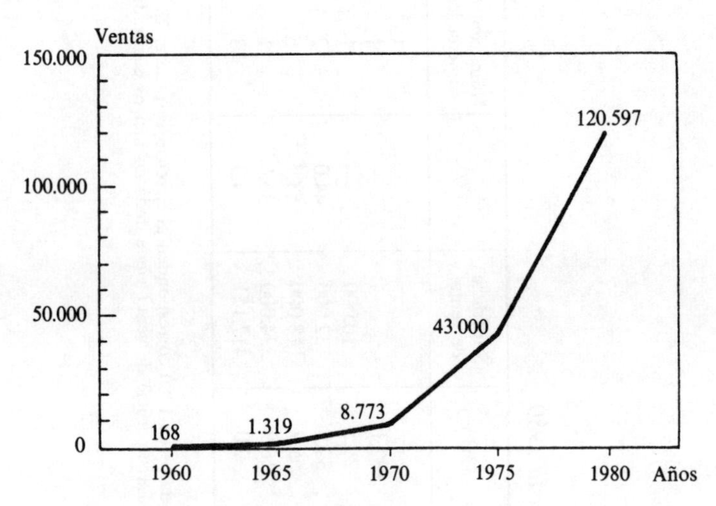

FUENTE: *Fomento de la Producción,* varios años.

Figura 10.1.—Evolución de las ventas (en millones de pesetas).

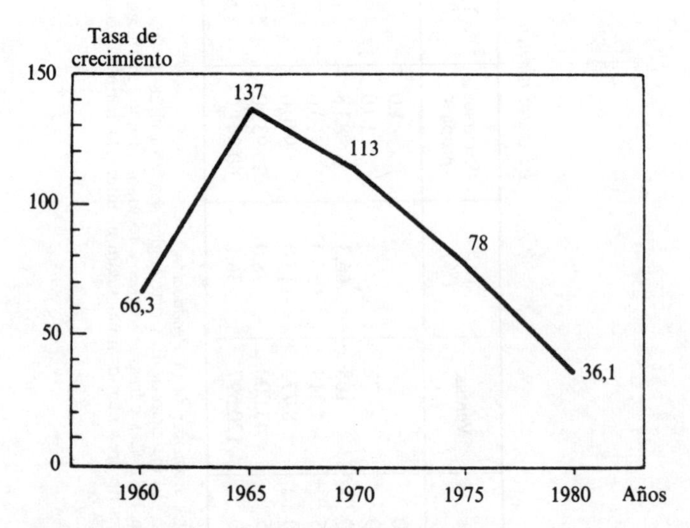

FUENTE: *Fomento de la Producción,* varios años.

Figura 10.2.—Tasa de crecimiento de las ventas (porcentaje).

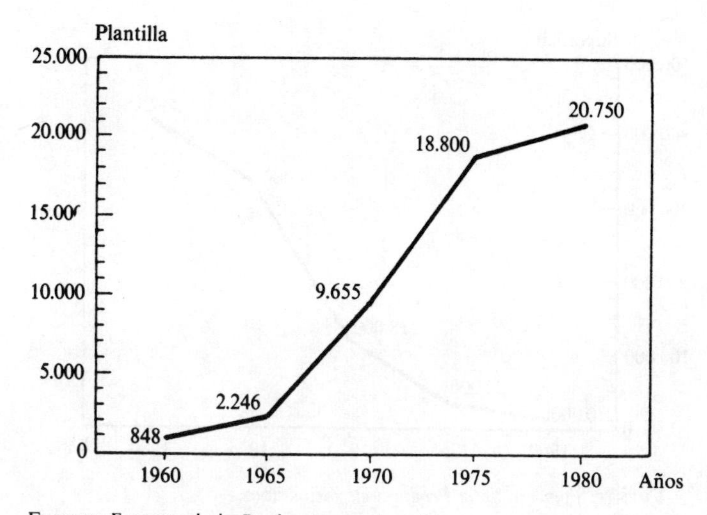

FUENTE: *Fomento de la Producción,* varios años.

Figura 10.3.—Evolución de la plantilla.

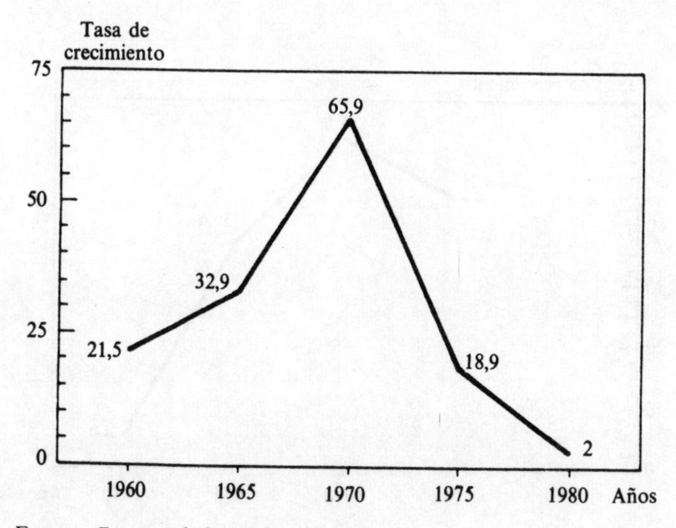

FUENTE: *Fomento de la Producción,* varios años.

Figura 10.4.—Tasa de crecimiento de la plantilla (porcentaje).

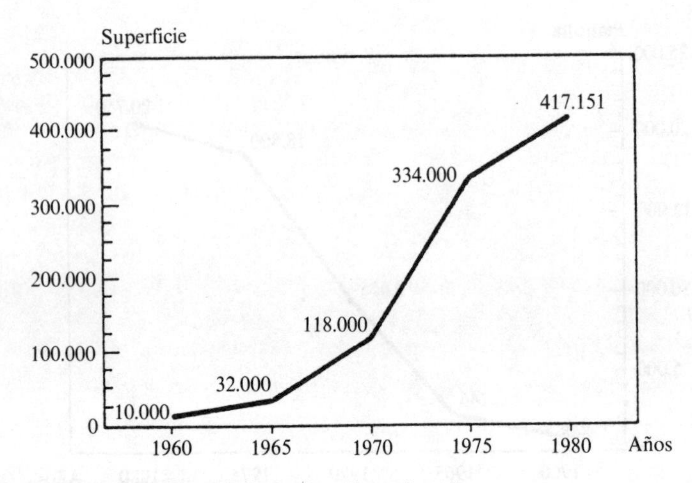

FUENTE: *Fomento de la Producción,* varios años.

Figura 10.5.—Superficie de ventas (m^2).

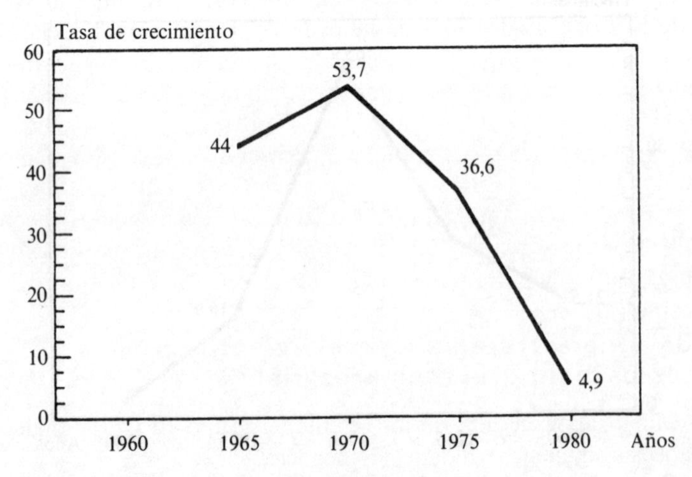

FUENTE: *Fomento de la Producción,* varios años.

Figura 10.6.—Tasa de crecimiento de la superficie de ventas.

integración vertical y de explotación externa de servicios o actividades propias de la compañía desarrollada en estos años. Así, primero se constituye la sociedad Móstoles Industrial, S. A., por el grupo de accionistas de El Corte Inglés el 6 de mayo de 1966, con un capital de cuatro millones de pesetas. Esta compañía surge como consolidación profesional del departamento de carpintería y de fabricación de muebles de madera de cocina. Sociedad que fabrica y vende la conocida marca «Forlady». Después se constituye la sociedad Viajes El Corte Inglés, S. A., el 3 de noviembre de 1969, filial al 100 por 100 de El Corte Inglés, con un capital social de cinco millones de pesetas. Esta compañía se monta en base al departamento que organizaba los viajes de trabajo del personal.

Otra línea de decisiones para fortalecer y asegurar el crecimiento del grupo fue la de apoyar a INDUYCO a través de la creación de dos filiales, propiedad al 100 por 100: Confecciones Teruel, S. A., radicada en esa ciudad y constituida el 5 de mayo de 1975 con cien millones de pesetas de capital social, e Industrias del Vestido, S. A., radicada en Cáceres y constituida el 24 de junio de 1976 con un capital social de cincuenta millones de pesetas.

Con el fin de facilitar los procesos de crecimiento y adaptación de los centros comerciales de la empresa se crea, en mayo de 1976, con un capital social de un millón de pesetas, propiedad al 100 por 100 de El Corte Inglés, S. A., la filial Construcción, Promociones e Instalaciones, S. A.

Más adelante se crea la sociedad Hipercor, S. A., filial al 100 por 100 de El Corte Inglés, el 2 de julio de 1979, con capital social de un millón de pesetas y que se amplía al año siguiente a mil millones de pesetas. El papel estratégico de esta compañía y su evolución serán consideradas en la segunda parte de este caso.

Pero el crecimiento del grupo empresarial no cesará, tampoco en los próximos años. En la década de los ochenta son varias las sociedades que se constituyen, ampliando el horizonte de sus negocios y configurando de forma decidida una determinada estrategia de crecimiento. Veamos la misma a continuación.

10.3. Una estrategia de crecimiento para un grupo empresarial

Al finalizar la década de los setenta, el grupo El Corte Inglés presentaba las siguientes unidades de negocio:

— La distribución comercial en grandes superficies: Grandes Almacenes e Hipermercados (El Corte Inglés, S. A., e Hipercor, S. A.).

— La confección textil: elaborándose todo tipo de productos con diversas marcas (Industrias y Confecciones, S. A.; Confecciones Teruel, S. A., e Industrias del Vestido, S. A.).
— La fabricación de mobiliario de cocina, comercial, de oficina y para hoteles. Instalaciones de almacenaje y transporte y tablero aglomerado y melaminado (Móstoles Industrial, S. A.).
— Agencia de viajes (Viajes El Corte Inglés, S. A.).
— Obras de construcción y reformas de centros comerciales (Construcción, Promociones e Instalaciones, S. A.).

Como se puede comprobar, todo ello pivota, en un principio en los centros comerciales del grupo, los cuales venden todos esos productos, aunque también hay que decir que tanto INDUYCO como Móstoles Industrial desarrollan determinadas marcas que comercializan con independencia de la sociedad base y a través de tiendas especializadas en régimen de franquicia, casos de las marcas «Tintoretto», «Cedosce», «Miguel Berbel», «Forlady», etc. Este campo de actividad muestra ya determinada estrategia de diversificación concéntrica, tanto con integración vertical como con desarrollo horizontal de productos y mercados.

Durante los años ochenta la evolución económica de El Corte Inglés, S. A., como buque insignia del grupo empresarial ha sido muy positiva, a la vez que el resto de las sociedades han ido buscando expandir sus actividades de forma similar que en el pasado, es decir, aprovechando las oportunidades de mercado y siempre basándose en la experiencia acumulada por la compañía. En las figuras 10.7, 10.8 y 10.9 se puede observar la evolución mencionada.

En cuanto a la expansión del negocio, se puede mencionar que INDUYCO crea dos filiales nuevas: la primera el 19 de diciembre de 1980, Investrónica, S. A., con un capital social de un millón de pesetas, propiedad 100 por 100 de aquélla. La segunda, Invesgén, S. A., el 15 de febrero de 1985, con un capital de un millón de pesetas, también propiedad total de INDUYCO. La primera se dedica al sector de la electrónica e informática: fabricación de microordenadores, alta fidelidad y diseño de *software;* la segunda se orienta a la utilización de tecnologías avanzadas en la bioquímica y la genética y sus aplicaciones en la comercialización de productos cosméticos. El nacimiento de estos nuevos negocios es el resultado de la experiencia acumulada por el departamento de proceso de datos de la sociedad matriz y el desarrollo de sistemas de diseño y confección asistidos por ordenador.

También El Corte Inglés, S. A., en el inicio de los ochenta, amplía el número de filiales comprando dos sociedades: Centro de Seguros, Correduría de Seguros, S. A., con un capital de quinientas mil pesetas

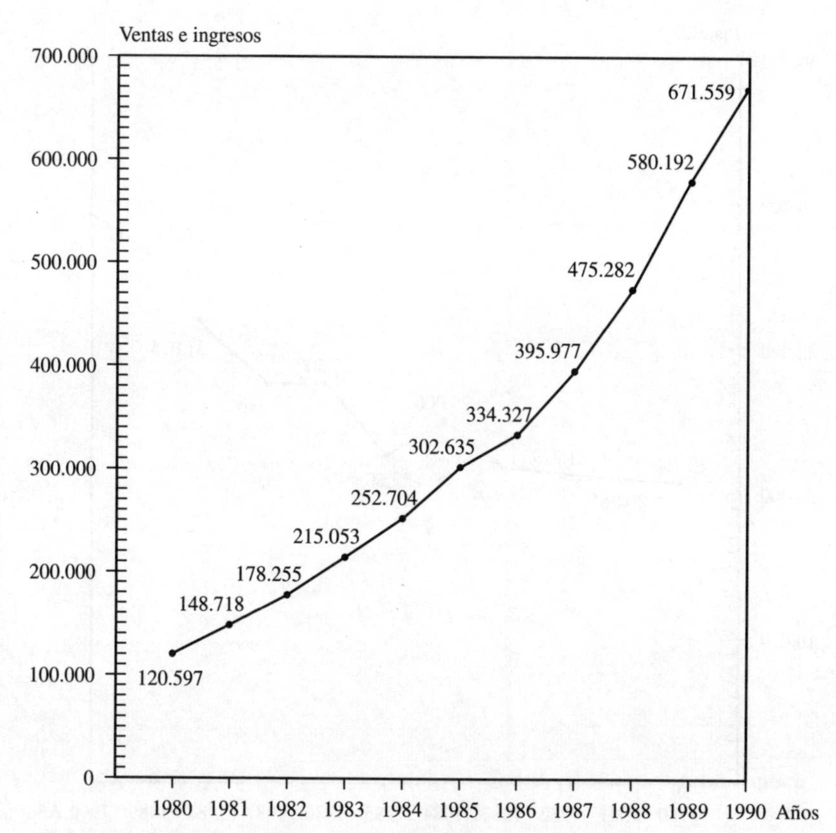

FUENTE: *Fomento de la Producción* y *Memorias de la empresa*, varios años.

Figura 10.7.—Evolución de las ventas de El Corte Inglés, S. A. (en millones de pesetas).

y Videcor, S. A., con un capital de cinco millones de pesetas. Ambas controladas al 100 por 100 y dedicadas, la primera a actuar como mediadora de seguros y a asesorar y diseñar productos para la protección del patrimonio familiar, y la segunda a explotar los videoclubs de los centros comerciales de El Corte Inglés y de Hipercor, filial que en la actualidad no existe, habiéndose integrado en los propios centros comerciales. En febrero de 1988 se crea Informática El Corte Inglés, S. A., con un capital de un millón de pesetas, 100 por 100 propiedad de la matriz y que ya en la actualidad cuenta con un capital social de 500 millones de pesetas. Esta sociedad se dedica a la comercialización de productos y servicios informáticos. En diciembre de 1989 se crean tres nuevas filiales: Seguros El Corte Inglés, Vida, Pensiones y Reasegu-

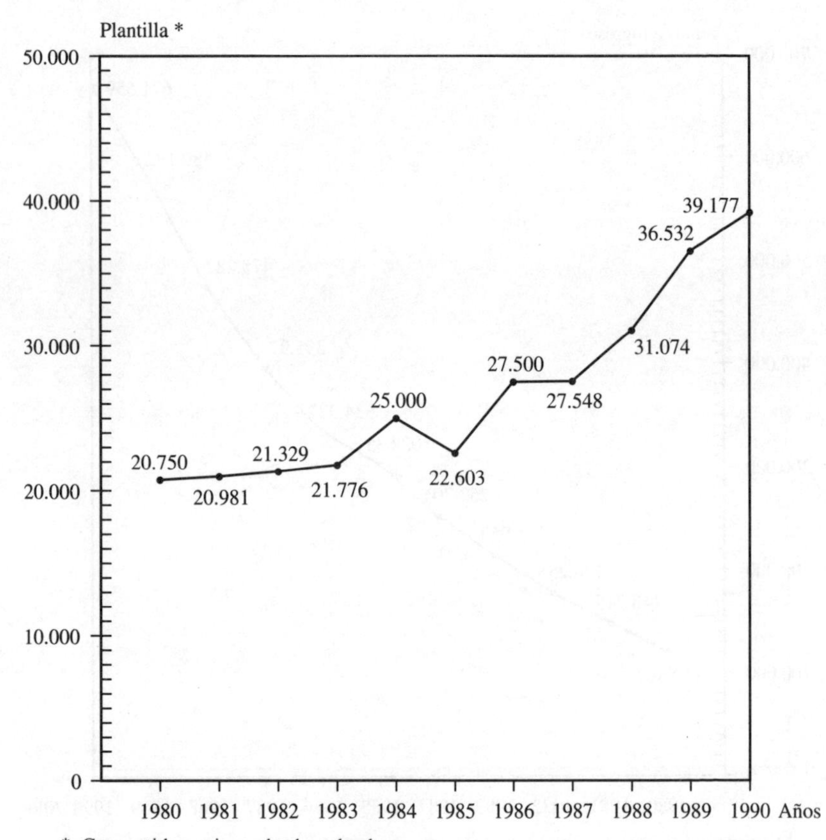

* Convertida en jornada de ocho horas.

FUENTE: *Fomento de la Producción* y *Memorias de la empresa*, varios años.

Figura 10.8.—Evolución de la plantilla de El Corte Inglés, S. A.

ros, S. A.; Seguros El Corte Inglés, Ramos Generales y Reaseguros, S. A. (que iniciaron su actividad en el ejercicio 1990-1991, una vez obtenida la autorización, mediante orden del Ministerio de Economía y Hacienda de 19 de octubre de 1990), y Editorial Centro de Estudios Ramón Areces, S. A. La primera se constituyó con un capital de 1.500 millones de pesetas para actuar en cualquier modalidad del seguro o reaseguro que cubre riesgos sobre la vida humana. La segunda se creó con 120 millones de pesetas de capital social para actuar en los ramos de accidentes, enfermedad, asistencia en viaje y todos aquellos que cubren daños a las cosas. Y la tercera se constituye con un capital de 10 millones de pesetas para desarrollar la actividad principal de edición de

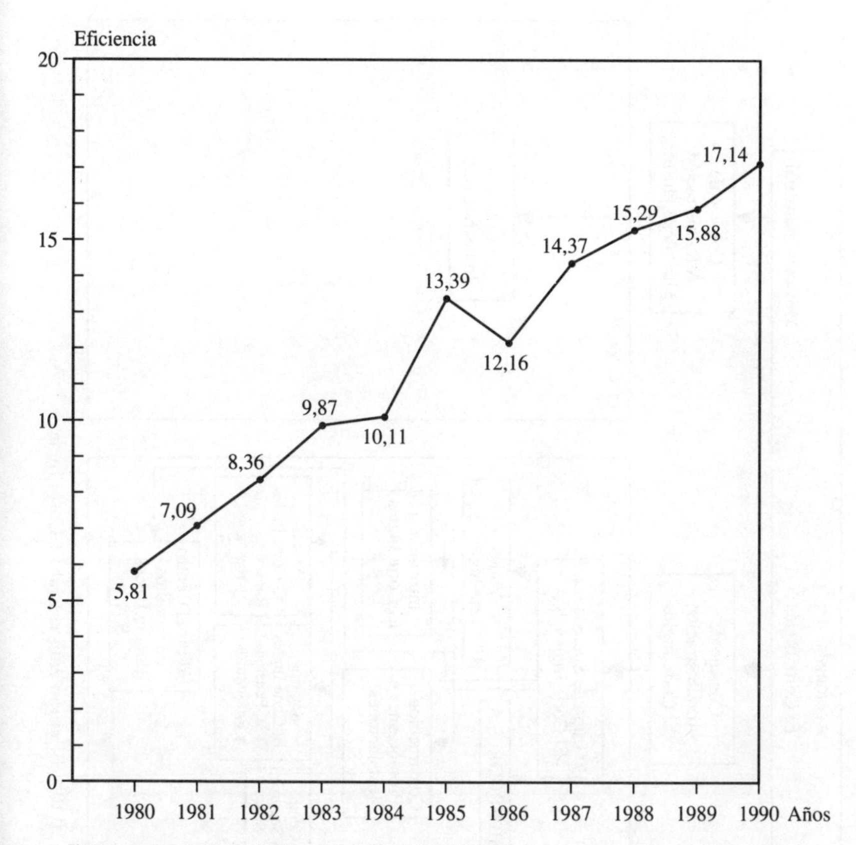

FUENTE: *Fomento de la Producción* y *Memorias de la empresa*, varios años.

Figura 10.9.—Eficiencia (ventas por empleado) de El Corte Inglés, S. A. (en millones de pesetas).

libros de ámbito universitario. En definitiva, el grupo empresarial presenta una estructura característica (véase Fig. 10.10), capaz de dar respuesta claramente a una diversificación del tipo concéntrico, la cual queda gráficamente expuesta en el figura 10.11.

Centrándonos sólo en El Corte Inglés, S. A., la evolución económica de la compañía en los últimos cinco ejercicios ha sido muy importante, tal y como muestra el cuadro 10.2, no sólo en cuanto al crecimiento sostenido, sino por el incremento de la rentabilidad sobre ventas.

La importancia del grupo de sociedades El Corte Inglés se recoge en el cuadro 10.3, en el que aparecen las magnitudes económicas prin-

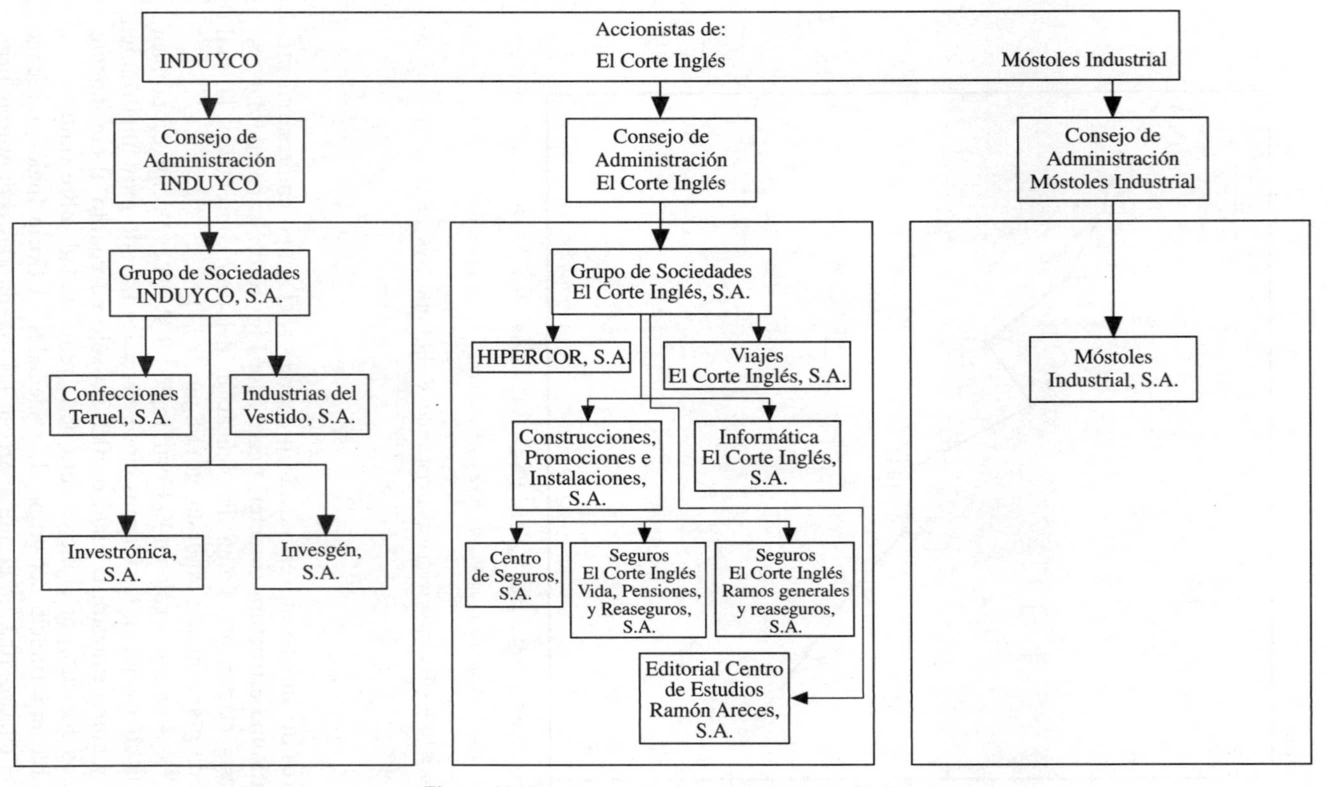

Figura 10.10.—El grupo empresarial El Corte Inglés.

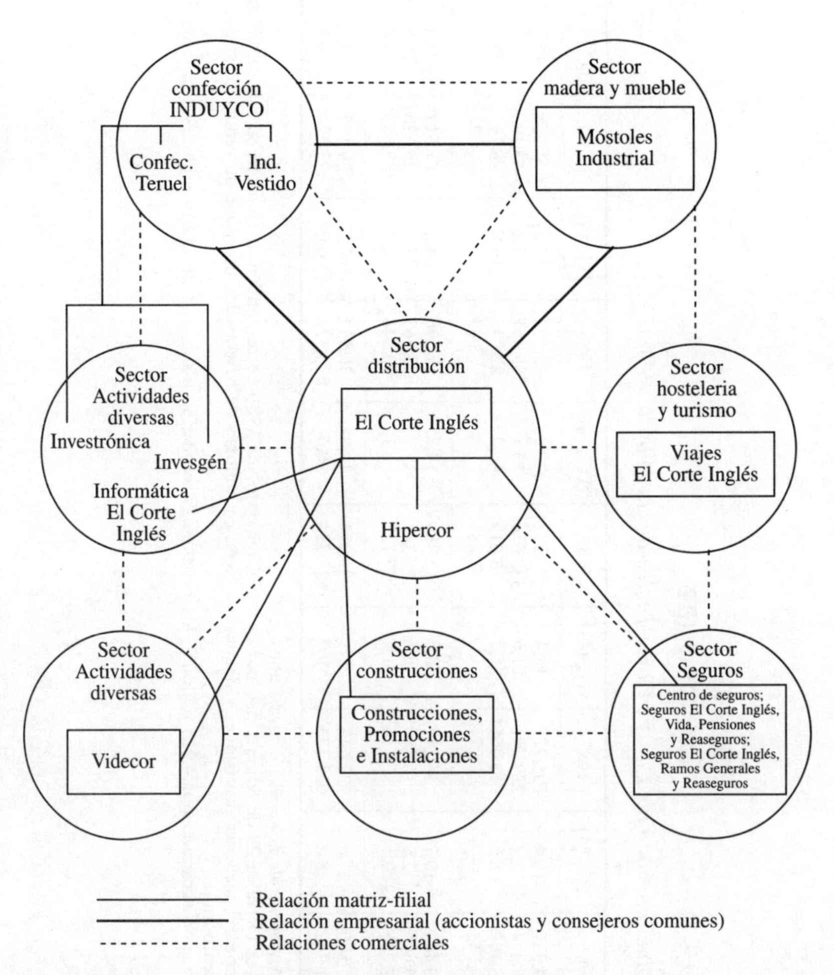

Figura 10.11.—La estrategia de crecimiento con diversificación concéntrica del grupo El Corte Inglés.

cipales consolidadas y referentes al último ejercicio cerrado[2]. Si a estas magnitudes añadimos las del grupo de INDUYCO y Móstoles Industrial, la cifra de ventas será superior a los 900.000 millones de pesetas, dato que ya ofrecimos al principio del caso.

---

[2] Hay que indicar que las sociedades consolidadas son: El Corte Inglés, S. A. (matriz) y las filiales, Hipercor, S. A., Viajes El Corte Inglés, S. A., Construcción, Promociones e Instalaciones, S. A., Centro de Seguros, S. A., Informática El Corte Inglés, S. A. y Editorial Centro de Estudios Ramón Areces, S. A.

CUADRO 10.2

Evolución económica de El Corte Inglés desde 1986 a 1990

Conceptos	1986	TC (%)	1987	TC (%)	1988	TC (%)	1989	TC (%)	1990	TC (%)
Ventas	334.327	10,4	395.977	18,4	475.282	20,0	580.192	22,0	671.559	15,7
Compras	238.294	7,2	289.791	21,6	333.576	15,1	385.051	15,4	443.292	15,1
Beneficios	8.109	8,8	11.006*	35,7	18.619	69,2	22.242	19,4	28.713	29,1
Rentabilidad (%) (sobre ventas)	2,42	—	2,77*	—	3,81	—	3,83	—	4,27	—
Inversiones	10.444	10,7	14.717	40,9	16.889	14,7	17.596	4,2	21.512	22,2
Deudas a medio y largo plazo	15.695	2,6	16.185	3,1	18.241	12,7	23.363	28,1	29.626	26,8
Deudas a corto plazo	62.275	7,1	82.116	31,8	87.127	6,1	90.844	4,2	108.655	19,6
Plantilla	27.500	21,6	27.548	0,1	31.074	12,8	36.532	17,5	39.177	7,2
Superficie de ventas	571.742	8,2	623.324	9,0	623.324	0,0	623.324	0,0	623.324	0,0

FUENTE: *Fomento de la Producción* y *Memorias de la empresa,* varios años.

Notas: El ejercicio de El Corte Inglés se cierra el 28 de febrero; así, por ejemplo, los datos de 1986 corresponden al ejercicio cerrado el 28 de febrero de 1987. Los datos de ventas, compras, beneficios, inversiones y deudas aparecen en millones de pesetas. La superficie de ventas viene dada en metros cuadrados. TC: tasa de crecimiento anual.

* De haberse contabilizado la amortización acelerada por 4.013 millones, los beneficios ascenderían a un total de 15.019 millones y la rentabilidad a 3,8.

CUADRO 16.3. *El grupo El Corte Inglés: cuentas consolidadas al 28 de febrero de 1991 (en millones de pesetas)*

A) *Balance de situación consolidado*

Activo	
Inmovilizado	168.906
Existencias	122.632
Deudores	111.828
Acciones propias	29
Tesorería	29.929
Ajustes por periodificación	2.962
TOTAL	436.286

Pasivo		
Fondos propios		211.376
Capital social	37.754	
Reservas	139.828	
Resultados consolidados	33.794	
Provisiones para riesgos y gastos		3.679
Acreedores a largo plazo		32.903
Acreedores a corto plazo		188.328
TOTAL		436.286

B) *Cuenta de pérdidas y ganancias consolidada*

Debe	
Gastos (2)	
Aprovisionamientos	574.886
Gastos de personal	141.128
Previsión para la participación estatutaria	4.100
Amortizaciones y provisiones	17.762
Otros gastos de explotación	51.221
TOTAL	789.097
Beneficio de explotación (3) (3 = 1 − 2)	48.517
Intereses y gastos asimilados (5)	6.801
Beneficio de las actividades ordinarias (6) (6 = 3 + 4 − 5)	46.169
Gastos extraordinarios (8)	210
Beneficio antes de impuestos (9) (9 = 6 + 7 − 8)	47.808
Impuesto sobre sociedades (10)	14.014
Beneficio neto del ejercicio (11) (11 = 9 − 10)	33.794

Haber	
Ingresos (1)	
Ventas	805.890
Aumento existencias comerciales	15.423
Trabajos efectuados para el inmovilizado	6.994
Otros ingresos de explotación	9.307
TOTAL	837.614
Otros ingresos (4)	
Ingresos de valores y participaciones	715
Otros intereses e ingresos	3.738
TOTAL	4.453
Ingresos extraordinarios (7)	1.849

Otro aspecto, y poco conocido, de la estrategia de diversificación del grupo es la internacionalización que ha efectuado de sus actividades, en concreto las referentes a su actividad principal como gran almacén. En el año 1983 El Corte Inglés se queda con la explotación de una cadena de almacenes de tipo medio en el estado de California, en los Estados Unidos, exactamente la Cadena Harris, propietaria de cinco centros comerciales. Su actividad se incrementó entrando recientemente en funcionamiento una sexta tienda y estando en proyecto una séptima. De otra parte, El Corte Inglés, S. A., cuenta con cinco filiales comerciales en Europa (París, Frankfurt, Londres, Lisboa y Milán), cuyo objetivo es la compra de artículos para sus centros comerciales, asimismo dispone de 31 agentes de compras repartidos por todo el mundo con el mismo objetivo, filiales y agentes de compras que se recogen en la figura 10.12.

10.4. La base, una cultura y un estilo de dirección

Este crecimiento y estos rendimientos elevados son el resultado de unos valores y de unos principios de gran arraigo en el grupo empresarial, que desde el inicio introdujo Ramón Areces, y que su equipo directivo ha sabido mantener y desarrollar.

La cultura de la empresa es un valor fundamental por el que el grupo humano se identifica claramente con la compañía, aceptando unos valores y normas de conducta y manteniendo unas actitudes, en las que, por encima de todo, prima el respeto a la persona, la lealtad tanto con la empresa como con sus compañeros y la necesidad asumida por la relación empresa-individuo de que hay que saber combinar trabajo con formación y perfeccionamiento profesional. En este sentido, la política de promoción del personal es fundamental y se apoya en un sistema de formación que cuenta con dos instituciones propias: el Instituto de Estudios Profesionales, a través del cual se imparten a todo el personal cursos de ventas, de calidad y servicio al cliente y de sistemas de gestión y, por otro, el Centro de Estudios Universitarios Ramón Areces (CEURA), centro adscrito a la UNED y en donde se cursan estudios para acceder a la Universidad, Escuela Universitaria de Estudios Empresariales, Derecho, Económicas y Empresariales y cursos monográficos para posgraduados.

El estilo de dirección de la empresa y la innovación en la gestión comercial son dos pilares del éxito empresarial de este grupo. Los principios en que se basa la dirección son muy concretos: eficacia y responsabilidad, decisiones colegiadas y en pocas manos y una cierta descentralización operativa por áreas funcionales y actividades específicas.

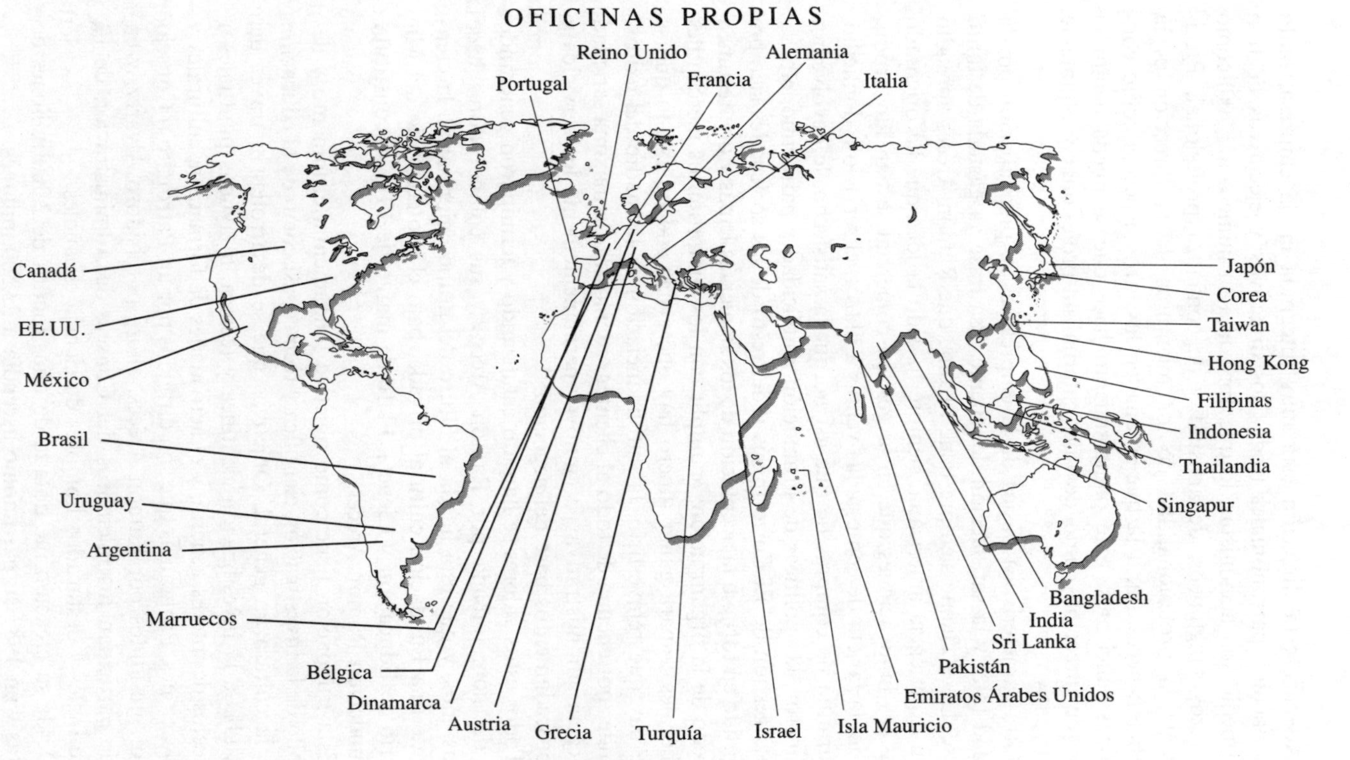
OFICINAS PROPIAS
Reino Unido
Alemania
Portugal
Francia
Italia
Canadá
EE.UU.
México
Brasil
Uruguay
Argentina
Marruecos
Bélgica
Dinamarca
Austria
Grecia
Turquía
Israel
Isla Mauricio
Emiratos Árabes Unidos
Pakistán
Sri Lanka
India
Bangladesh
Singapur
Thailandia
Indonesia
Filipinas
Hong Kong
Taiwan
Corea
Japón
AGENTES DE COMPRAS

Figura 10.12.

Además, esta dirección está muy integrada en la empresa, tanto por vínculos patrimoniales (todos los directivos y ejecutivos de tipo intermedio son accionistas, lo que aproxima su número a 1.700) como por lazos sanguíneos, de amistad y de confianza profesional. Precisamente la profesionalidad de los miembros de la dirección es la condición necesaria, a la que se añaden los otros aspectos como condiciones suficientes. Este planteamiento hace que se pueda definir el estilo de dirección como de tipo paternalista-profesional y altamente participativo.

Otra característica básica de la empresa es su preocupación por la calidad total y la satisfacción del cliente. Esa frase ya gastada de tanto usarse de «el cliente siempre tiene razón», que Ramón Areces aprendió en su experiencia americana, siempre ha sido la idea que ha orientado todas las innovaciones que en la gestión comercial se han ido produciendo: la tarjeta de compra, las ventas a plazos, el servicio a domicilio, la garantía de compras de que «si no queda satisfecho, le devolvemos su dinero», las políticas de promoción, publicidad y patrocinio, etc.

La gestión de El Corte Inglés y del resto de las sociedades siempre ha girado en torno a la aceptación de los siguientes lemas y que resumen el credo de la organización: «cumplir con los compromisos mercantiles y laborales»; «para ganar dinero hay que evitar endeudarse, lo que se gane hay que reinvertirlo, la autofinanciación es la madre del éxito»; «atender por encima de todo al cliente», «demostrar la máxima seriedad y eficacia administrativa» e «innovar permanentemente los servicios y los procedimientos base del negocio».

Todos estos valores se han ido catalizando y terminaron generando una decisión, tomada por Ramón Areces y sus colaboradores hace varios años, y que está ligada al futuro del grupo empresarial: la creación de una Fundación cultural privada, bajo el protectorado del Ministerio de Educación y Ciencia. El 16 de marzo de 1976 se constituye la Fundación Ramón Areces.

Esta Fundación tiene como objetivo fundamental el fomento y desarrollo de la investigación científica y técnica, así como de la educación y de la cultura en general. Objetivos que se desarrollan a través de: *a*) ayudas a la investigación científica y técnica; *b*) ayudas puntuales a proyectos de interés general, y *c*) actividades de formación, culturales y publicaciones. Programas que son dirigidos por un Patronato o Consejo Rector presididos por Ramón Areces, ahora por Isidoro Álvarez, y en donde participan los miembros del Consejo de Administración de El Corte Inglés y destacados hombres de ciencia españoles.

Desde su creación fue dotada de unos fondos de 2.000 millones de pesetas y en 1987 su patrimonio ascendía a 23.500 millones.

El testamento de Ramón Areces, cuya fecha de otorgamiento era el 27 de octubre de 1976, que fue leído el 18 de agosto de 1989, deja como «heredera universal de todos sus bienes» a la Fundación, por lo que recibe en herencia cerca de 36.500 millones, y en consecuencia su fondo se estima en 60.000 millones de pesetas. De esta forma la Fundación Ramón Areces detenta el control absoluto del grupo empresarial, al tener prácticamente la casi totalidad de las acciones de sus sociedades salvo el importante paquete que posee el Consejo de Administración.

BIBLIOGRAFÍA

Artículos y noticias publicadas en la prensa española y europea en estos últimos años.

Areces, R.: Discurso de investidura de Doctor Honoris Causa por la Universidad de Oviedo.

Bueno, E.: «El Caso El Corte Inglés», en *Dirección estratégica de la empresa,* Pirámide, Madrid, 1991 (tercera edición).

Dauder, E.: *Los empresarios,* Dopesa, Barcelona, 1974.

Fomento de la Producción, diversos años.

Memorias de El Corte Inglés.

Memorias de la Fundación Ramón Areces.

PARTE SEGUNDA: HIPERCOR

10.5. La creación de Hipercor: un hipermercado nuevo

No se podría haber entendido el caso Hipercor sin haber estudiado previamente el caso de El Corte Inglés, tanto como sociedad matriz como en su consideración de grupo empresarial.

Hay que recordar que la sociedad Hipercor, S. A., fue creada el 2 de julio de 1979 con un capital social de un millón de pesetas, propiedad 100 por 100 de El Corte Inglés, S. A. Habría que señalar que, al año siguiente de su creación, la cifra de capital se amplía a mil millones de pesetas y que diez años más tarde dispone de unos recursos propios de casi 11.000 millones de pesetas, es decir, un proceso de capitalización o de crecimiento patrimonial de más de mil millones al año.

La constitución de Hipercor representa la tercera filial creada por El Corte Inglés, S. A., de las existentes y la séptima compañía constituida en el grupo empresarial.

Hipercor, S. A., centra su actividad en el sector de grandes almacenes y cadenas alimenticias y más en concreto en el subsector de hipermercados.

La fórmula del hipermercado tiene una relativa modernidad en España, en comparación con su aparición en Europa. En nuestro país, surge hace dieciocho años, cuando como forma comercial se presenta por primera vez en Francia al inicio de la década de los sesenta, correspondiendo su primer diseño a Marcel Fournier. Exactamente el primer hipermercado español se abría en diciembre de 1973 en Prat de Llobregat (Barcelona) por la compañía Pryca. Esta nueva fórmula se fue desarrollando por Bélgica, Países Bajos, Suiza, Gran Bretaña, etc. Fórmulas similares de grandes superficies en régimen de autoservicio, según la versión francesa, han sido desarrolladas por otros países como los Estados Unidos y Alemania.

La definición clásica del hipermercado es la del Instituto Francés del Libre Servicio, que dice que «es aquel establecimiento de venta detallista que, con más de 2.500 metros cuadrados de superficie de venta, realiza sus operaciones comerciales en régimen de autoservicio y pago de una sola vez en las cajas de salida y dispone, asimismo, de un aparcamiento a disposición de la clientela».

El hipermercado presenta algunas diferencias claras respecto al gran almacén o «almacén especializado por secciones y departamentos». Éste se define por la Cámara Internacional de Comercio como «un establecimiento de venta minorista que ofrece un surtido amplio y relativamente profundo de bienes (principalmente de equipamiento del hogar y prendas de vestir) presentados en diferentes departamentos, usando por lo general la venta con mostrador y ofreciendo también varios tipos de servicios a los clientes».

En consecuencia, las diferencias principales y originarias son las siguientes:

	Hipermercado	Gran almacén
Gama de productos	Alimentación. Artículos para el hogar. Vestido y calzado.	Amplia y especializada.
Servicios prestados	Horario amplio. Concentración de compras. Rapidez de compras. Aparcamiento amplio.	Además servicios diversos en el propio centro y en el hogar.
Forma de venta	Autoservicio.	Principalmente a través de mostrador y con personal especializado.
Estructura de costes	Poco intensivo en trabajo y capital físico.	Relativamente intensivo en trabajo y capital físico.
Localización	En la periferia de las ciudades y cerca de vías de gran circulación. Disposición de zona de aparcamiento amplia.	Dentro de la ciudad, inclusive en zonas céntricas. Puede disponer de facilidad de aparcamiento.

La aparición del fenómeno del hipermercado en España a través de las grandes cadenas francesas, especialmente Pryca (Carrefour), Alcampo (Samu-Auchan) y Continente (Promodés), fue la lógica consecuencia de una serie de fenómenos, tipicos de las sociedades modernas desarrolladas, que acaecieron en España a mediados de los setenta: alto nivel de vida, asentamiento de amplias capas de población en grandes ciudades, masificación del transporte privado, electrificación del hogar, incorporación creciente de la mujer al mercado de trabajo e importancia creciente del ocio en la vida cotidiana.

Hay que señalar que, con el paso del tiempo, algunas de las diferencias señaladas entre hipermercados y grandes almacenes han ido desapareciendo, llegando a una menor separación entre ambas fórmulas. Como veremos, Hipercor, por su vinculación con El Corte Inglés, ha colaborado a esta indefinición.

La importancia del subsector del hipermercado ha ido en aumento, como se desprende de la figura 10.13, y el nivel de competencia es cada vez mayor. En este planteamiento, El Corte Inglés reaccionó relativamente pronto y así, a los cinco años de surgir la nueva fórmula en España, presentó un frente competitivo que ha ido mejorando posiciones, frente que ha protagonizado la sociedad filial Hipercor.

10.6. Hipercor como estrategia competitiva, ¿ofensiva o defensiva?

En la primera parte de este caso se destacaba la importancia del crecimiento de El Corte Inglés hasta casi finales de los setenta, especialmente medida sobre la base de las ventas de sus grandes almacenes, lo que le permitió situarse de forma destacada en el *ranking* nacional y europeo y detentar un gran potencial económico. En la década de los ochenta el crecimiento también ha sido muy importante, pero con una clara particularidad, la que viene definida por la «actuación en dos frentes»: grandes almacenes e hipermercados.

El porqué entra El Corte Inglés en este subsector puede ser justificado desde varios puntos de vista, que dejan sin contestar satisfactoriamente si esta diversificación relativa o «utilización de segunda marca» responde a una estrategia de tipo ofensivo o defensivo. Es indudable que existen circunstancias que avalan esta decisión:

— El fuerte crecimiento del sector de los hipermercados hasta 1988 (véase la figura 10.13).

— El ciclo de vida de la distribución minorista para el período 1985-2000 (véase la figura 10.14).

— La menor expectativa de crecimiento de centros comerciales El Corte Inglés para los próximos años, dadas las dimensiones de

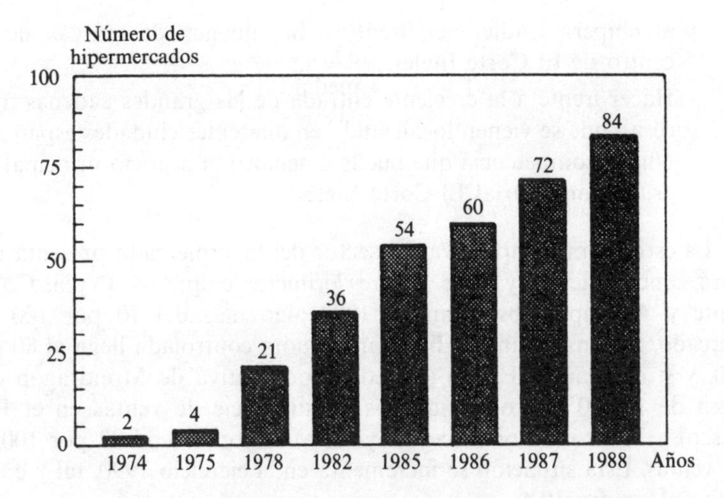

Figura 10.13.—Evolución de los hipermercados españoles hasta 1988.

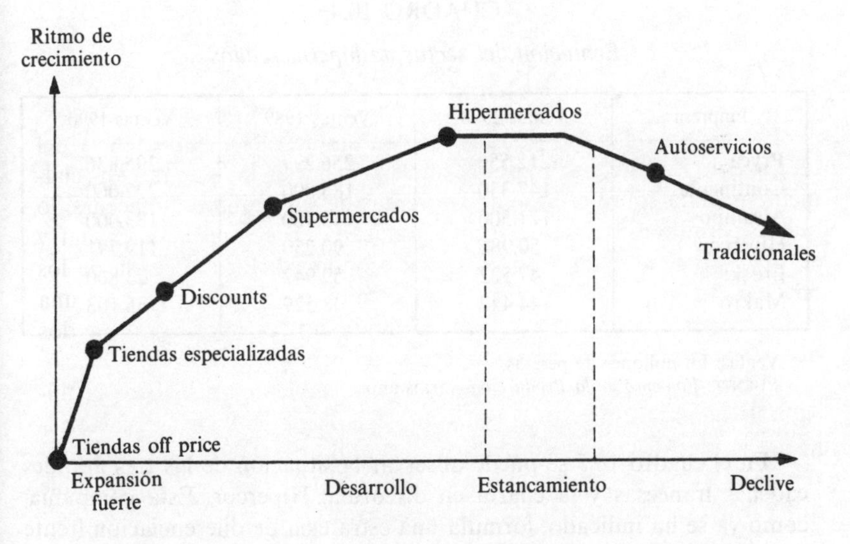

Figura 10.14.—El ciclo de vida de la distribución minorista (1985-2000).

las oportunidades de mercado, es decir, de ciudades o concentraciones grandes de población.

— La flexibilidad y ventajas económicas de la «fórmula Hipercor», con tiendas Cortty y los servicios y tiendas especializadas, junto al «hiper» tradicional, frente a la «imagen de marca» de un centro de El Corte Inglés.

— Hacer frente a la creciente entrada de las grandes cadenas francesas, que se vienen localizando en diferentes ciudades españolas. Nueva competencia que puede amenazar el negocio principal del grupo empresarial El Corte Inglés.

La estructura competitiva del sector del hipermercado presenta una clara concentración, ya que las tres primeras empresas, Pryca, Continente y Alcampo, absorbían en 1988 algo más del 70 por 100 del mercado. Si consideramos Hipercor la cuota controlada llega al 80 por 100, y si agregamos Eroski (sociedad cooperativa de Mondragón con cerca de 12.000 metros cuadrados de superficie de ventas en el País Vasco) y Makro (autoservicio mayorista) se controla el 92 por 100 de las ventas. Esta situación se incrementa en el ejercicio 1990, tal y como indica el cuadro 10.4.

CUADRO 10.4

Evolución del sector de hipermercados

Empresa	Ventas 1988	Ventas 1989	Ventas 1990
Pryca	212.556	256.299	295.836
Continente	147.330	185.000	227.000
Alcampo	121.500	143.400	183.000
Hipercor	50.986	90.250	119.791
Eroski	47.522	59.942	73.860
Makro	44.442	48.529	55.103

Ventas: En millones de pesetas.
FUENTE: *Fomento de la Producción*, varios años.

En el cuadro 10.5 se puede observar la situación de las tres grandes cadenas francesas y la cuarta en discordia: Hipercor. Esta compañía, como ya se ha indicado, formula una estrategia de diferenciación frente a sus competidores, basándose en la ventaja competitiva que representa la imagen de El Corte Inglés y de sus marcas, más en concreto la marca Cortty.

La estrategia de Hipercor se apoya en una especie de marketing-mix entre el concepto tradicional de hipermercado y la gama de productos y servicios principales del gran almacén. Para ello se combinan los siguientes elementos:

— Gran superficie para hipermercado.
— Tiendas Cortty que ofrecen una gama amplia de productos y servicios apoyadas por la imagen de El Corte Inglés.
— Tiendas especializadas para ofrecer productos y servicios concretos en régimen de franquicia.

CUADRO 10.5

Los grandes competidores nacionales en el negocio del hipermercado

Empresa	Ventas			Super. de venta (m^2)		Centros	
	1989	1990	TAC	1990	Vtas/m^2	1990	Vtas/Centro
Pryca	256.299	295.836	15,4	243.473	1,21	29	10.201,2
Continente	185.000	227.000	22,7	165.556	1,37	19	11.947,3
Alcampo	143.400	183.000	27,9	158.969	1,15	18	10.166,6
Hipercor	90.204	119.791	32,8	146.000	0,82	9	13.310,1

Ventas: En millones de pesetas.
TAC: Tasa de crecimiento anual (%).
FUENTE: *Fomento de la Producción, Alimarket,* varios años, y elaboración propia.

Con este nuevo planteamiento, la penetración en el sector ha sido grande, teniendo Hipercor un fuerte crecimiento en estos últimos años. En el cuadro 10.4 se constata cómo la sociedad está creciendo más que sus más directos competidores, tanto en ingresos como en superficie de ventas. Las inversiones de Hipercor están siendo grandes para lograr en muy poco tiempo acercarse a los líderes del sector. El centro de Barcelona era el mayor de España en 1987 con una superficie de 12.700 metros cuadrados, pero dicha superficie ha sido ampliamente superada por uno de los centros abiertos en 1989, con el nombre de «San José de Valderas», y ubicado en Alcorcón (Madrid), que dispone de 27.934 metros cuadrados y cerca de 2.000 plazas de aparcamiento. En el mes de junio de 1991 se ha vuelto a proceder a ampliar la superficie construida en 8.000 metros cuadrados, con un nuevo edificio, que destina 34.000 metros cuadrados a la venta de artículos para el hogar, mobiliario y decoración. Otro centro de gran dimensión es el «Costa Luz», en Huelva, inaugurado en noviembre de 1990 y con una superficie de venta de más de 21.000 metros cuadrados.

Todos estos aspectos y las situaciones o resultados alcanzados por Hipercor muestran matices de una estrategia que, según algunos, puede catalogarse de defensiva, pero que, sin duda, según otros, ofrece una tipología claramente ofensiva. Sin duda, el grado de complementariedad con la unidad estratégica de negocios de gran almacén existe, y además provocando importantes efectos sinérgicos dentro de grupo empresarial.

10.7. La evolución de Hipercor

El crecimiento de Hipercor ha sido muy importante, tanto o más que el logrado por su matriz. Es indudable que el grupo empresarial está manejando dos formas de crecer: una más lenta, vía grandes almacenes, y una segunda, más rápida, vía hipermercados, en función de las opciones de expansión que muestra el mercado nacional.

En el cuadro 10.6 se recoge el proceso de apertura de todos los centros comerciales, tanto de El Corte Inglés como de Hipercor, y también los nuevos centros que esperan ser abiertos entre 1992 y 1994. Esta información está segmentada por décadas, una forma de ver la intensidad cíclica del crecimiento de ambas sociedades.

La medida del crecimiento de Hipercor la vamos a efectuar basándonos en dos conceptos: cifra de ventas y superficie de ventas, lo que nos permitirá calcular para los últimos cinco ejercicios, los de mayor expansión de la compañía, la eficiencia empresarial, es decir, las ventas efectuadas por metro cuadrado.

En la figura 10.15 se puede observar la evolución de las ventas en el período 1982-1990, y en la figura 10.16 se muestra la evolución habida en la superficie de ventas, expresada en metros cuadrados.

La eficiencia empresarial de Hipercor o ventas por metro cuadrado presenta una evolución positiva, tal y como se recoge en la figura 10.17, exponente del éxito de la estrategia formulada por la compañía y que le asegura el ir mejorando su posición competitiva en el sector para los próximos años. De todas formas, hay que aclarar que la fuerte ampliación de la superficie de ventas en 1990 no ha sido efectiva en todo el año, ya que el centro de Huelva se inaugura en noviembre de 1990, y en esas fechas se está ampliando el de Las Salesas de Oviedo de forma importante. Por ello, es de esperar que cuando operen a normal funcionamiento los centros nuevos y las ampliaciones en marcha podrá colocarse entre la segunda y tercera posición del sector. Es evidente que en los próximos años se va a presenciar una gran lucha por ver quién va a dominar el sector de los hipermercados. Lo que sin duda parece claro es que Hipercor está bastante bien posicionada para hacer frente a este reto competitivo.

CUADRO 10.6

La apertura de centros comerciales de El Corte Inglés e Hipercor

El Corte Inglés				Hipercor		
Año	Número	Ciudad	Total década	Número	Ciudad	Total década
1940	1	Madrid (calle Preciados)	1	—	—	—
1962	1	Barcelona (plaza Cataluña)	—	—	—	—
1966	1	Madrid (calle Goya)	—	—	—	—
1968	1	Sevilla (P. del Duque)	—	—	—	—
1969	2	Bilbao y Madrid (P.º Castellana)	5	—	—	—
1971	1	Valencia (calle P. Sorolla)	—	—	—	—
1973	1	Murcia	—	—	—	—
1974	2	Barcelona (Diagonal) y Madrid (calle Princesa)	—	—	—	—
1975	1	Vigo	—	—	—	—
1977	1	Las Palmas	—	—	—	—
1979	1	Málaga	7	—	—	—

CUADRO 10.6 *(continuación)*

	El Corte Inglés			Hipercor		
Año	Número	Ciudad	Total década	Número	Ciudad	Total década
1980	—	—	—	1	Sevilla	—
1981	1	Zaragoza	—	—	—	—
1982	1	Valencia (nuevo centro)	—	—	—	—
1983	—	—	—	1	Jerez	—
1984	—	—	—	1	Oviedo	—
1985	1	Sevilla (calle Nervión)	—	—	—	—
1986	1	La Coruña	—	1	Barcelona	—
1987	—	—	—	1	Granada	—
1988	1	Valladolid	—	1	Gerona	—
1989	1	Alicante	6	1	Alcorcón (San José de Valderas)	—
				1	Gijón (Costa Verde)	8
1990	1	Sabadell	1	1	Huelva (Costa Luz)	1
Total actual	20		20	9		9
Previsto 1992-1994	—	—	—	2	Madrid (Méndez Álvaro M-30) y Pozuelo de Alarcón (M-40)	2
Total actual y previsto	20		20	11		11

FUENTE: Memorias de las sociedades, varios años, y elaboración propia.

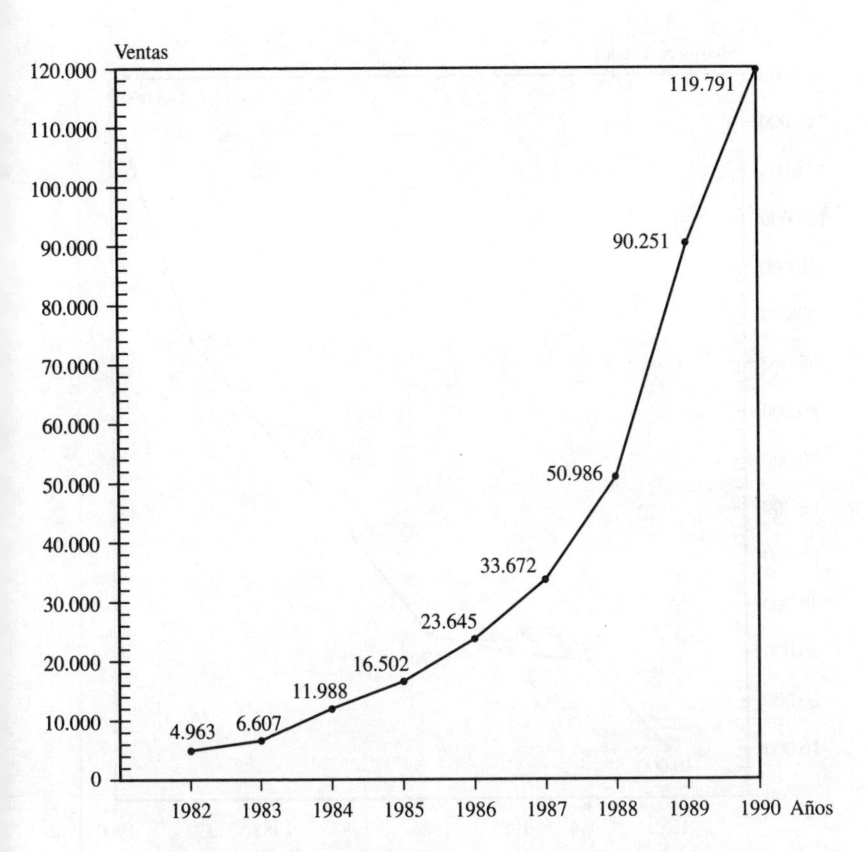

Figura 10.15.—Evolución de las ventas (en millones de pesetas).

10.8. Conclusión

El último caso que presentamos viene a ser como una glosa de todos los fundamentos de dirección estratégica anteriores. En el mismo se dan, sin lugar a dudas, todos los factores de éxito que hemos venido exponiendo a lo largo de esta obra.

Además, este caso se presenta en dos partes. La primera recoge un análisis de lo acontecido en la sociedad El Corte Inglés, compañía matriz y central del grupo empresarial, y la segunda parte trata de la constitución y evolución de Hipercor, S. A., sociedad filial de la anterior y de un gran interés estratégico para el grupo. La justificación de cada parte estriba en la importancia de las sociedades, por lo que realmente este capítulo comprende dos casos de compañías vinculadas y que se

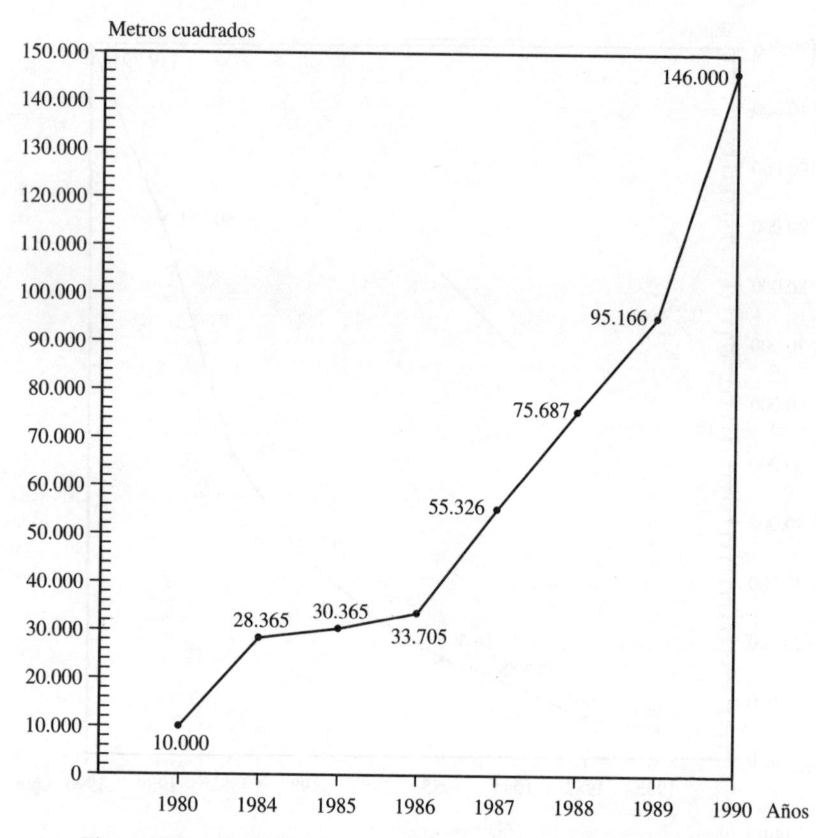

Figura 10.16.—Evolución de la superficie de ventas (en metros cuadrados).

integran por razones de una mejor comprensión de la estrategia global seguida por el grupo El Corte Inglés.

Estas razones nos han llevado a que presentemos conjuntamente ambas partes, ambos casos específicos, ya que responden a una misma unidad empresarial. En esta conclusión se van a considerar una serie de aspectos que son comunes a cada una de las sociedades, precisamente en coherencia con los atributos principales que queremos destacar, por lo que a partir de ahora sólo estaremos refiriéndonos al caso que El Corte Inglés e Hipercor configuran.

Los aspectos importantes del caso residen en la auténtica existencia del concepto de *entrepeneurship* o de la función empresarial, en todas sus manifestaciones. Función que ha protagonizado durante muchos años su presidente, recientemente fallecido, Ramón Areces y que han sabido continuar sus últimos colaboradores en las tareas de dirección.

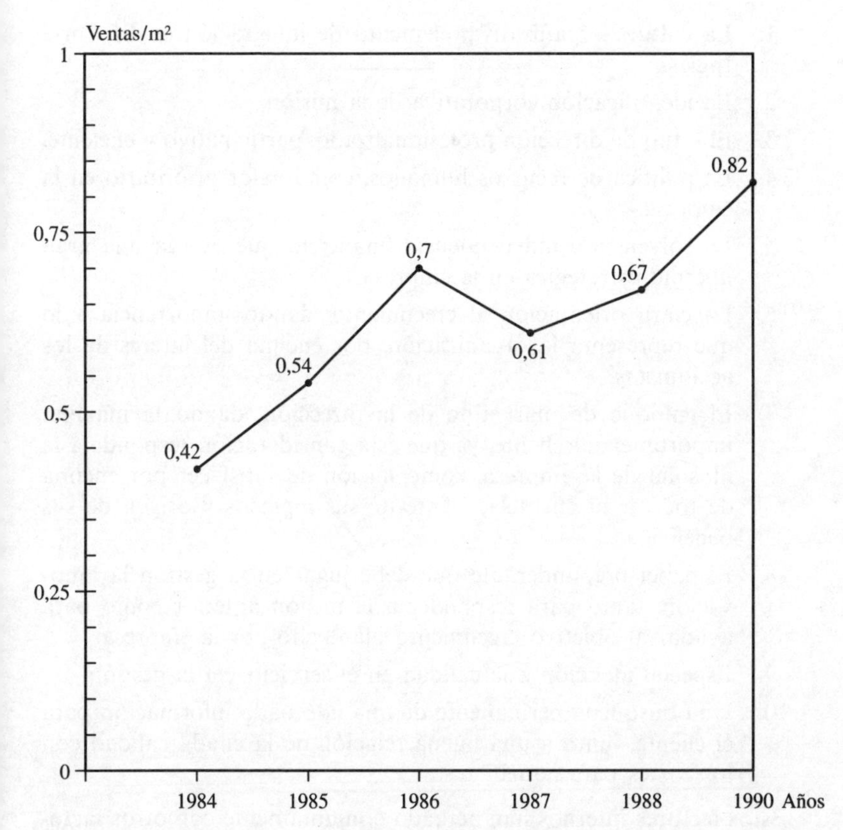

Figura 10.17.—Evolución de la eficiencia empresarial (ventas/metros cuadrados en millones de pesetas).

Los factores del éxito de esta empresa siempre han radicado en una serie de aforismos que han constituido su credo, correspondiendo a la mayoría de los expuestos en el capítulo 2.

1. Considerar que el éxito de una empresa se basa en la integración del equipo humano.
2. La autofinanciación es la clave y evitar endeudarse es la madre del éxito.
3. Atender por encima de todo al cliente, demostrar la máxima seriedad comercial e innovar permanentemente para satisfacción del cliente y desarrollo del negocio.

Estos principios de la empresa integran factores tan importantes para el éxito como son los siguientes:

1. La cultura organizativa, elemento de integración en El Corte Inglés.
2. La identificación corporativa de la misión.
3. El estilo de dirección profesionalizado, participativo y eficiente.
4. La política de recursos humanos, como valor prioritario en la empresa.
5. La solvencia e independencia financiera que otorga una gran libertad estratégica en la empresa.
6. La clara orientación al crecimiento, dando importancia a lo que representa la organización, por encima del interés de los accionistas.
7. El enfoque de marketing de la dirección, dando la máxima importancia al cliente, ya que esta consideración responde a la filosofía de la empresa, como misión de satisfacer por encima de todo a su clientela, fuente de sus ingresos y origen de sus beneficios.
8. El papel preponderante que debe jugar en la gestión la innovación, tanto para responder a la misión anterior como para ayudar al objetivo crecimiento planteado por la empresa.
9. Especial atención a la calidad en el servicio y a la gestión.
10. Una búsqueda permanente de una adecuada información para el cliente, junto a una buena relación de la citada calidad con los costes para aquél.

Estos factores internos han actuado conjuntamente con otros factores externos, que la dirección de la empresa ha sabido integrar sabiamente en su estrategia de crecimiento. Una estrategia que ha seguido el eje de la diversificación concéntrica, respuesta necesaria al aprovechamiento de las oportunidades que el mercado le ha ido desvelando y ante el conocimiento de importantes demandas potenciales no cubiertas en los sectores en que actúa la empresa.

Esta estrategia empresarial ha partido, además, de una evidente explotación de sinergias, a la vez que de una correcta explotación de la experiencia acumulada en departamentos o funciones internas que se han ido desarrollando como nuevos negocios para la empresa.

Este caso, por encima de todo, es un claro ejemplo de una estrategia de crecimiento interno, en donde han intervenido experiencias, sinergias y un buen aprovechamiento de oportunidades para generar ventajas competitivas. Estrategia que ha configurado una de las empresas con mejor imagen de solidez y de eficiencia y de la máxima relevancia en Europa.

El planteamiento estratégico de El Corte Inglés hay que entenderlo bajo una visión de complementariedad y de acción conjunta de sus distintas sociedades actuantes en diferentes sectores económicos. Este comportamiento, que se observa con gran claridad entre El Corte Inglés, S. A., e Hipercor, S. A., o en otras palabras, entre un gran almacén y un hipermercado, ha permitido constituir una empresa líder y que sirve para ejemplificar la capacidad del empresario español.

Por último, cabe destacar que en el éxito de la empresa juega un papel preponderante el cómo se implanta y desarrolla la estrategia en la organización, gracias a la existencia de una cultura, de un estilo de dirección y de una política de recursos humanos singulares.

Es indudable que esta empresa genera importantes excedentes financieros que, en determinado momento, pueden plantear problemas de inversión en los negocios actuales, obligándole a continuar con su proceso de diversificación. Sobre él planea un interrogante futuro, que muchos se vienen preguntando, consistente en cuándo El Corte Inglés dará el primer paso para entrar a competir directamente en el sector bancario, cuando casi todos los elementos están a su favor.

BIBLIOGRAFÍA

Alimarket, varios años.
Distribución Actualidad, varios años.
Fomento de la Producción, varios años.
Memorias de Hipercor, S. A.
Trabajo monográfico: Especialidad de Organización (quinto curso), 1987-1988, UAM (dirigido por E. Bueno y P. Morcillo).

11.

Ceselsa: «Crecimiento a ritmo de I+D»

11.1. Los antecedentes: el origen de la empresa

La empresa conocida hoy por el nombre de Ceselsa nace en el año 1979 con el siguiente objeto social: «Proyecto, desarrollo y fabricación de equipos electrónicos con destino a aeropuertos, proyecto de datos de radar y proceso de plan de vuelo». Hasta ese año era una división de electrónica profesional de la empresa Cecsa (Compañía de Electrónica y Comunicaciones, S. A.), cuya sede social se encontraba en Barcelona. A partir de esta fecha, se decide desvincular la división de electrónica profesional de la empresa madre (Cecsa), creándose dos sociedades completamente diferentes con distintos Consejos de Administración.

Tras la separación de la empresa matriz Cecsa en el año 1979, la futura Ceselsa pasó a pertenecer a una empresa catalana, la Corporación Industrial Catalana. Más tarde, Ceselsa fue adquirida al 50 por 100 por dos nuevas empresas, Hidroeléctrica de Cataluña y Catalana de Gas. Debido a problemas estructurales de ambas firmas, se decidió vender Ceselsa, y para no renunciar a su filosofía básica (generar tecnología propia) los directivos de la empresa, a través de su presidente, optaron por crear una sociedad de inversión, la Sociedad Madrileña Inversora, integrada por personas afines a la empresa, que se hicieran cargo de la misma. Esta sociedad compró Ceselsa, que por aquel entonces tenía un capital de 500 millones, saliendo inmediatamente a cotizar en Bolsa. En la actualidad, la Sociedad Madrileña Inversora sigue siendo el principal accionista de la compañía, controlando en torno al 50 por 100 del capital. Entre otros socios destacados, cabe citar al Banco Bilbao Vizcaya, con el 12 por 100 del capital, y la entidad financiera francesa Paribas, con el 10 por 100.

La empresa barcelonesa conservó el nombre de Cecsa, y la de Madrid pasó a denominarse Cecsa Sistemas Electrónicos. A partir de 1982, Cecsa empieza a tener problemas debido a la competencia ejercida por las firmas japonesas en la electrónica de consumo, y la misma, tras presentar una suspensión de pagos, quiebra en 1984.

La similitud entre los nombres de las dos empresas crea gran confusión entre los clientes y proveedores, que las asocian indebidamente. Por ello, en 1984 se decide cambiar el nombre, quedando así registrado el nombre de Ceselsa en noviembre de 1985 (Ceselsa es acrónimo de Compañía Española de Sistemas Electrónicos, S. A.).

En 1986, la empresa sale nuevamente a Bolsa, para incrementar su capital de 500 millones de pesetas hasta 2.000 millones, siendo entonces el número de accionistas de 3.000 personas. En esta ampliación de capital se le concede un 10 por 100 del mismo al banco francés Paribas (la Banque de Paris et des Pays-Bas). La concesión de este 10 por 100 se hizo con la condición de que este banco no perteneciese nunca al Consejo de Administración de la empresa, de tal forma que el mismo no se pudiera inmiscuir en las decisiones de la misma. En Ceselsa se pretende evitar la dependencia de socios extranjeros tanto a nivel tecnológico como financiero. Sin embargo, la compra de este 10 por 100 por parte de Paribas significaba la constitución de la plataforma que más tarde le permitiría a Ceselsa introducirse en el mercado europeo. Concretamente, Paribas ha sido el *merchandising bank* de Ceselsa en Europa.

11.2. La constitución del grupo Ceselsa

Ante la necesidad de obtener una mayor masa crítica que le permitiese afrontar con mayores posibilidades de éxito el reto del mercado único, Ceselsa comenzó en 1987 la creación de un grupo de sociedades de mayores dimensiones. En este sentido, tomó una participación mayoritaria en Electrónica Ensa y en Aeronáutica Industrial (AISA). En 1988, y para alcanzar una envergadura internacional, Ceselsa adquirió el 40 por 100 de la compañía francesa Giravions Dorand, dedicada a la producción de equipos de simulación y de manera especial a la simulación balística. En marzo de 1990, Ceselsa funda una nueva empresa con la británica SD-SCICON, especializada en el desarrollo de simuladores civiles. En la nueva sociedad, denominada Aeronautical Systems Designers, Ceselsa dispone de una participación del 65 por 100, mientras que su socio posee el 35 por 100 restante. La empresa SD-SCICON es una de las más importantes compañías del mundo en el desarrollo de *software* y cuenta con 5.000 empleados. Ya en abril de 1991, Ceselsa ultima un acuerdo con el grupo norteamericano de electrónica Raytheon para atacar conjuntamente el mercado internacional de equipos para el control del tráfico aéreo. Como consecuencia de los primeros acuerdos de alianza alcanzados entre las dos compañías ya se han presentado ofertas conjuntas. Estas últimas incluyen la tecnología puesta a punto por Ceselsa en los subsistemas de tratamientos de planes de vuelo, así como en los simuladores de control de tráfico. Raytheon no era demasiado conocida hasta que saltó a la fama al ser el fabricante de los equipos electrónicos de los misiles anti-misil «Patriot», protagonistas de la guerra del Golfo Pérsico. En la figura 11.1 se presenta la estructura actual del grupo Ceselsa.

De esta manera, Ceselsa, desde su creación, ha llegado a formar un grupo de empresas donde trabajan hoy unos mil quinientos empleados con un volumen de facturación consolidado del orden de 14.000 millones de pesetas. A este respecto, de las figuras 11.2 y 11.3, que recogen la evolución de las ventas consolidadas y de la plantilla, se desprende que la empresa crece de forma constante.

A principio de 1989, el Ministerio de Industria y Energía en colaboración con el Instituto Nacional de Industria propone a Ceselsa fusionarse con la empresa pública Inisel para crear un gran grupo español de electrónica. Esta propuesta formaba parte de un plan de reorganización del sector electrónico diseñado en el Ministerio. El planteamiento del Ministro de Industria se estructuraba sobre la base de un reparto equitativo del capital entre las dos compañías fusionadas que habrían de controlar un 40 por 100 cada una en la empresa conjunta. El 20 por 100 restante sería ofrecido a la banca que, en su caso, actuaría como garante del equilibrio entre los dos socios industriales.

La falta de entendimiento entre Ceselsa e Inisel se hizo patente durante la segunda quincena del mes de marzo de 1990, momento en que la firma privada decidió romper las negociaciones al no estar de acuerdo con el planteamiento empresarial de los poderes públicos.

Mientras la dirección de Ceselsa defendía la filosofía de que sólo una cultura empresarial podría aportar viabilidad al proyecto, Industria apostaba por la fusión de ambas culturas empresariales. La dirección de la nueva empresa sería compartida por Ceselsa e Inisel, aunque la presidencia se reservara a la sociedad privada. De esta manera, al rechazar este modelo de empresa, Ceselsa refutaba cualquier atisbo de dirección bicéfala entendiendo que la adhesión del personal se consigue naturalmente una vez impuesta, en el seno de la corporación, una *unidad doctrinal* introductoria de un conjunto de presunciones, valores y normas de conducta y destinada a enseñar a todos los miembros cómo percibir, plantear y resolver los problemas.

Al no aceptar la fusión total de los activos de las dos empresas, Ceselsa presentó una alternativa al Ministerio de Industria. La misma proponía la posibilidad de llegar a un acuerdo de especialización que consistía en absorber las actividades de radar, mando y control, simu-

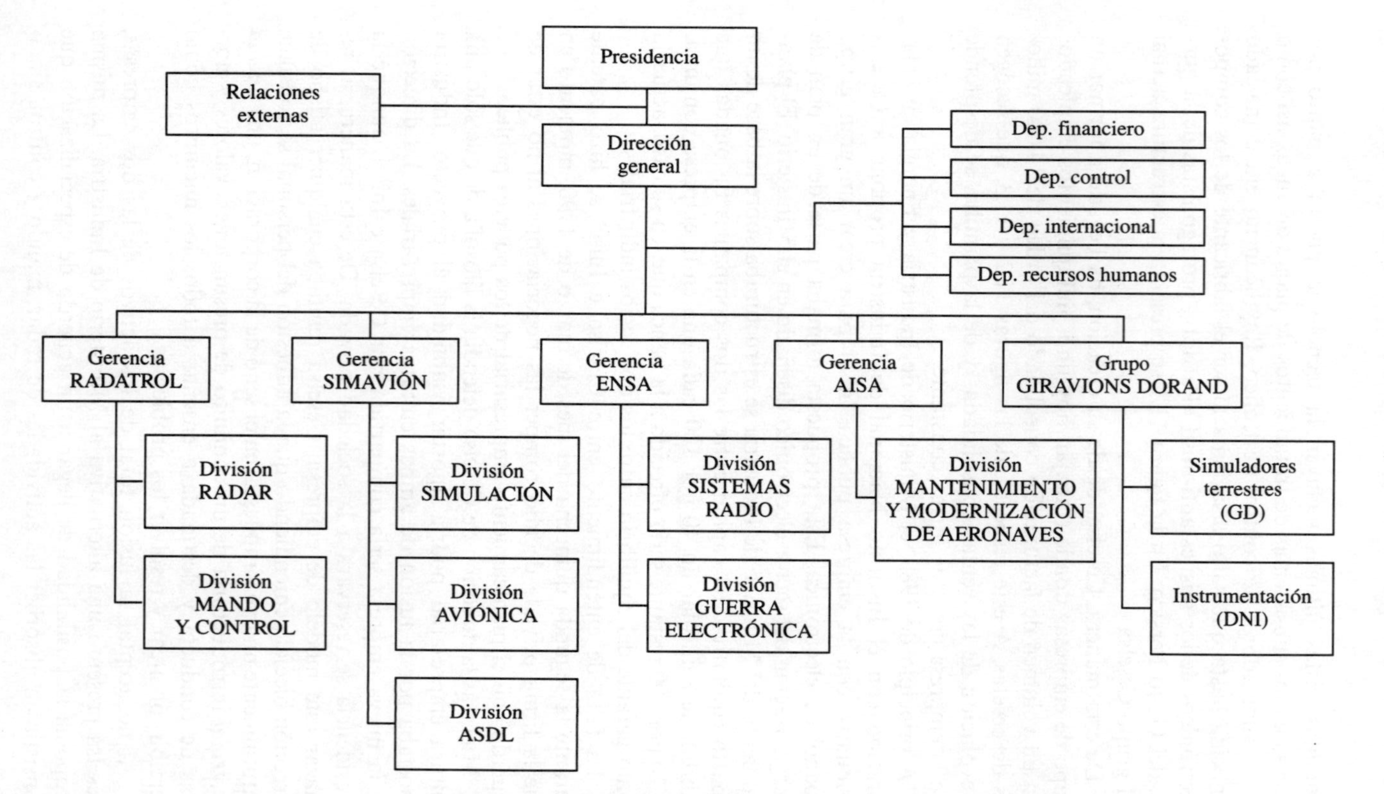

Figura 11.1.—Estructura del grupo Ceselsa.

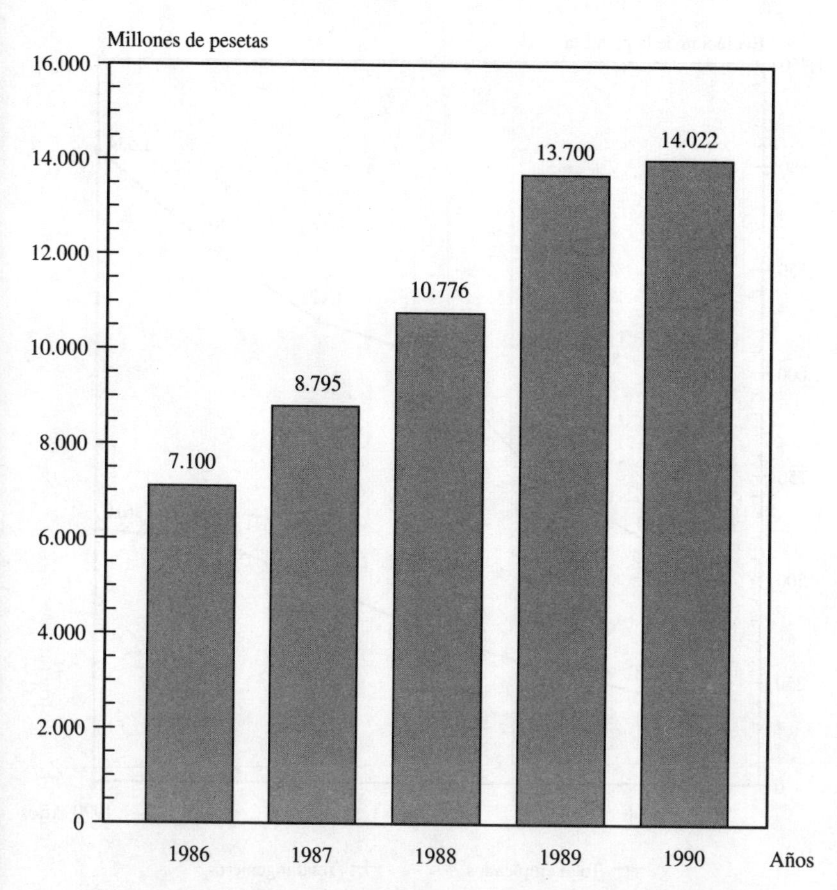

Figura 11.2.—Evolución de las ventas consolidadas (millones de pesetas).

lación y guerra electrónica de Inisel. Esta nueva propuesta partía de la necesidad de que los dos grandes grupos españoles que operan en el sector se especializaran en áreas concretas de actividad teniendo en cuenta el nuevo contexto internacional: la proximidad del Mercado Único, los cambios políticos y económicos de los países del Este, y el final de la guerra fría.

Esta nueva opción de especialización tampoco fue elegida haciendo hincapié en diferencias estratégicas y se dieron por suspendidas las negociaciones entre la Administración pública y Ceselsa.

No obstante, dadas las dificultades que ambas deben afrontar en los mercados nacionales e internacionales, Ceselsa e Inisel están condenadas, tarde o temprano, a entenderse. El presidente de la empresa privada

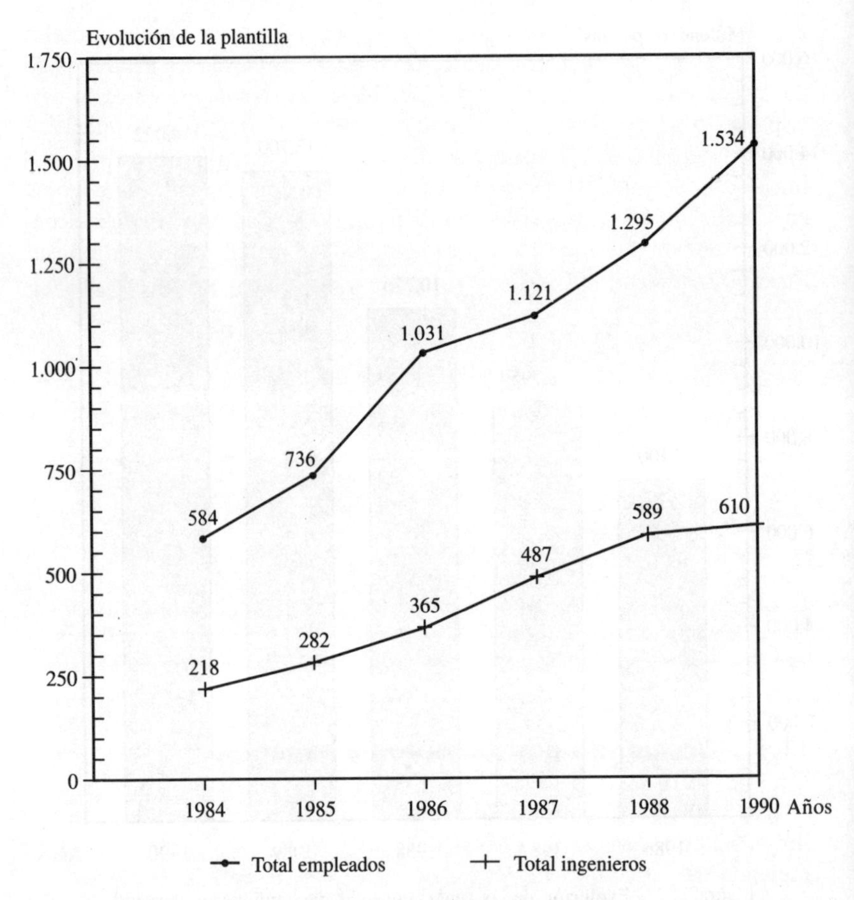

Figura 11.3.—Evolución de la plantilla.

sigue declarando que su compañía esta abierta a cualquier alternativa de cooperación, siempre y cuando se preserve la cultura empresarial a través de un equipo de dirección cohesionado. Cuando ya parecía que las negociaciones habían entrado en un callejon sin salida, el ministro Claudio Aranzadi afirmó en un seminario desarrollado en Santander durante el verano de 1991 que los poderes públicos aceptarían que el capital privado llegara a controlar la mayoría del capital de Inisel; a lo cual respondió inmediatamente José Antonio Pérez-Nievas que Ceselsa estaría dispuesta, en estas condiciones, a promover la formación de un grupo de empresas que pudieran adquirir el 51 por 100 de la compañía pública.

Acto seguido se iniciaron nuevas negociaciones entre las dos partes concernidas y se alcanzó un acuerdo de integración de Inisel y Ceselsa durante el mes de septiembre de 1991. Con ello se da el primer paso para consumar una aspiración, largo tiempo acariciada, de constituir en España un grupo electrónico capaz de tener una presencia significativa a nivel internacional. El grupo resultante de la operación obtendrá unos ingresos anuales de 65.000 millones de pesetas, con una cifra de negocio en el exterior del 20 por 100 de los ingresos. Los activos totales ascenderán a 86.000 millones y la plantilla global del grupo podrá sobrepasar los 5.000 empleados (véase la estructura del nuevo grupo en el cuadro 11.1).

CUADRO 11.1

El nuevo grupo

Grupo Inisel Facturación: 45.000 millones de pesetas		Grupo Ceselsa 18.000 millones de pesetas
Elt (elect. defensa)	Eritel *(software)*	Ensa (electrónica)
Enosa (electrónica)	Ceninsa *(software)*	Aisa (aeronáutica)
Saes (acústica)	Tesis (electrónica)	Giravions (simulación)
Disel (electrónica)	Inisel Espac. (elec.)	Aer. Desig. (simul.)

11.3. Creciendo con tecnología española

Actualmente, la empresa centra su actividad principal en el desarrollo de sistemas y equipos electrónicos de alta tecnología destinados al mercado de defensa. Por consiguiente, en esta presentación que realizamos de la empresa es conveniente dedicar una atención especial a su política de innovación.

Consciente de que las ideas innovadoras pueden surgir en cualquier división de la empresa y que no es aconsejable concentrar en un centro de I+D el análisis y desarrollo del conjunto de los proyectos de investigación seleccionados, con el fin de evitar la constitución de cuellos de botella, Ceselsa ha optado por diseñar una estructura organizativa donde no aparece un departamento específico de I+D. Dicha configuración interna pone de manifiesto la importancia que se le concede a la flexibilidad e integración funcional para responder rápida y satisfactoriamente a las exigencias tecnológicas del mercado. En cada una de sus siete divisiones, la firma mantiene actividades de I+D, que fomenta a través de una cultura innovadora basada en unos comportamientos emprendedores y creativos, estimulados por una dirección dispuesta a asumir los riesgos y a compartir las responsabilidades inherentes a toda investigación. A pesar de no existir un departamento de I+D, gracias al cual se pudiera cifrar exactamente los gastos efectuados en I+D por la empresa, en la figura 11.4 —y sólo a título indicativo— proponemos una evolución estimada de los referidos gastos. Esta representación gráfica refleja claramente el continuo esfuerzo financiero que la compañía dedica al aspecto tecnológico, ya que dichos gastos suponen algo más del 10 por 100 de las ventas consolidadas del grupo. Con esta predisposición, Ceselsa consigue generar su propia tecnología, equivalente a la utilizada por las empresas líderes a nivel internacional.

Además, como otro rasgo característico de la política tecnológica de la empresa, cabe destacar que la misma desarrolló programas de investigación conjunta con la universidad a través de la Fundación Universidad-Empresa ocupando, tanto Ceselsa como Ensa, el primer puesto a

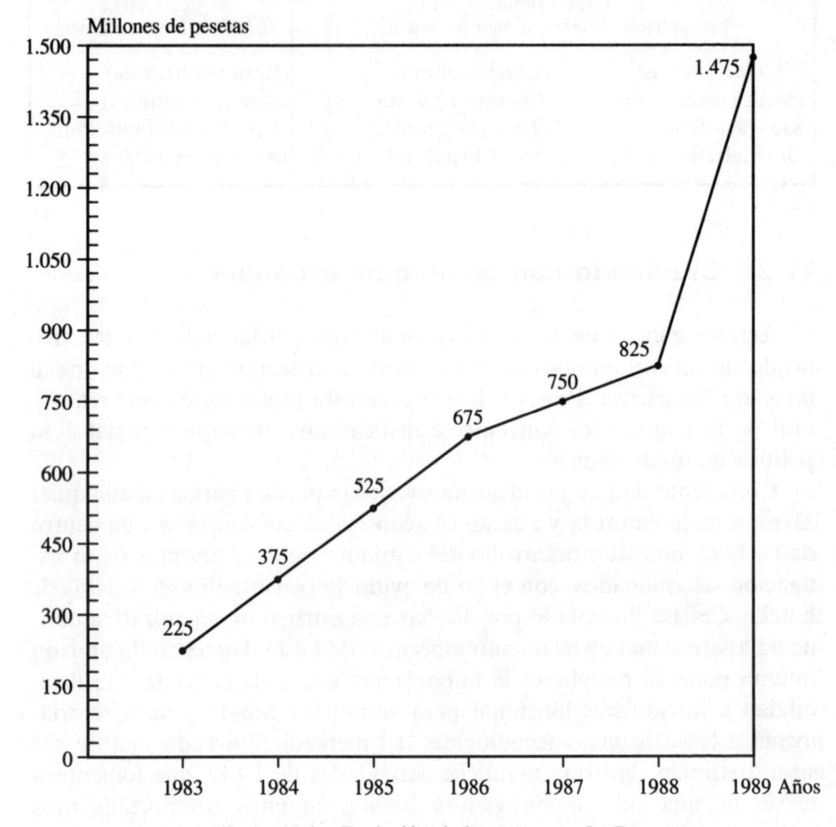

Figura 11.4.—Evolución de los gastos en I+D.

nivel nacional por su volumen de contratación con los centros de enseñanza superior.

Ceselsa ha podido captar nuevos mercados de electrónica profesional con sus propios desarrollos tecnológicos y ha sabido esperar, a veces cuatro años y más, para recoger los frutos de sus investigaciones. A título de ejemplo, citemos que la empresa ha creado centros de comunicaciones digitales en competencia directa con la firma sueca Ericsson y que ha puesto a punto simuladores de vuelo equivalentes a los de la compañía estadounidense Hughes.

Desde 1977, la entonces Cecsa había comenzado a desarrollar productos con tecnología propia en comunicaciones, radar, proceso de datos en tiempo real y en simulación, habiendo alcanzando un notable nivel de competitividad internacional. En 1990, la cuota de mercado nacional controlada en el campo de los radares secundarios por Ceselsa era y sigue siendo del 100 por 100, ya que es la única empresa española con tecnología propia en el campo de los radares secundarios. Además, el mercado potencial, tanto a nivel nacional como internacional, es muy importante y garantiza de alguna forma el reforzamiento de la posición competitiva de la empresa. No obstante, la competencia internacional es muy fuerte por parte de empresas multinacionales, de las cuales cabe destacar a Thomson-CSF (Francia), Raytheon Crossor (Estados Unidos-Reino Unido), Marconi (Reino Unido) y Selenia (Italia).

El objetivo de la empresa, que consiste en producir tecnología propia, viene perfectamente justificado en las declaraciones que realizaba J. A. Pérez-Nievas, presidente de Ceselsa desde su creación, en una tribuna de opinión de un diario económico. Afirmaba que, «generalmente, fabricar con licencia de otro conlleva una dependencia de *royalties* sobre el precio de venta de al menos un 5 por 100, lo que, aunque a primera vista parece pequeño, supone una reducción del 50 por 100 en los beneficios y por tanto de la autofinanciación, resultando una de las más sofisticadas colonizaciones económicas». Y seguía: «Un 50 por 100 de los beneficios de las ventas del producto durante sólo cinco años suele ser mucho dinero, mucho más del que supondría un equipo de ingenieros locales que lo desarrollasen; además, cuando con el tiempo se domine el producto fabricado, tampoco se podrá libremente expandir fuera, pues el licenciatario impone normalmente limitaciones territoriales que agudizan aún más dicha colonización».

Esta filosofía, que se fundamenta en la generación de tecnología propia, se plasma en la estrategia de innovación que analizamos a continuación.

11.4. La innovación como estrategia competitiva

En materia de estrategia de innovación existen dos grandes tipos de planteamientos. El primero es el que se establece en términos de productos-mercados. En este caso, los proyectos de innovación emanan del exhaustivo conocimiento y de la larga experiencia que poseen las empresas de su negocio tradicional. Sin embargo, hoy en día, este enfoque estratégico es cuestionado por parte de determinadas empresas que destacan el carácter multifuncional y transversal de las innovaciones, las cuales van cruzando horizontalmente multitud de sectores muy dispares. En cambio, el segundo planteamiento ya no se define exclusivamente en función de un negocio sino a partir del dominio y control de la tecnología básica, que procura unas competencias tecnológicas capaces de facilitar la selección de líneas de productos-mercados sobre las que radicará la estrategia competitiva de la empresa.

La diferencia esencial entre uno y otro planteamiento reside en el papel atribuido a la tecnología. Mientras que en el primero la tecnología interviene al final del proceso estratégico para adaptar unos productos concretos a unos mercados determinados explotando unas oportunidades, en el segundo planteamiento la tecnología es el detonante del proceso estratégico organizándose el mismo a partir del dominio del progreso técnico. Este segundo planteamiento es, inicialmente, mucho más arriesgado que el primero porque la inversión es considerable y los resultados imprevisibles, pero, una vez logrado el deseado control de una tecnología genérica, el valor económico de las repercusiones es infinitamente mayor.

Esta última concepción de la tecnología es la adoptada por Ceselsa, quien formula su estrategia de expansión-diversificación en función de sus competencias tecnológicas. Dicho modelo se suele representar mediante el diseño del llamado «árbol tecnológico», concebido por un consultor francés —Marc Giget— y aplicado inmediatamente por multinacionales japonesas (Mitsubishi, Yew, Nippon Steel, etc.) ávidas de ideas creativas (véase figura 11.5). No obstante, Ceselsa no se quedó atrás, y como muestra la figura 11.6 todos sus ejes estratégicos derivan de su poder tecnológico. Las raíces del árbol representan las tecnologías fundamentales, constatando que Ceselsa ejerce un control tecnológico en las actividades de mando y control, microondas, simulación, espacio, radar, aviónica, radiofrecuencia y modernización de plataformas. El tronco es la estructura de la propia empresa, incluido el potencial tecnológico, y, por último, las ramas son las líneas de productos-mercados desarrolladas entre 1979 y 1989. Tomando apoyo sobre un conjunto de tecnologías genéricas fecundas, la compañía crea una coherente

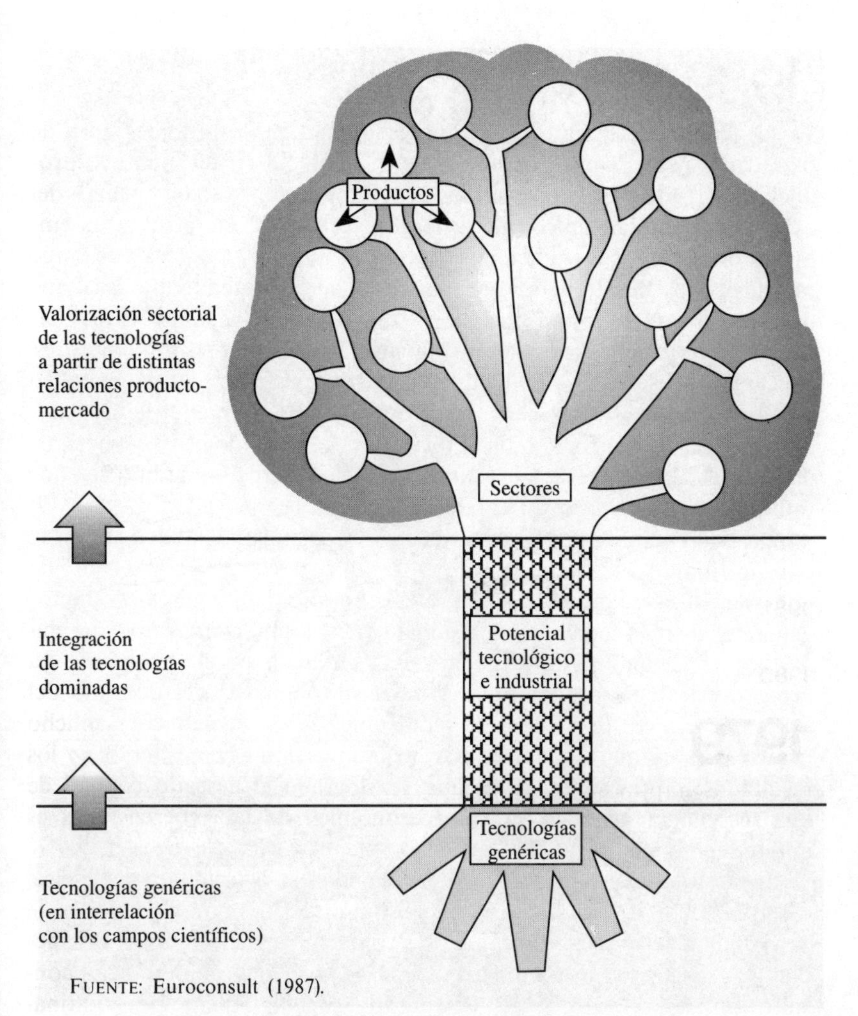

FUENTE: Euroconsult (1987).

Figura 11.5.—Representación conceptual del «árbol tecnológico».

y sólida capacidad que valoriza mediante productos muy diversificados y ofrecidos en mercados internacionales.

La ejecución de esta estrategia exige por parte de la empresa la disponibilidad de una competencia y de un potencial tecnológico considerables lo cual, a medida que se va encareciendo y sofisticando la investigación, resulta extraordinariamente difícil de reunir y es conveniente asociarse con otras firmas para generar conjuntamente las tecnologías susceptibles de dar nacimiento a aplicaciones numerosas y variadas en diferentes campos de actividad.

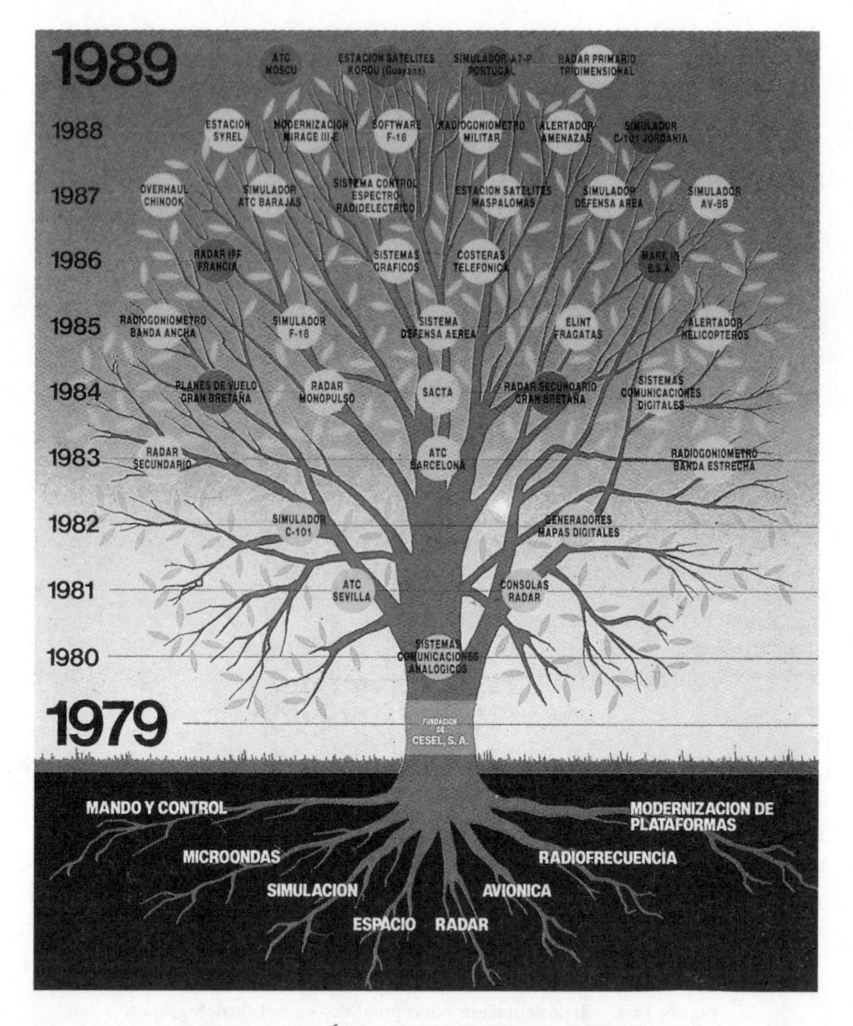

Figura 11.6.—Árbol tecnológico del grupo Ceselsa.

De esta forma, desde hace unos años, la empresa ha iniciado un importante proceso de alianzas y participaciones en programas europeos de cooperación tecnológica. Ceselsa participa en el proyecto HTA (Hermes Training Aircraft) junto con las compañías Dassault Aviation, Deutsche Airbus, Sabera Technics y Dornier. Actualmente, el programa tiene por objeto la definición del avión de entrenamiento que se utilizará para simular la fase final de acercamiento y aterrizaje de la lanzadera espacial Hermes. La firma española trata de concentrar todos sus recursos en torno a tecnologías que considera básicas para su desarrollo y, a partir de ahí, busca satélites en todas las actividades complementarias a su negocio y establece operaciones de *joint-venture* con otras empresas para introducirse en nuevas ramas industriales y entrar en nuevos mercados.

A diferencia de las operaciones de crecimiento interno y externo que se traducen, respectivamente, por el aumento de capacidades y la concentración y adquisición de empresas, en todas sus variantes, los acuerdos de cooperación tecnológica o alianzas, tal y como lo concibe Ceselsa, mejoran su flexibilidad empresarial y no le plantean problemas de reestructuración.

Paralelamente a esta estrategia de innovación ágil y eficaz, la empresa, mediante su fusión con Inisel, cubrirá otras dos necesidades competitivas que consisten en conseguir, por una parte, el tamaño multinacional que requiere la estructura oligopolística reinante en la industria electrónica, y, por otra, la complementariedad en su línea de productos.

11.5. Conclusión

Con el conocimiento que tenemos de la empresa Ceselsa y basándonos en su visión ideológica respecto a la tecnología, entendemos que su misión[1] podría definirse como el deseo de concebir extraordinarios productos muy especializados de electrónica profesional al servicio de los usuarios. Esta misión, junto con la ya expuesta filosofía de la firma, se sustenta en una cultura empresarial innovadora que intenta motivar a todos los empleados de forma que éstos se sientan vinculados por los cambios introducidos. Todo esto viene recogido, de alguna forma, en las palabras del director de relaciones externas, que declara que su empresa «ha hecho lo que consideramos que una empresa española debe hacer en un contexto europeo: generar empleo, generar tecnología y productos españoles, no pagar un *royalty* por nada, evitar importaciones innecesarias —antes lo hacíamos— y, además, empezar a exportar».

Si ahora, para finalizar, queremos destacar los principales factores de éxito que han permitido a la empresa mejorar constantemente su competitividad, citaremos los siguientes:

— El estilo de dirección.

— La capacidad tecnológica.

— El comportamiento estratégico.

[1] Establecemos la misión de una empresa respecto al papel que cumple o debe cumplir en su entorno, en el sistema social en que actúa y que puede justificar su existencia.

En cuanto al primer factor, cabe resaltar que la decisión de invertir en tecnología propia procede de una dirección que privilegia, en todo momento, el futuro sobre el presente. Dicha función empresarial se encarga de restaurar permanentemente el stock de oportunidades mediante programas de investigación y desarrollo cuando, por el contrario, otros muchos directivos de compañías seguidoras consideran a la innovación como un proceso caótico y rechazan sistemáticamente cualquier proyecto que exija un importante esfuerzo interno. Para estos últimos, la gestión de la innovación se resume en adquirir patentes o imitar nuevos productos elaborados por otros, lo que implica relaciones de dependencia y escasas perspectivas de expansión, ya que, por regla general, la tecnología ajena que se adquiere suele ser madura y no emergente.

Con respecto a la capacidad tecnológica de la empresa, la misma ha adoptado desde su fundación centrar sus esfuerzos innovadores en la inversión en tecnología propia. Esta opción crea las condiciones favorables para obtener un nuevo proceso o producto en exclusiva con todas sus ventajas. La empresa se comporta como un líder convencido de que su estrategia le permite ser pionero y hacerse con una cuota de mercado apreciable. El ser pionero le confiere, además, otras ventajas como son las que se refieren al reforzamiento de la posición competitiva, el dominio de la curva de aprendizaje, la relación de dependencia creada con el cliente y la mejora de la imagen.

En cuanto al comportamiento estratégico seleccionado por la dirección, es el que caracteriza a una empresa emprendedora y que asume riesgos con una mentalidad ganadora. Este tipo de conducta, que no prevalece en la firma de origen nacional, predomina, por el contrario, en las entidades multinacionales competitivas, las cuales desarrollan políticas globales anticipándose a los cambios esperados y explotando las oportunidades internas o externas detectadas.

La fusión con Inisel plantea un nuevo reto a la empresa, y es de esperar que a muy corto plazo la integración de las dos entidades cree algunos problemas de ajuste y acoplamiento que se dejarán sentir en la generación de beneficios. Sin embargo, el proyecto estratégico diseñado es de gran trascendencia y puede catapultar a una compañía de origen nacional a un envidiable liderazgo en una industria de futuro. El desafío no puede, en ningún caso, amedrentar a dicha compañía, que desde su fundación ha crecido y se ha desarrollado venciendo todas las adversidades que se le han presentado.

BIBLIOGRAFÍA

Fomento de la Producción: «Las 2.500 mayores empresas españolas», años sucesivos, Barcelona.

Morcillo, P. (1990): *Análisis de la empresa Ceselsa,* CDTI, Madrid.

Morcillo, P. (1991): *La dimensión estratégica de la tecnología,* Ariel, Barcelona.

Trabajo monográfico de Ceselsa (1990): Especialidad de Dirección y Organización de Empresas, Facultad de CC.EE, UAM (dirigido por E. Bueno y P. Morcillo).

PARTE TERCERA

El éxito de las estrategias de reestructuración

12.

Amper, S. A.: «Electrónica *made in Spain*»

12.1. Creación y crisis de una empresa innovadora

La empresa Amper Radio, S. L., se constituye en Madrid el 13 de julio de 1956, como consecuencia de la iniciativa de un ingeniero en telecomunicaciones, Antonio Peral, quien junto a sus familiares y unos amigos y compañeros de carrera deciden emprender un negocio en sistemas electrónicos y de telecomunicación que eliminará, en parte, la penuria imperante en esta industria española. Este inquieto e innovador ingeniero asume un riesgo empresarial impropio para la época e inusual en el empresariado español. El 19 de enero de 1971 la compañía se convierte en sociedad anónima y el 27 de enero de 1976 se cambia la denominación social de origen por la de Amper, S. A.

El objeto de la empresa, tal y como lo precisan los estatutos, consiste en la investigación, desarrollo, fabricación, reparación y comercialización de equipos y sistemas de telecomunicación y electrónica y sus componentes.

La empresa tuvo un crecimiento ejemplar durante los primeros años de su actividad y llega a superar los 2.100 millones de pesetas de facturación en 1982 y empleando una plantilla de 800 trabajadores. Sin embargo, la empresa se ve inmersa en una profunda crisis que culmina en 1983 cuando Amper cierra el ejercicio con unas pérdidas de 655 millones de pesetas. Las dificultades de la compañía emanan, principalmente, de una inadecuada capacidad financiera, un tamaño ineficaz, una escasa capacidad de adaptación y flexibilidad, un exceso de personal y, en consecuencia, en los últimos años, una oferta que no introduce las últimas tecnologías ya presentes con cierta abundancia en el mercado. Pero veamos estos hechos algo más detenidamente.

El 18 de marzo de 1976, el Ministerio de Industria otorga a Amper la calificación de Industria de Interés Preferente dentro de las industrias electrónicas y de telecomunicación. Con dicha calificación la empresa puede solicitar una serie de ayudas financieras y subvenciones oficiales que apoyarán sus planes de I+D y cubrirán, en cierta medida, sus primeras dificultades financieras. También es una forma de reconocer la gran labor realizada por la empresa en su sector de actividad, en el que consigue diseñar y fabricar una línea propia de productos, con una aceptación importante, en mercados exteriores.

Los productos fundamentales fabricados por Amper, utilizando su ingeniería propia, son: contestadores automáticos, teclados telefónicos, teléfonos de teclado con memoria, temporizadores, consolas y equipos de telecontrol, aparatos telefónicos especiales, circuitos electrónicos, placas de circuitos impresos y una serie de componentes y dispositivos de telecomunicación.

El problema radicaba en la estructura competitiva del sector, en el que prácticamente el 70 por 100 de la demanda la efectúa la Compañía Telefónica Nacional de España (hoy Telefónica). Por el contrario, la oferta, más fragmentada, depende de un puñado de grandes empresas, filiales de las multinacionales más importantes, en especial la Standard Eléctrica (ITT de España y hoy Alcatel), y por un conjunto mayor de empresas medianas y pequeñas españolas, entre las cuales se encuentra Amper, S. A. Además, se da la circunstancia de que existe una vinculación poderosa entre los proveedores más importantes y Telefónica debido, por una parte, al peso relativo de los pedidos de Telefónica y, por otra, a las participaciones accionariales de esta última en el capital de la multinacional ATT.

En este contexto, Amper se queda marginada, no consigue entrar en este circuito privilegiado de producción contratada y de intereses financieros, ni tampoco cuenta con una capacidad financiera o tamaño que le permita optar con ciertas garantías de éxito a una estrategia ofensiva.

La estructura empresarial del sector va caminando hacia operaciones de concentración, lo cual repercute en el tamaño de las empresas que logran alcanzar de esta forma economías de escala que hacen posible soportar el esfuerzo investigador capaz de poder hacer frente al reto tecnológico de los años setenta. Las dificultades encontradas para incorporar tecnología punta intensiva en capital se eluden a corto plazo, recurriendo a los recursos humanos.

De este escenario sólo se podía llegar, por ser un círculo vicioso, a una fuerte crisis económica. Ni se puede incrementar la cuota de mercado nacional porque los pedidos de Telefónica, siendo el cliente más importante, se orientan preferentemente a otros competidores, en gran mayoría extranjeros, ni se pueden reorientar las ventas hacia la exportación, ya que es imperativo competir en precio y calidad, lo que cada vez es más difícil puesto que las dificultades financieras no permiten atender adecuadamente los gastos de I+D. En resumen, las ventas crecen relativamente poco, mientras que los costes se disparan y las pérdidas empiezan a aflorar, a partir de 1979, de forma inapelable. En el cuadro 12.1 se recoge la situación económica de Amper, S. A., durante el período crítico, es decir, de 1978 a 1983.

Antes de declararse la crisis, las exportaciones llegan a alcanzar más del 35 por 100 de las ventas, y en 1983 éstas sólo representan el 21 por 100. En cuanto a la estructura de las ventas de Amper, Telefónica asegura algo más del 60 por 100 de las mismas, llegando con cinco clientes más (tres de ellos extranjeros) a absorber la casi totalidad de las ventas. Hay que recordar aquí que Siemens es el segundo mejor cliente de Amper, quien fabrica para la firma alemana equipos y aparatos telefónicos con «marca blanca».

Creemos que los datos del cuadro 12.1 son suficientemente explícitos como para no tener que añadir nada más sobre la situación tan crítica a la que llega Amper en 1983. Sólo cabe aclarar que el crecimiento de los recursos propios se debe exclusivamente a Reservas Especiales por regularización de activos, según permite la legislación española vigente (período 1973-1983), y no, claro está, a reservas procedentes de beneficios, entre otras razones porque no existen.

CUADRO 12.1.

La crisis de Amper, S. A.
(datos en millones de pesetas)

Años	Ventas	Beneficio	Capital social	Recursos propios	Inversiones del período
1978	1.714,4	54,8	170	807,4	163,9
1979	1.570,0	(48,6)	170	965,5	111,7
1980	1.897,7	(27,0)	170	1.059,9	71,7
1981	1.841,8	(432,4)	420	1.034,9	62,3
1982	2.154,4	(285,0)	420	597,6	111,4
1983	2.881,4	(655,2)	800	545,0	—

12.2. La salida de la crisis y evolución del grupo Amper

Tras la muerte del fundador, Antonio Peral, su viuda Soledad Salcedo Porras, su hijo Antonio Peral Salcedo y el resto de los socios componen el Consejo de Administración de la compañía, el cual, en 1983, ofrecía esta situación:

Presidente: José Luis Sever Ezcurra.
Vocales: Soledad Salcedo Porras, Antonio Peral Salcedo, Armando Casos de los Cobos, Juan Aguilera Sánchez.
Consejero-delegado: César Rico González.

La dirección de Amper intenta negociar con Telefónica, única entidad que puede romper el círculo vicioso formado, para salir de la crisis. Las negociaciones con los bancos son infructuosas, ya que para apoyar a la compañía las entidades financieras quieren que se manifieste primero Telefónica. Otra de las posibles alternativas para salir de la crisis consiste en dar entrada a Siemens, pero en este caso aparece una serie de trabas, al enfrentarse esta decisión a determinados «intereses» sectoriales.

Con el cambio de gobierno, en 1983 se inicia un proceso de negociación con Telefónica. La negociación pone frente a frente el monopolio español de la comunicación y una empresa doméstica con un importante *know how* tecnológico y profesional, que genera unas importantes pérdidas derivadas de su inadecuada estructura financiera y de unas deseconomías de escala. Amper, S. A., cuenta, además, con una pequeña estructura de grupo, con un 60 por 100 del capital social (1,5 millones de pesetas) de Autophon Ibérica, S. A., y el 98, 5 por 100 del capital social (20 millones de pesos) de Amper Argentina, empresa esta última que ofrece una situación económica muy débil.

La operación de reestructuración de Amper se lleva a cabo en octubre de 1983 y se basa en los siguientes elementos, propios de las llamadas «operaciones acordeón»:

1. Reducción del capital hasta la cifra de 420.000 pesetas, con valor final de 1 peseta por acción.
2. Ampliación del capital hasta un importe de 800 millones de pesetas. Tras esta operación la composición del accionariado quedaba como sigue:

	Millones de pesetas	Porcentaje
Compañía Telefónica Nacional de España	700	87,5
Banco de Bilbao	25	3,125
Banco Central	25	3,125
Banco Español de Crédito	25	3,125
Banco Hispano-Americano	12,5	1,5625
Banco Urquijo Unión	12,5	1,5625
	800,0	100,0

3. El cambio del Consejo de Administración, renovación parcial del equipo directivo y ampliación del equipo de gestión. El nuevo Consejo estaba formado por:

   Presidente: Germán Ramajo Romero.
   Vocal: José Ignacio Esteve Espinosa.
   Secretario: Víctor Goyenechea Fuentes.

   actuando los tres de forma mancomunada como consejeros delegados.
4. El cambio organizativo, abandonando la compañía su modelo divisional por productos (equipos y componentes) por una estructura funcional clásica, que se divisionaliza en producción comercial. Modelo, este último, que permite aplicar con coherencia y rapidez las modificaciones estructurales y estrategias necesarias.
5. Un plan de acción inmediato basado, primero, en el incremento de la capacidad de producción para realizar economías de escala, mediante una inversión de 250 millones de pesetas a realizar a principios de 1984 y, segundo, en un plan especial de compras a ejecutar por parte de Telefónica en el último trimestre de 1983. Estas compras representan un incremento del 50 por 100 respecto a la anterior facturación trimestral.

Para la nueva dirección de la empresa no sólo deben aumentar los pedidos de Telefónica, sino también los de otros clientes nacionales y extranjeros. Paralelamente, es imprescindible mejorar a corto plazo la situación financiera de Amper con el fin de poder salir a Bolsa dentro de dos años.

Al poco tiempo, para llevar a cabo el programa establecido, es decir, la política de reestructuración, se nombra a Antonio López García como presidente del Consejo de Administración. Con la nueva dirección, tal y como lo muestran las figuras 12.1 y 12.2, no se tarda en obtener los primeros frutos: en 1984 Amper finaliza el ejercicio con 138 millones de pesetas de beneficios, en 1985 el resultado positivo alcanza los 391 millones, en 1986 se superan los 1.200 millones, en 1987 se concluye el año con unos beneficios netos de 2.794 millones y en 1988 se obtienen 2.475 millones de pesetas. Esta evolución pone de manifiesto la elevada capacidad de generación de recursos de que goza entonces la sociedad. Este rápido saneamiento financiero facilita la salida a Bolsa de la firma que tiene lugar el 26 de mayo de 1986. Tras unos meses en el mercado de valores, la estructura financiera de la empresa cambia,

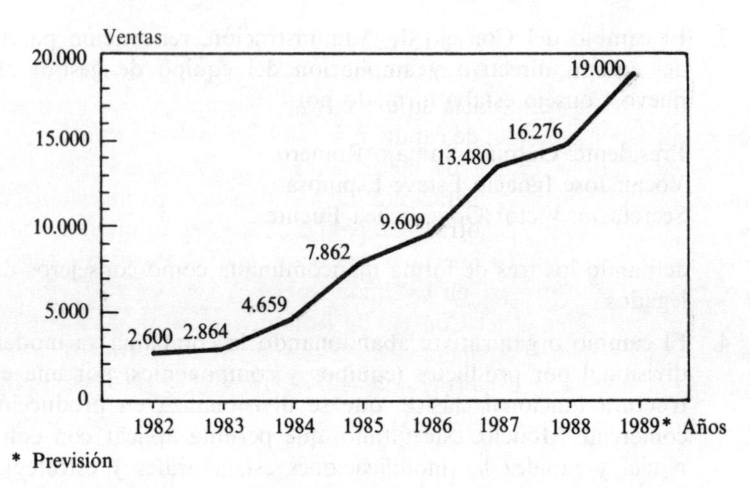

FUENTE: *Memorias de la empresa*, años sucesivos.

Figura 12.1.—Evolución de las ventas de Amper, S. A. (cifras no consolidadas en millones de pesetas).

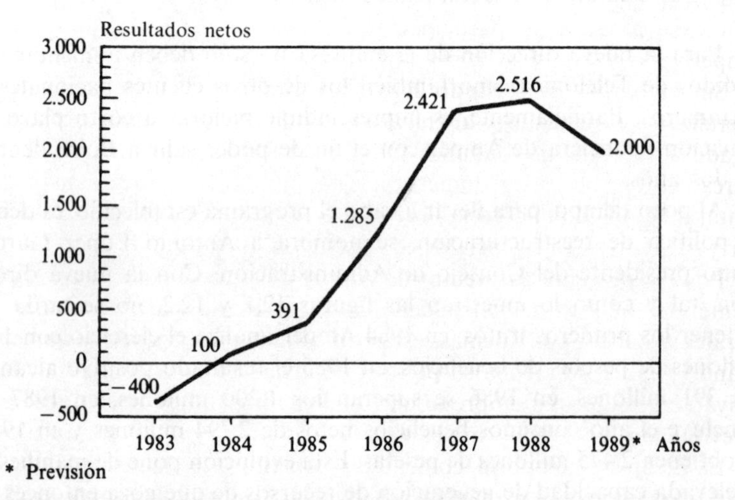

FUENTE: *Memorias de la empresa*, años sucesivos.

Figura 12.2.—Evolución de los resultados netos de Amper, S. A. (cifras no consolidadas en millones de pesetas).

quedándose Telefónica con el 15 por 100 del capital y cediendo el 39 por 100 del mismo a accionistas extranjeros.

En 1986, la empresa inicia su expansión y crea el primer grupo de telecomunicación nacional de capital mayoritariamente español. Se acomete un dinámica política de crecimiento externo fundamentada en adquisición de empresas, operaciones de *joint-ventures* y toma de participación en el capital de otras compañías. En 1989 la multinacional Amper posee intereses en Suecia, Francia, Alemania, Portugal, Puerto Rico, Italia y, muy pronto, en la Unión Soviética.

Según el presidente del Consejo de Administración de Amper, Antonio López García, la recuperación y el rápido crecimiento de la compañía deben atribuirse al aprovechamiento de diversos factores y oportunidades, así como a la labor realizada por el agresivo y cualificado equipo directivo.

Sin embargo, a partir de 1989 se inicia una nueva etapa de recesión. Según recoge la memoria de actividades y el informe anual de Amper, en 1989 las condiciones del entorno comienzan a cambiar drásticamente como consecuencia de varios factores que se van encadenando. En primer lugar, Telefónica revisa su posición y estrategia industrial, teniendo en cuenta la evolución que sigue el mercado internacional y las modificaciones surgidas en la regulación. De esta forma, Telefónica se concentra en los negocios de Operación de Servicios y en la participación en Operadores en otros países (véase en la figura 12.3 cómo Telefónica disminuye su participación en la cifra de ventas del grupo Amper).

Sin embargo, en segundo lugar, las circunstancias se agravan al liberalizarse el mercado y al entrar en él numerosos equipos no homologados. Así, mientras algunas comercializadoras arrebatan cuota de mercado a la industria doméstica, esta última no disfruta ni de las ventajas de una competencia libre ni del tiempo suficiente para reaccionar y capitalizar la vigencia de la regulación anterior.

Por consiguiente, las ventas de Amper dejan de crecer significativamente, sin que se disponga del tiempo necesario para reorientar la estrategia del grupo. Además, estas dificultades intervienen justamente cuando Amper desarrolla su política de inversión para configurar definitivamente su grupo empresarial. En el cuadro 12.2 se puede observar la evolución del grupo Amper.

El desajuste temporal comentado constituye el factor estratégico clave para explicar de manera objetiva las disfunciones sobrevenidas. Por si esto fuera poco, tras un acuerdo institucional entre Telefónica y el INI, aprobado por el Ministerio de Industria y Energía, Amper debe crear una empresa orientada al negocio de comunicaciones para Defen-

CUADRO 12.2

Evolución del grupo Amper
(en millones de pesetas)

	1983	1984	1985	1986	1987	1988	1989	1990
Ventas	2.864	4.285	7.264	9.018	17.898	22.440	40.015	49.782
Valor añadido	1.386	2.346	3.300	4.614	9.345	12.382	18.872	22.519
Cash-flow (bruto)	(408)	485	708	1.657	3.669	3.778	3.006	1.255
Beneficio (BAI)	(655)	138	391	1.285	2.794	2.475	772	(1.156)
Activos totales	2.959	5.208	7.986	7.999	22.759	34.252	53.259	72.475
Fondos propios	545	683	3.371	4.657	8.094	20.135	26.626	22.025
Capital social	800	800	2.400	2.400	2.800	4.811	6.883	6.997

FUENTE: *Memorias de la empresa.*

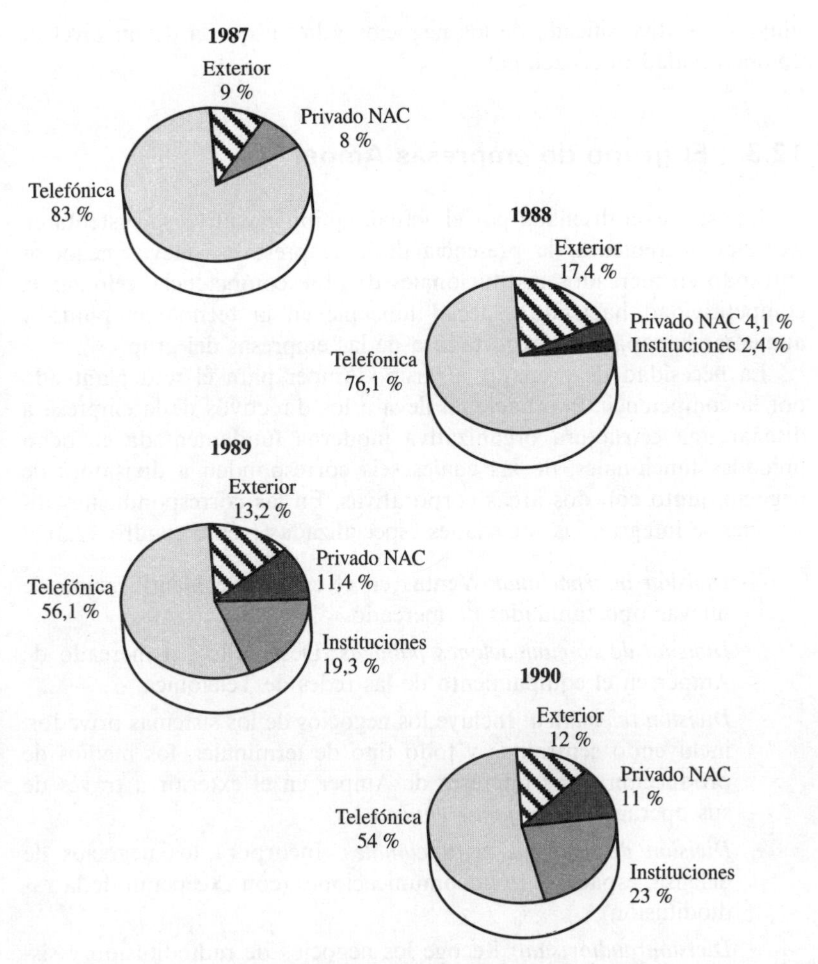

Figura 12.3.—Estructura del grupo Amper por mercados.

sa y absorber las actividades de Inisel y Marconi Española, compañía que se encuentra en práctica suspensión de pagos.

Tras haber procurado que las dificultades surgidas se atenuasen mediante respaldos institucionales, la compañía elabora, a partir de 1990, una nueva estrategia basada en la creación de nuevas empresas y en la introducción de nuevas tecnologías.

Poco queda ya de esa empresa familiar que, hace unos treinta y cinco años, crea el inquieto e innovador ingeniero en telecomunicaciones Antonio Peral. Hoy, la empresa, bajo la dirección de Antonio López García, emprende una nueva fase de desarrollo caracterizada por una ampliación diversificada de los negocios y la búsqueda de un nivel de competitividad internacional.

12.3. El grupo de empresas Amper

La estrategia diseñada por el actual equipo ejecutivo se sustenta en tres ejes: incrementar la presencia de la empresa en nuevos negocios entrando en mercados institucionales de libre competencia, reforzar la competitividad haciendo especial hincapié en la tecnología punta y aumentar la capacidad exportadora de las empresas del grupo.

La necesidad de preparar al grupo Amper para el reto planteado por la competencia internacional lleva a los directivos de la empresa a diseñar una estructura organizativa moderna fundamentada en ocho unidades funcionales, de las cuales seis corresponden a divisiones de negocio, junto con dos áreas corporativas. En las correspondientes divisiones se integran las sociedades especializadas (véase cuadro 12.3).

- *División internacional:* Ventas en el exterior e identificación de nuevas oportunidades de mercado.
- *División de comunicaciones públicas:* Desarrollo del mercado de Amper en el equipamiento de las redes de Telefónica.
- *División telemática:* Incluye los negocios de los sistemas privados, incluyendo centralitas y todo tipo de terminales, los medios de producción y los intereses de Amper en el exterior a través de sus operaciones de *joint-ventures.*
- *División de sistemas institucionales:* Incorpora los negocios de defensa, espacio y radiocomunicaciones (con excepción de la radiodifusión).
- *División audiovisual:* Recoge los negocios de radiodifusión y sistemas de producción de programas.
- *División servicios técnicos:* Se encarga de las actividades de instalación y servicio posventa de las restantes divisiones, junto con el desarrollo de mercados propios de estas actividades para grandes clientes.

Las funciones corporativas del grupo se organizan en dos áreas, con nivel equivalente a división.

- *Área de administración y finanzas:* Es responsable de los recursos económicos, humanos y patrimoniales del grupo, de los asuntos jurídicos y fiscales, así como de los sistemas de información.

CUADRO 12.3

Estructura societaria del grupo Amper (capital: 6.977 millones de pesetas)

División internacional	División comunicaciones públicas	División telemática	División sistemas institucionales	División audiovisual	División servicios técnicos	Área administración y finanzas
Teletechnique Capital: 13,7 mill. FF Amper: 51%	*Amper Elasa* Capital: 300 mill. ptas. Amper: 100%	*Amper Telemática* Capital: 5.782 mill. ptas. Amper: 100%	*Amper Programas* Capital: 1.234 mill. ptas. Amper: 100%	*Pesa Electrónica* Capital: 238 mill. ptas. Amper: 97%	*Amper Servicios* Capital: 500 mill. ptas. Amper: 100%	*Safitel* Capital: 500 mill. ptas. Amper: 100%
Amper Elektronik Capital: 1,5 mill. DM Amper: 100%	*Amper Datos* Capital: 854 mill. ptas. Amper: 100%	*Amper Cosesa* Capital: 1.000 mill. ptas. Telemát.: 100%	*Page Ibérica* Capital: 250 mill. ptas. Amper: 25%	*Pesa Inc.* Capital: 3,5 mill. $ Pesa: 100%		*Samp* Capital: 1.017 mill. ptas. Amper: 100%
Amper Telecomunicaciones Capital: 70 mill. Eso Amper: 100%	*AT&T-NS-ES* Capital: 2.245 mill. ptas. Amper: 49%	*Amper Ibersegur* Capital: 150 mill. ptas. Amper: 95%	*Telecomunicaciones y control* Capital: 660 mill. ptas. Amper: 40%	*PSA America Inc.* Capital: 100 $ Pesa: 100%		*ITC* Capital: 200 mill. ptas. Samp: 41%
		Telur Capital: 5,6 mill. Rb. Amper: 44%	*Telcel* Capital: 200 mill. ptas. Amper: 35%	*Amper Internacional Ltd.* Capital: 100 lbr. Pesa: 100%		*Ingecon* Capital: 12 mill. ptas. Amper: 40%
		Telefónica Hispanoamericana Capital: 3,35 mill. $ Amper: 20%				*Amper Internacional* Capital: 200 mill. ptas. Amper: 100%

— *Área de planificación y control:* Reúne los servicios de *staff* de presidencia, como la secretaría técnica, junto con las actividades relativas a planificación estratégica y desarrollo corporativo, relaciones externas, organización y normativa de gestión y auditoría de calidad y de procesos internos.

A finales de 1990, la Junta General de Accionistas aprueba las transformaciones patrimoniales efectuadas en el seno del grupo para convertir a Amper, S. A., en una sociedad *holding* y transferir a Amper Telemática, S. A., y Amper Datos, S. A., los activos materiales, inmateriales y humanos correspondientes a los negocios de telemática y de comunicaciones públicas, respectivamente, hasta entonces agrupados en la matriz.

12.4. La tecnología: el factor de competitividad por excelencia

El campo de actividad de Amper está centrado en la investigación, desarrollo y producción de una amplia gama de artículos. Todos ellos están diseñados y fabricados siguiendo las recomendaciones y normas de organismos nacionales e internacionales competentes y según estándares de calidad en las industrias de electrónica profesional.

Su actividad comercial no se limita a la venta de productos terminados sino que también ofrece tecnología propia. Además, la experiencia acumulada en sus distintas actividades y los acuerdos de cesión de tecnología firmados con empresas foráneas tecnológicamente avanzadas refuerzan permanentemente el potencial innovador de Amper.

En 1987 se elabora el Programa de Tecnologías y Productos del Grupo, iniciativa que representa uno de los pasos estratégicos más importantes de estos últimos años. Este programa permite vertebrar la actividad de las sociedades del grupo y traza una línea de actuación que favorece la aparición de sinergias positivas entre todos los componentes del mismo.

Este programa expone una definición detallada de la estrategia de productos del grupo a corto, medio y largo plazo, lo cual facilita las relaciones entre los departamentos de I+D y marketing. Indudablemente, la fluidez de la comunicación entre ambos departamentos es decisiva, pues la dificultad que encuentran las empresas para traducir sus éxitos tecnológicos en éxitos comerciales constituye el principal freno a la innovación y el factor que más afecta al nivel de productividad tecnológico.

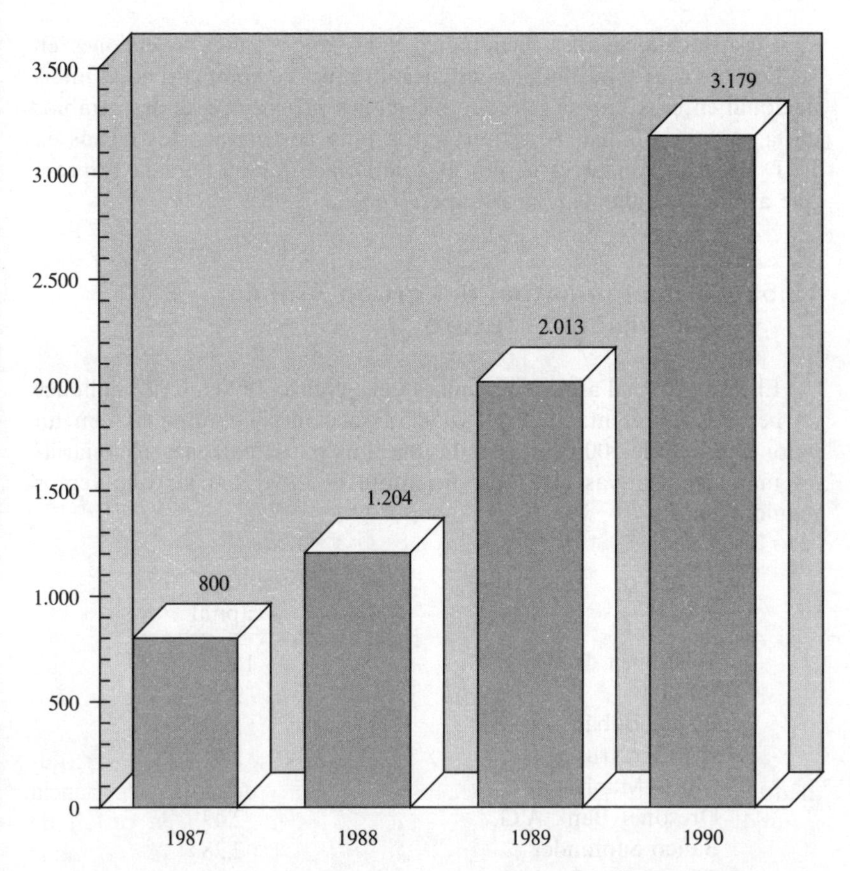

Figura 12.4.—Inversiones en I + D en el grupo Amper (en millones de pesetas).

La agresividad y dinamismo que viene manifestando Amper en el terreno tecnológico quedan perfectamente reflejados en la figura 12.4, que expresa el aumento sostenido de sus inversiones en I + D. Además de estos importantes gastos realizados en investigación, desarrollo e ingeniería, cabe destacar el importante soporte que supone la intensa colaboración con Telefónica Investigación y Desarrollo y el apoyo recibido por parte del Ministerio de Industria y Energía.

La gama de productos terminados se incrementa notablemente. Por una parte, el 65 por 100 de las ventas actuales corresponden a productos desarrollados en los últimos tres años y, por otra, se sigue llevando a cabo una amplia diversificación en la composición de las ventas: en 1983 la línea de terminales telefónicos supone el 73,5 por 100 de las ventas, en 1987 el 66 por 100 y en 1990 el 34 por 100.

El sustancial avance tecnológico y las importantes inversiones en I+D necesarias para poder mantener un nivel de competitividad internacional en el sector de telecomunicaciones provocan grandes cambios en la escena mundial. Se estima que a muy corto plazo los gastos en I+D deberán rondar el 12 por 100 de la facturación para la empresa que aspire, sencillamente, a la supervivencia.

12.5. Situación actual del grupo Amper y su visión de futuro

El capital social asciende a finales del ejercicio 1990 a 6.977 millones de pesetas, representado por 13.954.583 acciones nominativas con un valor nominal de 500 pesetas cada una. Las participaciones accionariales más significativas al 31 de diciembre de 1990 son las que vemos seguidamente:

	Porcentaje sobre capital
Telefónica de España	15,35
Inisel	9,89
Banco Bilbao Vizcaya	5,51
Northen trust Co.	2,91
Chase Manhattan	2,86
Dresdner Bank A.G.	2,43
Banco Santander	2,28
State Street Bank	2,20
Banco Central	2,06
Banco Español de Crédito	1,96

En concreto, el 33 por 100 del capital es propiedad de accionistas extranjeros.

Con unas ventas consolidadas de casi 50.000 millones de pesetas en 1990, el grupo Amper registra un crecimiento respecto al año anterior cercano al 25 por 100. Esta evolución, muy positiva, se refleja igualmente en las previsiones para 1991, ya que se espera alcanzar una cifra próxima a los 60.000 millones. Pese a obtener unos resultados negativos consolidados de 1.156 millones de pesetas, tras seis años de beneficios, la posición de la empresa sigue siendo sólida y el grupo se encuentra en buenas condiciones para desarrollar con ciertas garantías de éxito su expansión.

La estrategia de Amper radica en un proceso de diversificación empresarial vía crecimiento externo. Esta modalidad de crecimiento se realiza, básicamente, mediante operaciones de *joint-venture* con empresas domésticas o extranjeras que ocupan una posición de líder en sus respectivos campos. La idea no estriba en localizar a una empresa que elabora un buen producto o domina una tecnología con el objeto de comprárselo, sino buscar socios con ánimos de cooperación dispuestos a compartir medios y conocimientos en beneficio de todos.

Las asociaciones parciales entre empresas de esta industria son cada vez más frecuentes a nivel mundial. Empresas tecnológicamente avanzadas optan por crear redes de cooperación internacional donde ponen en común sus recursos para lograr descubrir de manera conjunta nuevos productos que comercializarán previo reparto de un mercado virgen suficientemente amplio para todos. En este sentido, Amper, a través de Telefónica y de otros de sus socios, ya participa en una red internacional de alianzas de empresas pertenecientes al sector electrónico.

En este sentido, y con el fin de apoyar la viabilidad futura de la compañía, la dirección de Amper presenta a Telefónica su propuesta definitiva de intercambio de acciones con socios tecnológicos de gran trascendencia. El plan consiste en buscar el acuerdo de los accionistas institucionales para materializar un cruce de participaciones con el grupo francés Matra y la compañía AT&T-NSI. La propuesta incluye dos acuerdos: el primero, prácticamente alcanzado, se realizaría con la filial Matra Comunicaciones y supone la entrada de Amper con un 5 por 100 en el capital de la sociedad. A cambio, Matra adquiriría el 15 por 100 del grupo español. La segunda propuesta, que tardará algo más en producirse, proyecta un canje de acciones con la filial europea de AT&T. Amper aspira a controlar el 4 por 100 del capital de esta filial del gigante americano, frente a un 10 por 100 que la multinacional podría poseer del grupo español (Telefónica ya posee el 6 por 100 de las acciones de dicha empresa). Telefónica apoya la entrada de estos dos socios de gran envergadura, aunque es preciso que los dos grupos multinacionales estén de acuerdo con la propuesta global. El Ministerio de Industria y Energía, que da su visto bueno a la operación, solicita a los accionistas institucionales, que poseen en torno al 40 por 100 de las acciones de Amper, que no rebajen su participación.

Coordinar e implantar una estrategia de diversificación producto-mercado como la que tiene diseñada Amper lleva consigo múltiples problemas estructurales y otras dificultades de índole general, de los cuales caben resaltar cuatro fundamentales, que presentamos a continuación, y que la empresa intenta resolver en las mejores condiciones.

El primer problema planteado por el imperativo tecnológico se va solucionando con las *joint-ventures* internacionales. El excelente nivel tecnológico alcanzado por Amper propicia todo tipo de asociaciones con otras firmas que encuentran en la empresa española el socio ideal capaz, no sólo de asimilar y mejorar la tecnología cedida, sino de contribuir eficazmente en el desarrollo de nuevos productos.

El segundo problema que afecta a la empresa es la difusión de su tecnología. Esta debilidad se corrigió abriendo y estableciendo filiales en numerosos países de Europa y Latinoamérica. Desde hace dos años, la división internacional de Amper apuesta por los mercados de los países en vía de desarrollo. El proyecto de la compañía ya es una realidad en países como Venezuela, Indonesia, Túnez y México.

Otra de las carencias de la empresa es la escasa disponibilidad de una mano de obra altamente cualificada. Para enmendar este obstáculo, Amper pone en marcha a partir de 1986 un ambicioso programa de formación permanente que facilita el reciclaje de las personas y responde a las necesidades apremiantes de la industria. En un solo año, más del 53 por 100 de la plantilla recibe cursos de diversa índole.

Por último, queda la cuestión financiera. Para emprender una estrategia de expansión como la de Amper es imprescindible contar con un respaldo financiero lo suficientemente fuerte y una situación totalmente saneada. De esta manera, la sociedad amplía constantemente su capital social dando entrada a nuevos accionistas. Siendo éste de 800 millones de pesetas en 1984, cuatro años más tarde el mismo alcanza 4.811 millones y ya en julio de 1990, por conversión de obligaciones, se llega a los 6.977 millones de pesetas de capital social. Por consiguiente, en seis años se amplía el capital en doce ocasiones.

En resumen, la visión de futuro de Amper se apoya en las siguientes líneas de actuación, la mayoría de las cuales ya se están siguiendo en la actualidad:

a) Una política de diversificación total (nuevos productos, nuevos mercados) mediante *joint-ventures,* absorciones y creación de nuevas empresas.

b) Reforzar la presencia en mercados exteriores con grandes perspectivas de desarrollo en países intermedios.

c) Penetrar en mercados institucionales protegidos como el de telecomunicaciones militares.

d) Consolidar la red comercial en los países de la CE.

e) Introducirse en redes internacionales de cooperación con el fin de participar en los programas de desarrollo de tecnología punta y posicionarse en los mercados potencialmente interesantes de cara al futuro.

f) Incrementar la capacidad tecnológica incorporando nuevos socios que se caracterizan por su liderazgo en sectores estratégicos.

12.6. Conclusión

Se suele considerar que la empresa española es muy poco innovadora, haciendo hincapié en su aversión natural por los riesgos inherentes a todos los proyectos tecnológicos. De esta forma, al referirse a la empresa española se pone de relieve que su estrategia de innovación responde fundamentalmente a una reacción defensiva. El objetivo de dicha estrategia consiste en no perder el tren de la innovación imitando lo que hacen los demás en materia de tecnología. Por consiguiente, dicha estrategia no es propia del atacante o pionero, sino del defensor o seguidor que incorpora nuevas tecnologías ya experimentadas por otras entidades para racionalizar su sistema productivo y disminuir costes o proponer productos más modernos. Sin embargo, este razonamiento que todos hemos convertido, un poco a la ligera, en axioma, no se puede aplicar en absoluto a la empresa Amper, S. A.

Esta compañía, como se ha visto, desde sus orígenes se caracterizó por sentir una verdadera pasión por la investigación, resalta la necesidad imperativa de innovar para reforzar su nivel de diferenciación y diversificación. Esta actitud es perfectamente comprensible teniendo en cuenta que las empresas que desean sobrevivir y crecer en un sector como el electrónico, donde el ciclo de vida de los productos es excesivamente corto (no supera los tres años), deben ser multiproductoras, eligiendo el grado y las modalidades de su diversificación. A este respecto, parece lógico que en las empresas de dicho sector la innovación suscite la diversificación, ya que los descubrimientos radicales que se obtienen pueden ser utilizados como parte integrante de una serie de productos basados en una misma tecnología.

Pero, como también ha sido recogido en el caso, también influyen los factores externos y especialmente el poder negociador de determinados *agentes frontera* para alcanzar el éxito. Hasta que estas contingencias no fueron resueltas, la empresa no pudo seguir su planteamiento estratégico, basado en el factor de la innovación, lo cual demuestra la necesidad de que confluyan otros factores para alcanzar las cotas deseadas.

En este contexto, Amper emprendió una ambiciosa estrategia de diversificación producto-mercado capaz de explotar todas las posibilidades que ofrecía su capacidad tecnológica. Esta estrategia, que podría entenderse como una diversificación total, corresponde más exactamente a una estrategia concéntrica o también llamada de proximidad que se basa en ir aprovechando la experiencia técnica, comercial, etc., de la empresa para ir orientando sus inversiones, en una u otra dirección, hacia los productos y mercados más cercanos a los actuales.

Esta explotación de su *know how* hacia nuevos productos y nuevos mercados similares, análogos o distintos, se apoya siempre en un efecto de aprendizaje por el que la empresa está en condiciones de actuar de forma dinámica al tener una buena imagen de marca, un nivel tecnológico avanzado, una adecuada capacidad de producción, unos eficaces canales de distribución o unos excedentes financieros que reciclar.

Innovar por necesidad no deja de ser una tarea lógica y fundamental para garantizar la continuidad de la empresa, pero innovar por pasión con una visión estratégica amplia en un contexto internacional, tal como lo hace Amper, le procura a esta última una tranquilidad y una confianza envidiables de cara a la renovación futura de sus oportunidades. Amper, que va creando una importante capacidad estratégica a escala mundial mediante alianzas o cooperaciones con otras empresas extranjeras de tecnología punta, refuerza su competitividad internacional. Esta deslocalización le permite a la empresa explotar las ventajas comparativas de cada país, obtener unas economías de escala y conseguir unas sinergias positivas para potenciar determinados recursos clave. Variables todas ellas que incrementarán la rentabilidad y mejorarán la cobertura de los costes y riesgos asociados a todo nuevo proyecto.

No cabe duda que Amper constituye una de las compañías más destacadas de la industria española, y el caso que ha sido presentado pretende reflejar cómo, a nuestro juicio, debe plantearse un proceso creador de competitividad.

Para hacer posible este planteamiento, ha sido necesaria una nueva visión de la organización, lo que ha implicado la puesta en marcha de una estrategia de cambio, que implica una modificación de la cultura empresarial y una movilización de todos sus recursos.

De esta empresa, especializada históricamente en la fabricación de sistemas electrónicos y en un sólido, pero acotado, marco tecnológico y comercial, ya no queda prácticamente nada sino la ilusión por convertir el proyecto inicial en una organización multidimensional con una capacidad de respuesta adaptada a los retos del futuro.

BIBLIOGRAFÍA

Artículos y notas de prensa especializada.

Memorias de la empresa.

Trabajo monográfico: Especialidad Organización de Empresas (quinto curso), 1987-1988, UAM (dirigido por E. Bueno y P. Morcillo).

13

Camp, S. A.: «La gran colada»

13.1. Las primeras pompas de jabón

Jabones Camp inició su actividad en 1934 como empresa dedicada a la fabricación de lejías, jabones y escamas. La empresa fue fundada por los cuatro hermanos Josep, Albert, Joan y Jordi Camp y distribuía sus productos en un mercado bastante reducido, como lo era entonces el mercado español. En 1953, la firma logró afianzarse en el mercado nacional gracias a la marca «Elena». Durante este período, el verdadero líder del grupo fue Jordi Camp, quien introdujo el primer detergente de espuma controlada para lavadoras, producto que se viene comercializando con la marca «Colón» desde 1963, fecha en la que también se instaló la primera torre de atomización en la empresa. Lamentablemente, la labor de Jordi Camp se truncó en 1965 cuando un accidente de automóvil le costó la vida.

En 1973, la empresa consigue ocupar el noveno puesto de la química española con una facturación de 2.900 millones de pesetas y una plantilla de 750 empleados en sus dos factorías de Hospitalet de Llobregat y Granollers. Esta situación es el resultado de un proceso continuo de incorporación de nuevos productos: «Flor» (en 1968 fue el primer suavizante textil), «Coral» (detergente biológico) y «Bigit» (detergente para lavavajillas). Hacia 1977, y de cara a obtener posibles ventajas fiscales, se constituyó Campunión, que en 1982 cambió su denominación por la de Caro-Vipe, S. A., sociedad que concentró todas las acciones de Camp, S. A. El capital de Caro-Vipe se repartía entre los tres hermanos Josep, Joan y Albert, quienes poseían un 28,5 por 100 cada uno, y Lourdes y Jordi, hijos de Jordi, con un 14,50 por 100 en conjunto.

En 1989, como lo refleja la figura 13.1, el grupo Camp se articulaba en torno a cuatro divisiones que constituían otras tantas unidades de negocio.

— En la primera división se encuentra Camp Nacional, cuya empresa, Camp, S. A., se dedica a la fabricación y comercialización

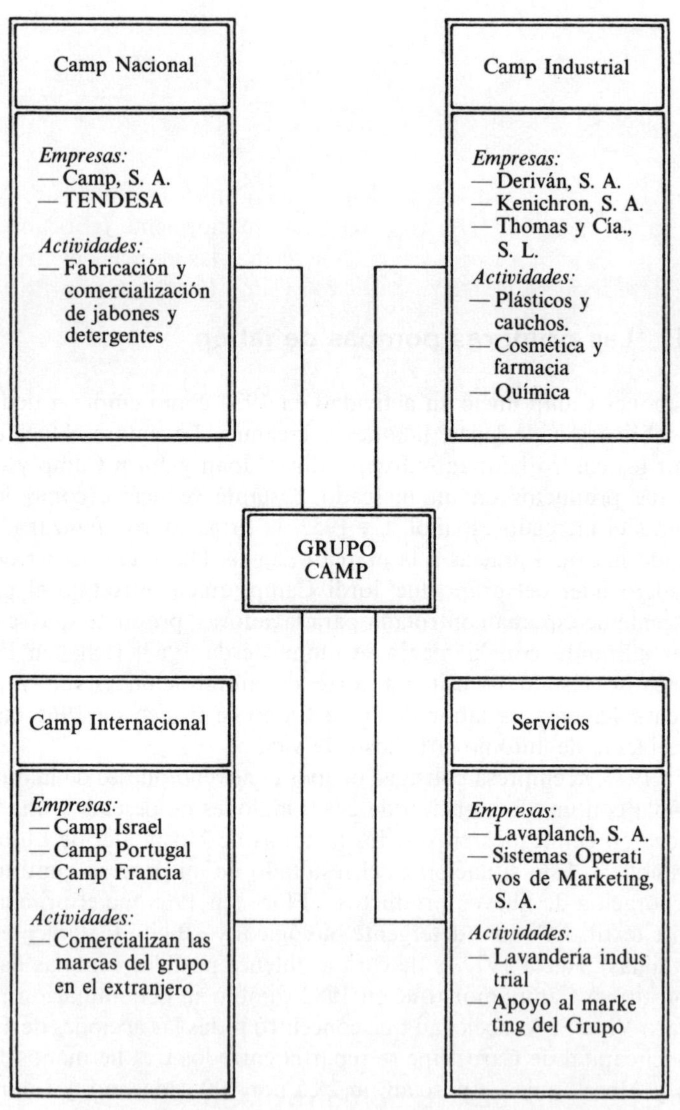

Figura 13.1.—Estructura del grupo Camp, S. A., en 1989.

de todo tipo de jabones y detergentes. La gama de productos comercializados por Camp se divide en tres grandes subdivisiones: los productos domésticos, los industriales (para suelos, vajillas, ropa, limpieza y piscinas) y los productos para distribuidores que comercializa la compañía filial Tendesa, S. A.

— En la segunda división figura Camp Industrial, que comercializa los productos fabricados por las unidades de producción de Deriván, S. A., Kemichrom, S. A., y Thomas y Cía., S. L. Los productos están encuadrados en tres subdivisiones: plásticos y caucho, cosmética y farmacéutica y química.

— Como tercera división, dentro del grupo de empresas Camp, aparece Camp Internacional, que anteriormente fabricaba productos para terceros y hoy comercializa las marcas del Grupo en el extranjero. Así, en 1986 nacen Camp-Israel y Camp-Portugal, SRC, y, en 1987, Camp-Francia.

— La última división la constituyen el resto de compañías del grupo: Lavaplanch, S. A., dedicada a la lavandería industrial, sector en el cual es líder, y Sistemas Operativos de Marketing, S. A., empresa de servicios y de apoyo al marketing del Grupo.

— Por otro lado, el grupo Camp cuenta con un departamento de investigación y desarrollo, creado en 1983, que tiene como objeto mantener competitivos los productos maduros en base a una buena relación calidad-precio y desarrollar nuevos productos y tecnologías. A este respecto, el grupo viene dedicando a I+D cerca del 1 por 100 de su cifra de ingresos por ventas, lo que le sitúa entre las primeras empresas inversoras en I+D de su sector. En 1986, y según la relación de empresas que invirtieron por encima de los 120 millones de pesetas en I+D en España, Camp ocupaba el puesto 64 de la clasificación, con un presupuesto de 203 millones en I+D.

Hoy, la empresa Camp ha dejado de estar bajo un control de tipo familiar para pasar a depender de forma absoluta de la firma J. A. Benckiser GmbH, *holding* alemán con sede en Ludwigshafen (Alemania), cuestión que trataremos un poco más adelante. Es líder de los sectores de detergentes para lavadoras, controlando una cuota de mercado del 25 por 100, y de los suavizantes con un 22 por 100.

13.2. Un crecimiento no controlado

Durante los años setenta, para poder competir con las compañías multinacionales —Henkel, Lever y Procter & Gamble, esencialmente—, la empresa Camp opta por acelerar su crecimiento recurriendo a una política agresiva de precios que le permite aumentar sus ventas pero sin obtener en contrapartida los requeridos beneficios. Hasta el momento en que los directivos admiten que hay un agujero de 6.000 millones de pesetas, ya insoportable para la empresa, el crecimiento de la cuota de mercado había sido la única y exclusiva preocupación de aquéllos.

En esa época se consigue colocar algún producto en mercados exteriores, pero a base de operaciones esporádicas y puntuales de dudosa rentabilidad.

Con esta huida hacia adelante, la configuración interna de Camp evoluciona de forma irracional. Existen 34 departamentos poco relacionados entre sí, lo cual convierte la organización en una estructura burocrática y difícil de manejar, por no decir imposible. Además, existen cuatro núcleos de poder representados por los hermanos Camp o sus descendientes, que infringen uno de los principios fundamentales de organización, como es el de la unidad de dirección.

A lo largo de este período, no se elaboran y lanzan nuevos productos para adaptar la cartera de productos a las nuevas tendencias dictadas por el mercado, al tiempo que se descuida la calidad.

En este contexto, Camp afronta la década de los ochenta en condiciones poco propicias para reaccionar con prontitud a las iniciativas que van tomando sus principales competidores. A partir de 1983, la compañía se adentra en una profunda crisis, fruto de un cúmulo de circunstancias que presentamos brevemente a continuación:

a) La penetración en España de nuevas empresas competidoras en el sector de los detergentes.

b) Una suspensión de pagos de la filial abierta en Nigeria, donde Camp exportaba importantes cantidades de detergentes.

c) Una congelación de las relaciones comerciales con Argelia, otro buen mercado de Camp, como consecuencia de los problemas derivados del contrato que España no llega a firmar con las autoridades argelinas para su aprovisionamiento de gas.

d) Una campaña en la entonces República Federal de Alemania contra los productos españoles, acusados de utilizar cadmio.

Además, las «segundas marcas» comercializadas por la competencia ofrecieron productos con una relación calidad-precio excelente, lo que implicó que éstos ganasen cuota de mercado en detrimento de los productos ofrecidos por Camp, cuya calidad ya no correspondía a la propuesta por productos de primera línea.

13.3. La recuperación de Camp

En 1984 era necesario reorientar la empresa hacia nuevos ejes estratégicos. Los hermanos Camp decidieron profesionalizar la gestión otorgando a una persona la responsabilidad de reestructurar la empresa. El elegido fue Manuel Luque, cuya trayectoria profesional no deja de sorprender. Empezó estudiando química orgánica en la Universidad canaria, siguió con una beca en Londres y entró en la empresa Procter & Gamble (una de las cuatro grandes del sector de detergentes y otros productos de limpieza) para conocer nuevos métodos y procesos químicos. No olvidemos que Procter & Gamble fue la primera en los años cincuenta en introducir abrillantadores ópticos en los detergentes, es decir, sustancias químicas que reflejasen la luz para que la ropa pareciese más limpia. Volviendo a Manuel Luque, ya en 1984, entró en el grupo Camp, siendo, primero, consejero delegado de Unión Deriván y, después, director general de Camp, S. A. Realmente los primeros contactos con la empresa los tuvo en 1983, cuando trabajó como asesor y consultor de la misma.

La primera medida que tomó la nueva dirección fue convencer a los bancos de que Camp iba a seguir dando guerra en el mercado español de detergentes. La segunda, fue la de fabricar exclusivamente productos propios, cerrando las líneas de fabricación de detergentes de otras marcas. A continuación se acometió una modernización de la maquinaria (una inversión de unos 1.000 millones de pesetas); un rejuvenecimiento de la plantilla (la media de edad pasó de 46 años en 1986 a 38 en 1988); un plan de mejora de la productividad (216 kilos por hombre y por hora a 400 kilos en 1988); unas inversiones directas en Israel —donde Camp pasó a controlar una cuota de mercado del 20 por 100—, en Portugal —donde se hizo con una cuota de mercado del 6 por 100— y en Francia.

En definitiva, Manuel Luque decidió actuar en cuatro frentes.

13.3.1. El aspecto financiero

En 1985, Camp registró unos datos financieros muy negativos; sus ventas se redujeron en 3.500 millones de pesetas; el endeudamiento alcanzó unas cifras récord, y el ejercicio se cerró con pérdidas.

Para solicitar el voto de confianza de la banca, cuando algunas entidades financieras ya habían tomado la decisión de retirar su ayuda a Camp, la nueva dirección presentó un plan de viabilidad que garantizaba la ejecución de las siguientes medidas:

— Profesionalización e incremento de la cualificación de todos los miembros de la organización.
— Gestión rigurosa de los recursos ajenos para recomponer la debilitada capacidad de autofinanciación de la empresa.

— Reforzamiento y modernización del área comercial introduciendo nuevos elementos del marketing estratégico.
— La obtención de beneficios como principal objetivo.

Por otra parte, la dirección decidió que la financiación de la empresa se realizaría a corto plazo. Se trata el suministro de dinero como el de cualquier otro recurso, acudiendo a plazas financieras extranjeras donde existe mayor disponibilidad y mejores condiciones de endeudamiento. Además de clarificar la situación contable y financiera, se dota a la compañía de un sistema informático que facilita las tareas de control para hacer la gestión más eficaz.

13.3.2. La reorganización de la empresa

El departamento de personal se transformó en un departamento *staff* que ayudaba a la organización a cubrir sus objetivos. La filosofía básica del departamento era, por una parte, el trato personal y directo con los empleados y, por otra, la comunicación a todos los niveles. Un vídeo corporativo mostrado a los trabajadores tenía la función de inculcar la filosofía empresarial, la vocación de futuro, la necesidad de innovar y la profesionalización de la plantilla.

Se puso en marcha el nuevo plan con la participación activa de Manuel Luque. Las medidas que se tomaron fueron las siguientes:

1. Reuniones de motivación a nivel técnico y profesional, haciendo especial hincapié en la calidad.
2. Programas de formación para mejorar el nivel de cualificación.
3. Programa de promoción interna del personal.
4. Mejora de la gestión, implantando modernos sistemas de administración de empresas.
5. Reagrupación de los 34 departamentos en nueve áreas (Compras, Logística, Distribución y Comercial, I+D, Desarrollo Industrial e Ingeniería, Jurídico, Financiación y Administración, Personal, Producción y Marketing). Dicha reorganización interna tenía como principal objetivo integrar las distintas funciones para reducir el número de niveles jerárquicos y así mejorar la comunicación y la flexibilidad de la compañía.

Los directivos de cada área formaban el comité de dirección, garantizando de esta forma la cooperación entre las distintas áreas.

En el departamento de Marketing, función clave en un sector de bienes de consumo corrientes expuesto a una feroz competencia, se estableció un nuevo sistema de *management*, haciendo desaparecer la figura del *product manager* para instituir un método de trabajo por proyecto.

13.3.3. Acción hacia el cliente/distribuidor

En 1985, las ventas de Camp se realizaban a través de tres divisiones: artículos de consumo, productos institucionales y marcas para distribuidores. Cada una de estas tres divisiones actuaba independientemente y con una política distinta no coordinada. Además, teniendo en cuenta que existía por parte de los distribuidores un cierto descrédito hacia Camp por su falta de seriedad en su política de precios, era imprescindible restablecer la confianza de aquéllos.

Las tres áreas comerciales del mercado nacional se fundieron bajo un mismo mando, unificando la política comercial de la empresa y asegurando un mejor servicio. En este sentido, la empresa Camp se comprometía a:

- Desarrollar una política de precios seria y ajustada a la de la competencia.
- Recuperar su espíritu innovador, mejorando la calidad de los productos existentes, lanzando nuevos artículos y entrando en nuevas líneas de productos para reforzar su nivel de diferenciación (las marcas blancas representaban el 20 por 100 de la facturación de Camp).
- Ofrecer un mejor servicio a sus clientes.

13.3.4. El consumo directo

Según la agencia de publicidad de Camp, la empresa no podía relanzarse tímidamente, había que adoptar políticas agresivas capaces de seducir a los consumidores mostrando la cara humana y responsable de la firma.

La decisión de implicar el propio director general ante las amas de casa siguiendo el ejemplo del mítico Iacoca en Estados Unidos pareció descabellada hasta que diversos rodajes de *spots* y sus posteriores tests inclinaron la balanza y se dio el visto bueno a la idea.

El resto ya es historia. Manuel Luque consiguió transmitir su filosofía: el ama de casa puede elegir. Y si los demás hacen buenos productos, Camp también.

Manuel Luque, directores, técnicos y el conjunto del personal participaban en esta campaña publicitaria convencidos y con el orgullo de saber que proponían al mercado un buen producto. Camp se había convertido en la marca número 12 del país de acuerdo con los estudios de la revista *Control de Publicidad.*

13.4. Los resultados económicos de la reestructuración

Este proceso de profesionalización que ha llevado a cabo la empresa ha permitido alcanzar unos resultados espectaculares:

— Un fuerte incremento de las ventas entre 1983, año en el que la crisis alcanza su cenit, y 1990 (véase figura 13.2). Actualmente, como ya lo hemos reseñado, Camp es líder del mercado español de detergentes y del de suavizantes.

— El resultado de explotación crece más de un 150 por 100.

— Los gastos financieros se reducen en un 25 por 100.

— El *cash-flow* alcanzó 1.800 millones en 1988.

— Este mismo año se rebajó el endeudamiento de 9.000 a 7.600 millones de pesetas.

— Se pudieron destinar 2.600 millones a la compra de equipos industriales.

Se puede afirmar que a finales de 1988 la empresa se encontraba financieramente saneada. Si añadimos a este aspecto el positivo cambio de imagen que se dio a los productos Camp, cabe resaltar que la empresa estaba en condición de diseñar una nueva estrategia mucho más ambiciosa que la anterior. Tras la política de reestructuración interna que ha permitido corregir las debilidades de la empresa y potenciar sus fuerzas, convenía ahora formular un proceso de desarrollo ofensivo que explotase las ventajas competitivas alcanzadas.

13.5. El debate estratégico

La reestructuración interna, la reconversión tecnológica, una original campaña de marketing y una agresiva estrategia publicitaria han hecho que Camp pasase de una situación de crisis a otra mucho más positiva a finales de los ochenta. Sin embargo, el 13 de febrero de 1989 se nombran tres nuevos directores generales y el 14 de febrero los accionistas mayoritarios de la compañía, los hermanos Camp (quienes

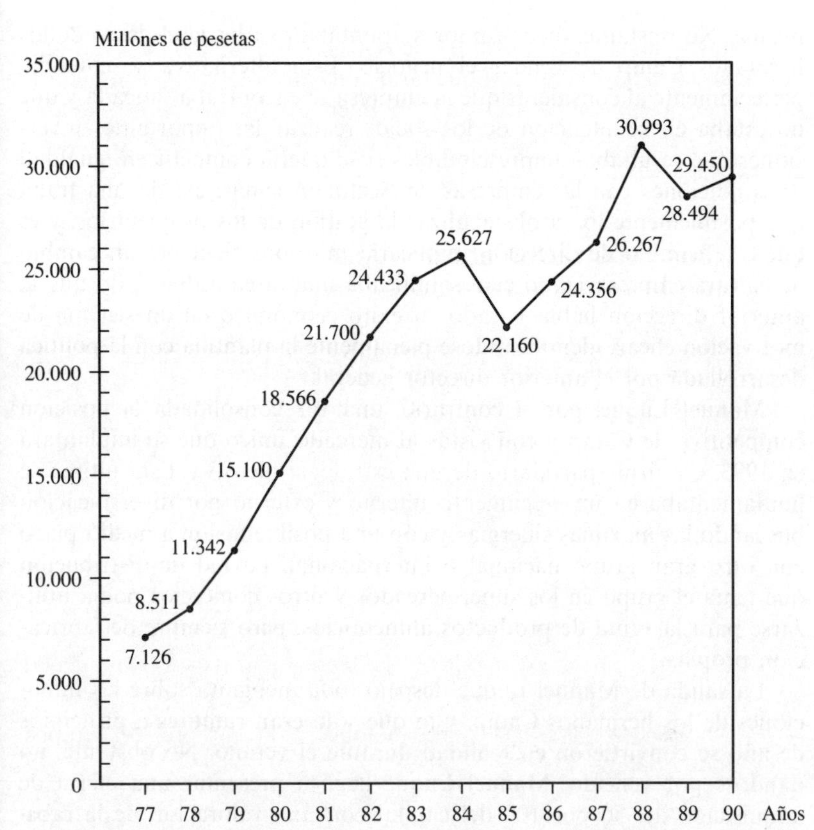

FUENTE: *Fomento de la Producción:* «Las mayores empresas españolas», años sucesivos.

Figura 13.2.—Evolución de las ventas de Camp, S. A.

poseían el 86 por 100), comunican al comité de empresa el cese de Manuel Luque, principal responsable de la recuperación de la empresa.

Por parte de la mayoría accionarial se adujeron motivos como el excesivo protagonismo de Manuel Luque y su incontrolado afán de poder. Pero más allá de un enfrentamiento personal, aparecían contradicciones más profundas entre un estilo de dirección ambicioso pero moderno y el modelo conservador y defensor de una estructura empresarial de tipo familiar.

En realidad el planteamiento estratégico de las dos partes era diametralmente opuesto y no existía ninguna posibilidad de entendimiento.

Los hermanos Josep, Joan y Albert Camp optaron preferentemente por una estrategia de tipo defensivo, consolidando la situación actual de la empresa sin perder, de momento, el control casi absoluto de la misma. No obstante, otros rumores apuntaban ya hacia el deseo de los hermanos Camp de vender el negocio. Esta alternativa se entendía perfectamente al considerar que la empresa se encontraba saneada y que no estaba en la intención de los socios realizar las importantes inversiones que resultaban imprescindibles si se quería competir en igualdad de condiciones con las empresas del sector. Además, existía una traba que posiblemente iba a obstaculizar la gestión de los propietarios, y es que este cambio de dirección implicaría muy posiblemente un cambio de cultura empresarial, lo cual significaba una tarea ardua dado que la anterior dirección había basado su éxito económico en un sistema de motivación eficaz, identificándose plenamente la plantilla con la política desarrollada por el anterior director general.

Manuel Luque, por el contrario, una vez consolidada la posición competitiva de Camp y con vistas al mercado único que se implantará en 1993, era firme partidario de una estrategia ofensiva. Esta última se fundamentaba en un crecimiento interno y externo por diversificación buscando las máximas sinergias y con una posible fusión a medio plazo con otro gran grupo nacional o internacional. La red de distribución que tenía el grupo en los supermercados y otros comercios podía utilizarse para la venta de productos alimenticios, pero siempre de fabricación propia.

La salida de Manuel Luque despejó toda incógnita sobre las intenciones de los hermanos Camp, y lo que sólo eran rumores a principios de año se convirtieron en realidad durante el verano. No obstante, no dándose por vencido, Manuel Luque llegó a presentar una oferta de adquisición del 50 por 100 del capital con una valoración de la compañía en 17.000 millones de pesetas, consiguiendo los fondos del Chase Manhattan Bank y siendo el representante legal de algo más del 14 por 100 del capital en manos de Lourdes y Jordi Camp. Pero la reacción de los accionistas mayoritarios de la empresa no se hizo esperar, y el 15 de julio de 1989 anunciaron, tras unas fracasadas negociaciones con Procter & Gamble, la firma de un contrato de venta con la multinacional alemana Benckiser. Procter & Gamble contaba, según la propia empresa, con una opción de compra que los representantes de los hermanos Camp calificaron de pacto de intenciones no suponiendo en su opinión un compromiso firme si transcurría el plazo estipulado por las dos partes. En este sentido, la operación con Benckiser se realizó al día siguiente de que finalizase el plazo acordado con Procter.

El precio de adquisición de las sociedades del grupo Camp se elevó a 30.000 millones de pesetas, asumiendo además toda la deuda contraída por las mismas, es decir, el doble de la valorización de Manuel Luque.

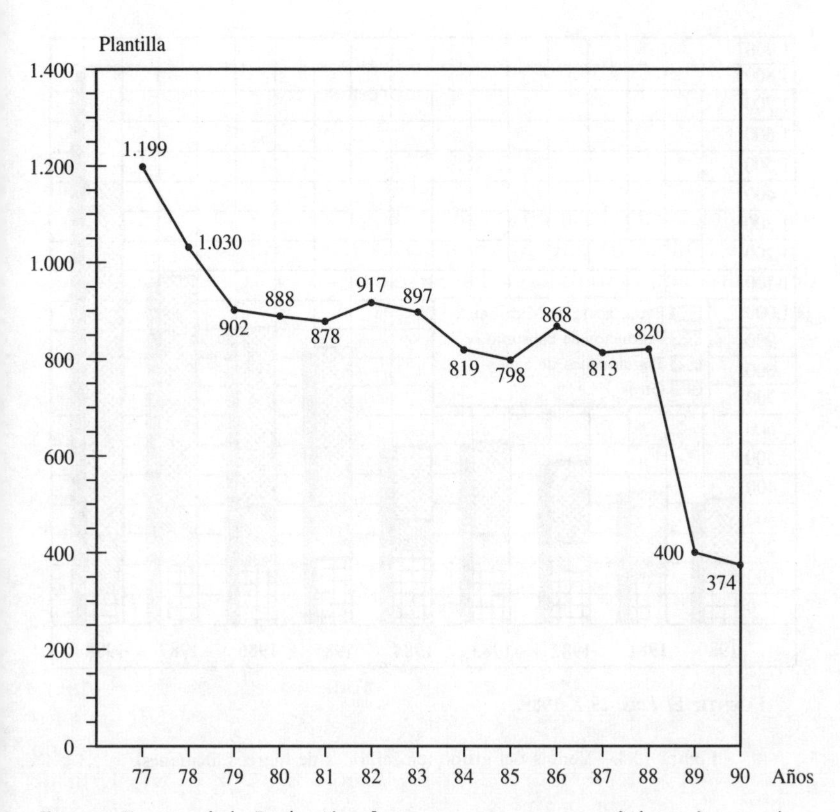

FUENTE: *Fomento de la Producción:* «Las mayores empresas españolas», años sucesivos.

Figura 13.3. Evolución de la plantilla de Camp, S. A.

Con la compra de Camp, Benckiser alcanzó una clara complementariedad, ya que a pesar de los cientos de marcas que comercializa, apenas una decena tenía semejantes características.

Benckiser compró, en los dos últimos años de la década de los ochenta, empresas por valor de 100.000 millones de pesetas, y en 1990 el 70 por 100 de la facturación que obtenía el grupo correspondía a estas compras. La firma alemana entró en el sector de detergentes tras vender los activos que poseía en la industria química, la cual constituyó su actividad de origen. Como se refleja en la figura 13.4, en 1985 Camp facturaba más que Benckiser, que venía financiando su crecimiento internacional con los recursos conseguidos vía desinversión y con la ayuda prestada por entidades financieras, fundamentalmente el Deustch Bank.

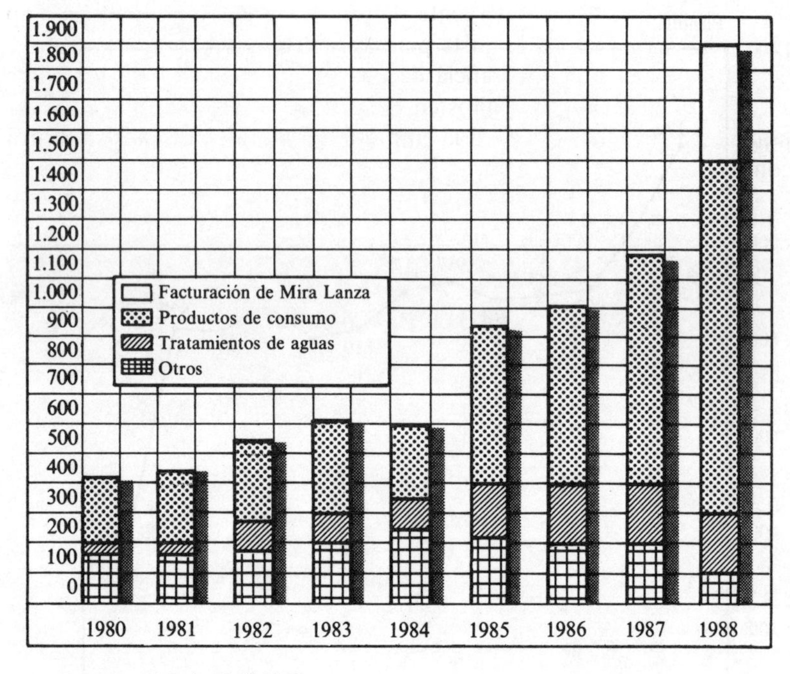

FUENTE: *El País*, 29-X-1989.

Figura 13.4.—Ventas del grupo (en millones de marcos alemanes).

13.6. Conclusión

Los objetivos de Benckiser respecto a Camp consisten en consolidar la posición del grupo de empresas absorbido y en incrementar la facturación anual en un 8 ó 10 por 100 a muy corto plazo, tras un período transitorio de necesaria integración. En este sentido, las medidas de reestructuración emprendidas con la entrada de Benckiser han supuesto que los beneficios de 304 millones de pesetas obtenidos en 1988 se transformaran en pérdidas de 1.200 millones al siguiente ejercicio.

Las previsiones de ventas para 1992 apuntan a la cifra de 35.000 millones de pesetas. En cuanto al capítulo de inversiones, al que Camp destinó 600 millones en 1991, se vaticina que durante el mismo ejercicio esa cantidad se incremente hasta alcanzar 700 millones.

Estos últimos acontecimientos han terminado con las ilusiones de los que soñaban que una empresa de capital exclusivamente español pudiese incorporarse al oligopolio europeo y competir de «tú a tú» con las multinacionales del detergente. Pero el caso de la compañía Camp presenta un proceso de reajuste permanente muy interesante que pone de manifiesto la preponderancia de una economía mundial que tiende a convertir todos los mercados en oligopolísticos. De ahí que el factor tamaño ha sido decisivo para la empresa a la hora de diseñar su futuro competitivo.

BIBLIOGRAFÍA

Artículos de prensa y revistas (*El País, Expansión, Cinco Días, Fomento de la Producción, Tribuna, Tiempo*).

Camp. Una recuperación en contra de todos los pronósticos. Documento interno de la empresa.

Entrevistas personales.

14

Lois: «La multinacional del *jean* en mutación»

14.1. Nace un pantalón vaquero

Cuando sólo contaba catorce años, Joaquín Sáez Merino se hace cargo de la tienda de ultramarinos perteneciente a sus padres y de la cual no se obtenían diariamente más de 200 pesetas en concepto de ventas. Unos años más tarde, Joaquín Sáez Merino, cuando cumple los diecisiete años, recorre los alrededores de su pueblo natal, Montcada, vendiendo telas y ropas usadas. Esta actividad no le satisface plenamente al joven, y sus inquietudes pronto le van ha cambiar su futuro de forma significativa.

En 1949, ante la carencia de un buen proveedor, se traslada a Barcelona para aprender los secretos de la confección de paños y empezar a elaborar sus propios productos. Allí encuentra a un fabricante que le vende unos tejidos, y con la ayuda del sastre del pueblo comienza a cortar los primeros patrones que le iban permitir comercializar monos de faena de una sola pieza. Con esta actividad había iniciado un camino en que el diseño propio y la fabricación constituirían las ventajas competitivas sobre las cuales iba a fundamentar el crecimiento de su negocio.

Pocos años más tarde, el suministrador de Barcelona ya no se encuentra en condición de satisfacer los pedidos que cada vez van siendo más importantes. Como respuesta a esta situación, en 1959, Joaquín Sáez Merino decide crear su propia fábrica textil con su hermano Manuel. Esta primera unidad de producción se pone en marcha con una maquinaria de segunda mano y se crean cuarenta puestos de trabajo.

En esta fábrica, los hermanos producen su propio modelo de un nuevo producto para el mercado nacional: el pantalón vaquero. Versión española del *jean* americano, tipo de prenda que generaba una gran expectación por el efecto moda asociado a la misma.

El primer mercado al que acude la empresa con este nuevo producto es el mallorquín. La primera marca utilizada es «Dylan», que poco después sería retirada ante la coincidencia de denominación con otro pantalón de origen británico.

14.2. El crecimiento del negocio

Con estas primeras experiencias llega un año histórico para la empresa, ya que en 1963 la compañía lanza la marca «Lois», que inicialmente fue «Luis», pero que rápidamente los técnicos publicitarios desaconsejaron, por considerar que un nombre tan español como éste podría perjudicar comercialmente a un producto típicamente tejano. Para entender el espíritu oportunista que siempre ha imperado en esta empresa desde su creación, hay que recordar que el primer anuncio televisivo de «Lois» lo realizó Bruno Lomas, un cantante con gran éxito entre la juventud de aquellos años, que cantaba y bailaba al ritmo impuesto por los Beatles, los Rolling Stones y las grandes figuras norteamericanas del rock, y británicas del pop.

Volviendo al tema de la marca, y para demostrar, una vez más, que «sobre gustos no hay nada escrito», el último grito en la confección de pantalones vaqueros se llama «Pepe», que, aunque parezca mentira, de español sólo tiene el nombre. La marca nació en Londres en 1973 y fue una iniciativa de otros dos hermanos indios, Shah y Sinyor, que eligieron estas cuatro letras por su «exotismo». Según el director de publicidad y de importaciones de la filial española, los *jeans* «Pepe» han arrebatado el liderazgo a «Levi's» en el mercado británico y se han convertido en un auténtico fenómeno entre los compradores jóvenes. Para dicho directivo, la idea de la empresa es que todo comprador pueda encontrar un pantalón a su gusto. El vaquero «Pepe» se empezó a comercializar en España en 1988 y hoy se venden 500.000 prendas al año, a un precio medio de 7.500 pesetas.

La primera exportación se realiza hacia Holanda en 1967, siendo el representante de la marca española un vendedor de pisos. Éste, ante la imposibilidad financiera de comprarles el género, recibe en depósito y en fiado las prendas, y ante la sorpresa general vende pantalones por una cifra de 20 millones de pesetas de la época.

Los últimos años de los sesenta y los primeros de los setenta fueron testigos de un continuo incremento de las ventas nacionales, así como de las exportaciones de las prendas vaqueras «Lois» hacia diferentes países europeos. Comenzaba por entonces una fuerte rivalidad con las marcas norteamericanas más afamadas del *jean*, cuyas empresas productoras, por ser pioneras en su campo, gozaban de una destacada posición competitiva en los mercados internacionales más importantes.

Este camino repleto de éxitos, aunque también de grandes esfuerzos y sacrificios, sufrió un paréntesis en 1976 cuando Joaquín y Manuel Sáez Merino dividen el negocio, quedándose el primero como presidente de la empresa Textiles y Confecciones Europeas, S. A. (TYCESA), y el segundo ocupando el mismo puesto en Sáez Merino, S. A. Este paréntesis en el desarrollo del negocio no afectó a la política comercial del grupo, que siguió utilizando la marca «Lois» como valor estratégico e integrador de las nuevas empresas escindidas. La empresa TYCESA empezó por comercializar la marca «Lois» en el extranjero, confeccionando otras prendas con las marcas «Old Chap», «Alton», «Río Grande», «Francis Montesinos» y fabricando hilos y tejidos. El crecimiento de la empresa le lleva, a finales de 1985, a realizar la absorción de las actividades de Wrangler España, empresa esta última que estaba atravesando grandes dificultades y se encontraba en un posible proceso de desaparición. En esta fecha, TYCESA era uno de los cinco mayores fabricantes del mundo en el género de *sportswear* y «ropa vaquera». Sin embargo, a finales de los ochenta la empresa se ve envuelta en una crisis. Tras la venta de nueve de sus fábricas, en 1990 suspendió pagos, pero rápidamente, al año siguiente, la levantó. Con la venta de las fábricas de Montcada y Requena, solamente le quedan la factoría española de Baeza (Jaén) y otras dos en Portugal y Marruecos. Con motivo de estos problemas financieros, se acuerda que TYCESA abandone la marca «Lois» que comercializaba fuera de España, la cual sólo podrá ser utilizada por Sáez Merino, S. A., quedándose con las marcas propias «Old Chap», «Río Grande» y «Alton».

Por el otro lado, la empresa Sáez Merino, S. A., se quedó, en principio, con la comercialización en exclusiva para España, Canadá y Nicaragua de la marca «Lois», exportando en torno al 20 por 100 de su producción en forma de prendas confeccionadas y de tejidos. La empresa cuenta, actualmente, con ocho fábricas de confección y dos plantas de tejidos en España. Produce 6,5 millones de prendas. El 40 por 100 de la producción corresponde a ropa vaquera y gestiona con personal propio factorías de ropa en Canadá, Hong Kong, Marruecos y México. El 15 por 100 de las prendas comercializadas proceden de las fábricas del extranjero. Como ya hemos dicho, a partir de 1990 esta compañía se queda con la exclusiva sobre la marca «Lois».

En 1985 las dos empresas propietarias de la marca «Lois» deciden entrar en el sector del calzado. La irrupción de «Lois» en este sector es fruto de una acción conjunta de los dos hermanos. Mientras que Manuel Sáez Merino concede la licencia de utilización de marca para fabricar «Lois-Zapatos» en España al fabricante Luniors Internacional de Villena (Alicante), Joaquín Sáez Merino hace lo propio con un fabricante inglés (Mitel) y otro francés (Labelle-Tachon), decisiones concordantes con las cláusulas de distribución para el mercado mundial de los productos «Lois».

14.3. El grupo Lois

El grupo Lois es el resultado de más de cuarenta años de mucho trabajo y dedicación de la familia Sáez Merino en torno a una idea común, idea que se ha concretado en una línea de productos de ropa vaquera y que se ha ido desarrollando hacia otros productos confeccionados afines. El grupo, como ya hemos indicado, presentaba una estructura bicéfala, por lo que procederemos a describir cada una de las dos iniciativas empresariales.

14.3.1. Textiles y Confecciones Europeas, S. A.

A finales de 1991, TYCESA, tras su reestructuración, que le ha llevado a desinvertir renunciando a su modelo de integración horizontal y vertical, da empleo a mil personas.

La empresa acomete este profundo proceso de reestructuración interna con el objeto de adaptarse rápidamente a los cambios surgidos en su entorno y se deshace de las actividades menos rentables.

Por una parte, la empresa disminuye su capacidad productiva destinada a los mercados exteriores, ante la imposibilidad de poder hacer frente a la gran competencia impuesta por las empresas de los países del sureste asiático y, por otra, decide suprimir su división textil para concentrar su actividad en el sector de la confección.

En mayo de 1989, TYCESA llega a un acuerdo con el grupo vasco TAVEX (este grupo lo constituían las empresas guipuzcoanas Algodonera San Antonio y Tintes y Acabados de Bergara) para vender su división textil. Las siete primeras plantas de las que se desprende el grupo valenciano (tres unidades de producción en Alginet y una en Xátiva, Buñol, Millares y Navarrés) fueron valoradas globalmente en seis mil millones de pesetas. El acuerdo entre las dos compañías incluía el compromiso de que TYCESA continuaría abasteciéndose de tejidos de TAVEX durante un plazo de dos años (ambas empresas controlaban hasta esa fecha la mayor parte de la producción española de tela vaquera).

Además, TYCESA vende a la empresa Ferrys la planta de Benifayó dedicada a la confección de ropa vaquera de la marca «Wrangler».

Tras esta importante operación de desinversión, TYCESA desarrolla una estrategia de reestructuración cuyo objetivo consiste en prestar una especial atención al desarrollo de cadenas de establecimientos franquiciados para la venta de ropa de las marcas «Coca-Cola», «Río Grande» y «Francis Montesinos».

La evolución económica de esta empresa se puede observar a través de los ingresos por ventas y de la plantilla, así como de las cifras relativas al nivel de exportación de TYCESA, que se recogen en las figuras 14.1, 14.2 y 14.3. La caída de la cifra de negocios así como la reducción de la plantilla son imputables, evidentemente, al proceso de desinversión iniciado ya por la empresa en 1988.

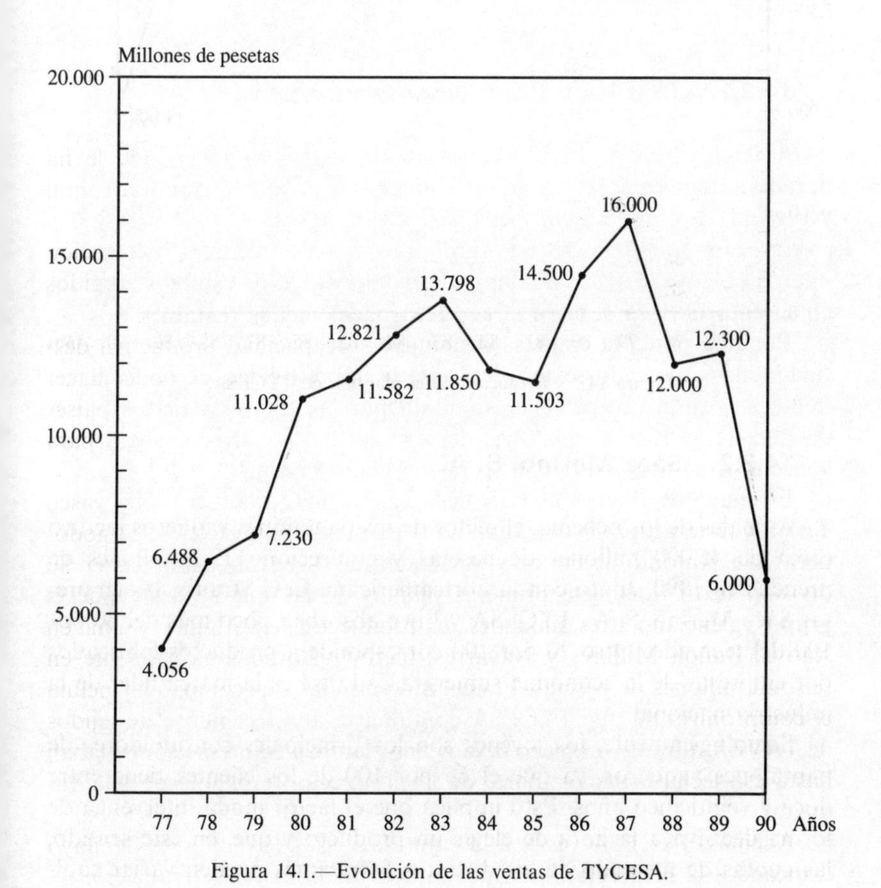

Figura 14.1.—Evolución de las ventas de TYCESA.

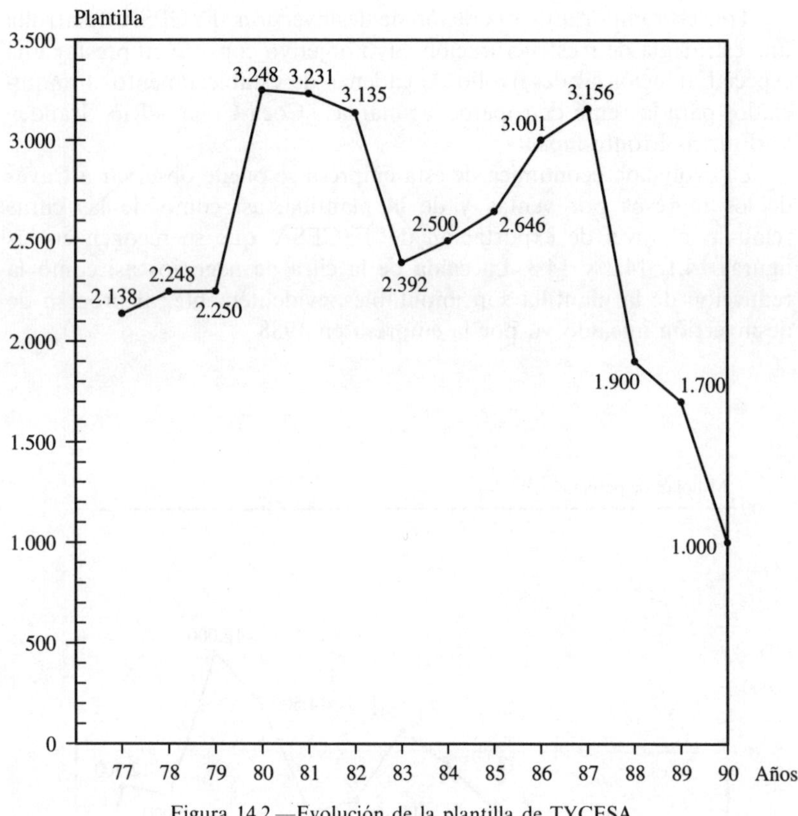

Figura 14.2.—Evolución de la plantilla de TYCESA.

14.3.2. Sáez Merino, S. A.

A finales de los ochenta, el sector de los pantalones vaqueros facturó cerca de 45.000 millones de pesetas y confeccionó 19,2 millones de prendas en 1990. Junto con la norteamericana Levi Strauss, las empresas Sáez Merino, S. A., TYCESA y Liwe absorben poco más del 60 por 100 del mercado. Otro 20 por 100 corresponde a productos fabricados por empresas de la economía sumergida. «Lois» es la marca líder de la industria nacional.

Sociológicamente, los jóvenes son los principales consumidores de pantalones vaqueros, ya que el 60 por 100 de los clientes tiene entre doce y veinticinco años. Esto implica que el factor moda intervenga de forma decisiva a la hora de elegir un producto y que, en este sentido, las cuotas de mercado de los distintos fabricantes pueden variar súbi-

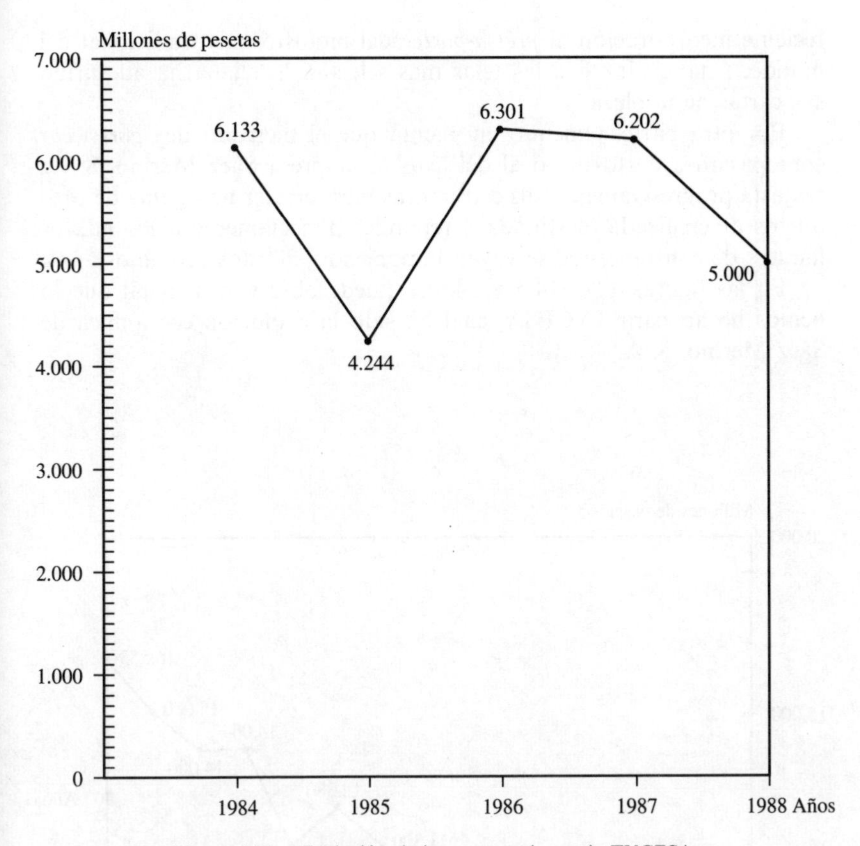

Figura 14.3.—Evolución de las exportaciones de TYCESA.

tamente de un año a otro por razones de imagen y no de calidad o precio. Esta situación repercute en el ciclo de vida de las marcas, el cual tiende a reducirse drásticamente en función del prestigio alcanzado momentáneamente por las mismas. Sin embargo, los vaqueros «Lois», debido a una política dinámica y a una gran capacidad de adaptación de la empresa Sáez Merino, S. A., mantienen y refuerzan cada año su cuota de mercado.

Es preciso poner aquí de manifiesto que el vaquero ha pasado de ser una prenda nada diferenciada a tener muy en cuenta la evolución del factor moda. Los diseñadores italianos han sido los primeros en lanzar una línea vaquera —Valentino, Moschino, Gianni Versace, con sus *jeans* «Couture», y ahora Giorgio Armani— alentados por las excelentes perspectivas de negocio que presenta este artículo.

Una prueba más del proceso de sofisticación del vaquero es su reciente incorporación al *prêt-à-porter* del modisto más tradicional del mundo, Chanel. Junto a las telas más selectas, la tejana ha adquirido sus cartas de nobleza.

Por otra parte, teniendo en cuenta que el mercado de *sportswear* sobrepasará a corto plazo al del *jean,* la empresa Sáez Merino, S. A., reajusta progresivamente sus estructuras para ofrecer una gama de productos diversificada, destinada a reponder perfectamente a los nuevos hábitos de consumo que se vayan imponiendo en estos próximos años.

En las figuras 14.4, 14.5 y 14.6 se puede observar, al igual que lo hemos hecho para TYCESA, cuál ha sido la evolución económica de Sáez Merino, S. A.

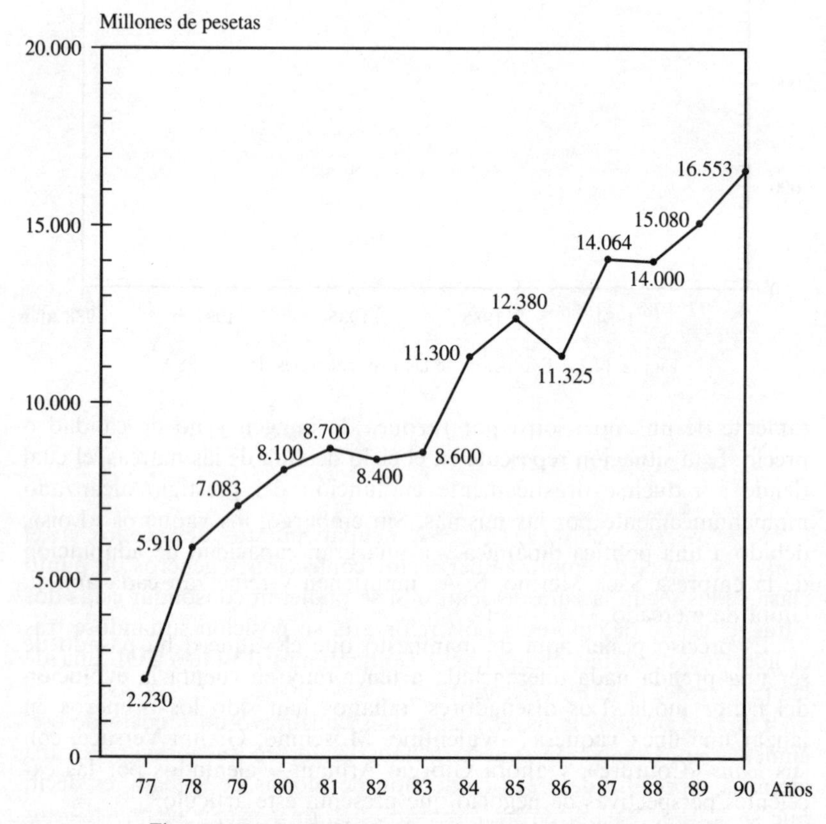

Figura 14.4.—Evolución de las ventas de Sáez Merino, S. A.

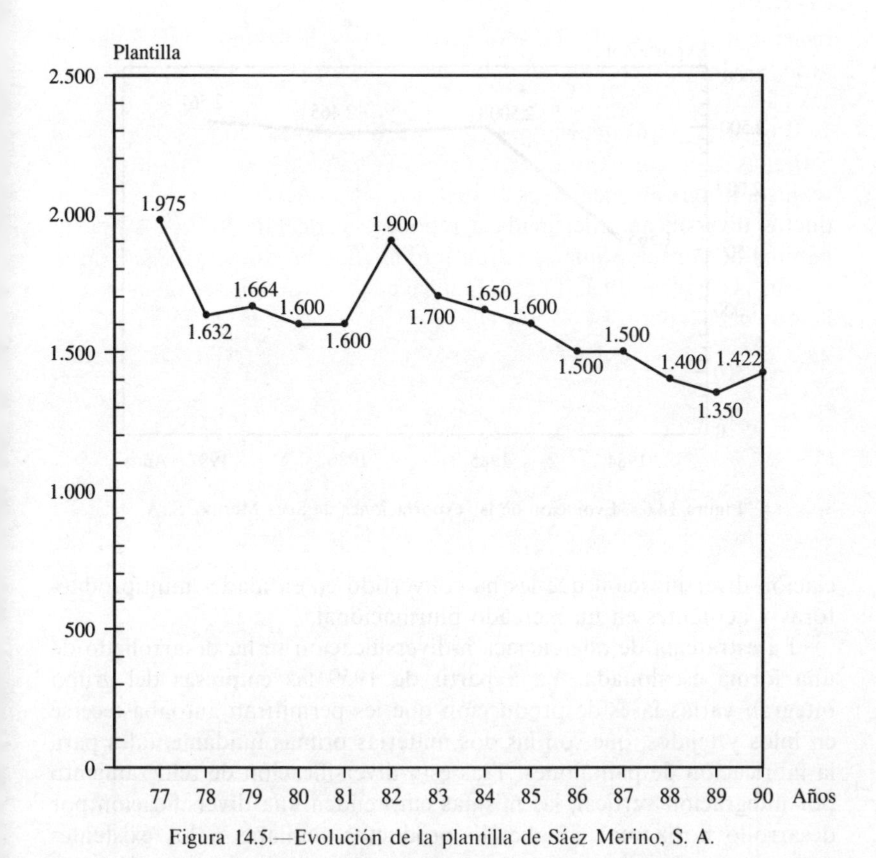

Figura 14.5.—Evolución de la plantilla de Sáez Merino, S. A.

14.4. Conclusión: una estrategia que busca el crecimiento

Sáez Merino, S. A., y TYCESA ocupan puestos destacados en el *ranking* español de empresas del sector confección y géneros de punto clasificadas según la cifra de ventas. Si se pudieran consolidar estas dos cifras, el grupo de empresas Lois reforzaría su posición situándose tras el líder incontestable, Industrias y Confecciones (INDUYCO), una de las principales empresas del grupo El Corte Inglés.

Durante muchos años, el grupo Lois constituyó un modelo de crecimiento en España. Después de haber sido, en sus principios, una empresa especializada en la confección de monos de trabajo, es decir, que se trataba de una firma monoproductora y nacional, hoy las dos sociedades matrices llevan adelante un ambicioso programa de diferen-

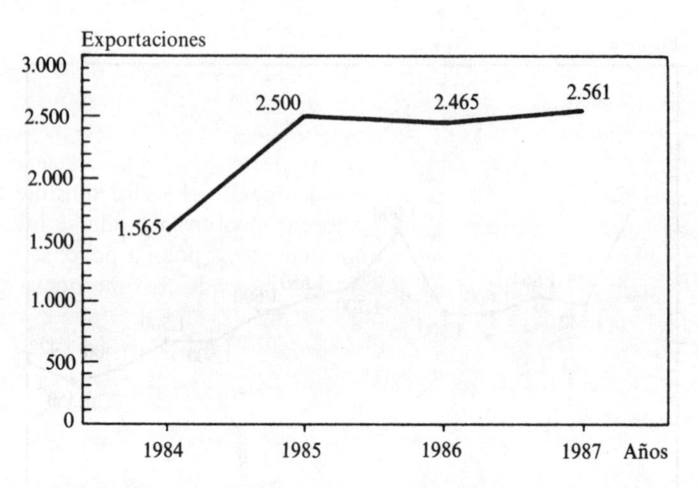

Figura 14.6.—Evolución de las exportaciones de Sáez Merino, S. A.

ciación-diversificación que les ha convertido en entidades multiproductoras y actuantes en un mercado plurinacional.

La estrategia de diferenciación-diversificación se ha desarrollado de una forma escalonada. Ya a partir de 1959 las empresas del grupo integran varias fases de producción que les permitirán autoabastecerse en hilos y tejidos, que son las dos materias primas fundamentales para la fabricación de pantalones. Tras esta diversificación de reforzamiento por integración vertical, las mismas emprenden una diversificación por desarrollo horizontal, añadiendo productos similares a los existentes (comercialización de pantalones vaqueros con distintas marcas) con el objetivo de incrementar sus cuotas de mercado en un contexto favorable que se caracterizaba por una demanda en pleno crecimiento.

Más adelante, las estrategias de diversificación por reforzamiento dieron paso a las estrategias de proximidad, que se apoyaban en la imagen y el buen prestigio de sus productos. Esta imagen de marca se ha forjado a lo largo de muchos años, durante los cuales se ha defendido un nivel de calidad óptimo, obtenido gracias a la introducción de una innovación en la forma de tejer la tela vaquera (con dos cabos en lugar de uno). Este proceso de fabricación tiene como efecto aumentar la flexibilidad de la prenda y su resistencia, alargando la vida de la misma.

Las estrategias de diversificación de proximidad se han llevado a cabo, primero, penetrando en nuevos mercados geográficos con los productos tradicionales (actualmente las prendas «Lois» están presentes en todos los países), después, lanzando nuevos productos, como es la amplia gama de artículos de *sportswear* y calzado, en estos mismos mercados nacionales e internacionales, utilizando los canales de distribución disponibles. Y ahora, se pretende, siguiendo el modelo de la empresa norteamericana Levi Strauss[1], transformar la compañía en una red de ventas, con tiendas franquiciadas. Esta nueva estrategia implica sacrificar la actividad productiva de las empresas. A este respecto, hay que tener en cuenta cómo ha ido evolucionando el sector durante estos últimos años. La irrupción del tejano europeo en la moda se inició en la segunda mitad de la década de los ochenta y, poco a poco, se ha ido apoderando del segmento medio-alto del mercado. Es una nueva generación de pantalones vaqueros que se venden en tiendas más distinguidas, con mejor imagen y cuyos precios oscilan entre las 10.000 y 13.000 pesetas frente a las 7.000 pesetas que cuesta un vaquero corriente. En estos establecimientos es donde se encuentran las marcas «Closed», «Chevignon», «Bonaventure», «Liberto», «Chipie», «El Charro», «Classic Nouveau», etc.

Las formas de crecimiento estructural elegidas para ejecutar las estrategias de diversificación han sido mixtas, dado que se ha recurrido tanto al crecimiento interno como al externo. En una primera fase, las dos empresas no han dejado de aumentar sus capacidades hasta que sus establecimientos alcanzaron un tamaño mínimo óptimo. En una segunda fase se ha optado por un crecimiento externo el cual corresponde preferentemente a una política de diversificación casi conglomeral cuando se trata de acelerar la entrada en nuevos sectores desconocidos para las empresas en cuestión.

Hoy, las empresas del grupo Lois están muy mediatizadas por el factor moda, por lo que atraviesan un período de adaptación que le está costando un mayor esfuerzo a TYCESA, aunque Sáez Merino, S. A., también viene atravesando algunos desajustes financieros. No obstante, conociendo el espíritu innovador y estratégico de estos dos empresarios valencianos confiamos en que muy pronto surgirán nuevas oportunidades que, sin duda, sabrán explotar.

BIBLIOGRAFÍA

La elaboración del caso se ha llevado a cabo a partir de entrevistas personales y artículos de prensa recogidos en diarios y revistas especializadas.

[1] En 1984, la compañía Levi Strauss cerró diez plantas de producción y redujo su plantilla en 39.000 empleados, es decir, en un 12 por 100, para desarrollar este tipo de estrategias.

PARTE CUARTA
Conclusiones

En la introducción a este libro decíamos que el criterio utilizado para seleccionar las empresas sujetas a estudio para ver cómo habían desarrollado una *dirección eficiente* se basaba en una pretendida respuesta a tres planteamientos estratégicos importantes:

— Empresas que han basado su éxito en estrategias de crecimiento.
— Empresas que han logrado el éxito gracias a estrategias de internacionalización.
— Empresas que han sabido superar problemas económicos importantes y que han efectuado con éxito estrategias de reestructuración o que, inclusive, están todavía intentando superar con éstas aquéllos.

Es en este momento cuando debemos hacer balance o conclusión de las conclusiones de los diferentes casos empresariales analizados, casos que, como se ha podido observar con la lectura de las páginas precedentes, han respondido a una ordenación consecuente con los tres planteamientos estratégicos conducentes al éxito, antes comentados.

Con estas páginas conclusivas pretendemos, además, corroborar nuestra propuesta de factores del éxito, tanto en su dimensión externa como, posiblemente la más importante, dimensión interna, dado que ha sido ésta la que ha recibido la máxima atención de los distintos estudios realizados sobre el éxito empresarial o la *dirección eficiente*, referenciados y comentados en el capítulo 1 de esta obra como «estado del arte» sobre esta temática.

Es evidente que los diferentes factores del éxito propuestos en el capítulo 2 han intervenido, con mayor o menor incidencia, y siempre de forma combinada, en los logros eficientes de las empresas estudiadas. La cuestión no es tanto identificar su presencia, sino poder demostrar su grado de importancia o influencia. En suma, la dificultad se centra en presentar de una forma ordenada cuándo han sido estos factores más o menos decisivos para la excelencia empresarial. De cualquier forma, estimamos, tal y como el «estado del arte» ha dejado puesto de manifiesto, que lo más interesante es la observación del éxito por la confluencia de determinados factores que permanecen en el tiempo, y no tanto por el peso específico de los mismos.

De todas maneras, sobre la *dirección eficiente* sí podemos corroborar algunos de los planteamientos sintéticos que en el «estado del arte» quedaron patentes, especialmente de la mano de T. Peters, tanto en su primera época como en la segunda, y que podemos redefinir de la forma siguiente:

1. El éxito competitivo de la empresa se tiene que basar fundamentalmente en las ventajas que generan los siguientes factores internos:

    1.1. El liderazgo de la dirección o del empresario, como actitud innovadora y estratégica.

    1.2. La orientación decidida al cliente y lograr la máxima calidad de servicio al mismo.

    1.3. Considerar que la innovación, que la gestión de la I+D, debe ser un hábito permanente.

    1.4. Apostar por la continua creatividad y la máxima implicación de todas las personas de la empresa en el proyecto común que ella representa.

2. El éxito de la empresa de hoy puede ser un fracaso mañana, y en esto influyen nuevos factores, tanto derivados de las combinaciones coyunturales y «perversas» de los internos como, especialmente, por la incidencia de los factores externos, más difíciles de pronosticar. Ello debe llevar a la conclusión de que con el «fracaso del éxito», como dice R. E. Quinn, hay que estar dispuesto a superar nuevamente las dificultades, aprender de aquél y volver a dirigir eficientemente para generar nuevas ventajas competitivas. Con ello estamos volviendo a incidir en el primer factor de éxito interno, propuesto por nosotros, que puede ser perfectamente la síntesis o la «conclusión de las conclusiones» observadas: disponer de un «espíritu innovador» y de una «actitud estratégica», es decir, de un «liderazgo».

En concreto, en las páginas que siguen, pretendemos ampliar un poco estas consideraciones, relacionándolas con cada empresa concreta y a través de un discurso que se estructura en las tres líneas estratégicas señaladas: crecimiento, internacionalización y reestructuración.

15.

El éxito como conclusión

15.1. El éxito en las estrategias de crecimiento

Uno de los retos actuales de las empresas españolas es lograr un crecimiento sostenido, equilibrado, que les permita alcanzar un tamaño más adecuado para competir en el Mercado Interior Europeo y, en general, en los mercados internacionales. El crecimiento de la economía española durante la década de los ochenta, especialmente en su segunda mitad, ha sido un hecho relevante que ha posicionado muy positivamente a la misma frente a sus socios europeos, a la vez que ello ha sido demostración de la evolución genérica de las empresas españolas. Un resultado que extiende el éxito a todas ellas.

Pero lo importante es conocer que existen empresas que son capaces de crecer, a la vez que de generar beneficios, en diferentes situaciones económicas, en coyunturas favorables y desfavorables. En este libro han sido recogidos una serie de casos de empresas que responden a estas premisas.

Como es conocido, en las estrategias de crecimiento se plantean dos formas o procesos, como son el interno y el externo, que, a su vez, se pueden desarrollar con dos modalidades: expansión y diversificación[1]. Aunque ahora no es el momento de entrar en detalles en estas clases de crecimiento, si puede ser, en cambio, procedente observar cómo las empresas con *dirección eficiente* han utilizado unas u otras estrategias.

En general hay que decir, y lo atestiguan la evolución de sus cifras, que las empresas con un éxito basado fundamentalmente en el crecimiento han optado en las primeras etapas por la forma de crecimiento interno y con la modalidad de expansión. Es decir, invirtiendo, autofinanciándose, incrementando su capacidad productiva y consolidando su posición competitiva en el mercado, en su campo de actividad principal,

[1] Véase Bueno, E.: *Dirección estratégica de la empresa, op. cit.*, capítulos 9 y 10.
AECA: *El crecimiento de la empresa*, Principios de Organización y Sistemas, Documento núm. 6, Asociación Española de Contabilidad y Administración de Empresas, Madrid, 1992.

en coherencia con la misión establecida y comunicada con la necesaria claridad. Después, en etapas posteriores, es cuando han iniciado procesos de crecimiento externo, que les han permitido llegar a ganar posiciones o incrementar su poder de mercado con una mayor rapidez. Desarrollo que, normalmente, suele venir acompañado con la modalidad de diversificación, tanto de producto como de mercado. Diversificación que, en la mayoría de los casos, es una respuesta a las oportunidades de mercado a la generación de nuevos recursos y a una mejor gestión del riesgo de la empresa.

Es evidente que en este punto nos estamos refiriendo a las empresas Campofrío, Chupa Chups, Dragados y Construcciones, Pedro Domecq, Freixenet, Alsa, Construcciones y Contratas, el grupo El Corte Inglés, e inclusive, Ceselsa.

Conjunto de empresas que, en general, han sabido aprovechar durante varios años consecutivos sus ventajas competitivas y unas evidentes oportunidades expansivas del mercado nacional, concretamente en la mayor parte de los sesenta y sobre todo en los setenta. Con este crecimiento, normalmente interno y en un «vector de expansión», han podido estas empresas abordar los años sucesivos de los ochenta y de los noventa transcurridos, años singulares para nuestra economía, con unos resultados altamente exitosos, y facilitándoles el asalto generalizado de los mercados internacionales.

¿Cómo lo han hecho? Obviamente con planteamientos distintos, pero, en su mayoría, configurando un modelo de dirección en el que se integran la mayor parte de los factores del éxito propuestos.

Independientemente de cómo lo han hecho las empresas, es evidente que para crecer hay que disponer de algunos de los factores externos propuestos. Por ejemplo, en la mayoría de los casos considerados el haber sabido aprovechar *oportunidades de mercado,* como han sido Pedro Domecq, Alsa o Freixenet, entre otros; el haber sabido explotar *descubrimientos tecnológicos* y *nuevos recursos,* caso de Campofrío, Chupa Chups y Ceselsa, o el haber sabido aprovechar una demanda expansiva y agregada en su mercado para crecer ha sido fundamental, situación, por ejemplo, en la que han destacado Dragados y Construcciones, Construcciones y Contratas y El Corte Inglés, según épocas, productos y mercados de actuación. Finalmente, siempre en todos los casos hay que contar, como factor añadido, con la existencia de una política económica pública que facilite el crecimiento de la empresa, o al menos saber cómo gestionar en relación a ella.

Creemos, llegados a este punto, que puede ser interesante ir considerando si los factores internos propuestos han influido decididamente o no en alcanzar el éxito de la empresa. Veamos estas respuestas una a una.

Espíritu innovador y actitud estratégica (liderazgo)

Resumiendo lo observado en los casos precedentes y las propias conclusiones de cada uno de ellos, es evidente que en su mayoría, por no decir en su totalidad, este factor ha sido determinante.

Siguiendo el orden de los casos presentados, hay que destacar la importancia del binomio liderazgo-cultura protagonizado por la alta dirección de Conservera Campofrío y clave de su éxito. No menos importante es la presencia destacada de la función empresarial o *entrepeneurship* en Chupa Chups, en su sentido más *schumpeteriano,* y que se concreta en su fundador Enrique Bernat y en su Consejo de Administración de base familiar. Igualmente sucede en el grupo Domecq, en que dicho «espíritu y actitud» han venido representando el motor de su crecimiento.

Un caso parejo al de Chupa Chups puede ser el de Freixenet, en donde el «liderazgo» familiar cobra gran importancia, exigiéndose una innovación permanente y unas actitudes emprendedoras singulares, las cuales han sido desempeñadas en su larga historia por algunos miembros de la familia Ferrer-Sala.

Mención aparte merece el comentario de Automóviles de Luarca, S. A., una empresa que desarrolla su éxito gracias al liderazgo de su alta dirección, magistralmente conducida por su consejero delegado José Cosmen. Empresa que con una dimensión bastante menor que las detentadas por las otras empresas consideradas, en cambio presenta resultados estratégicos sorprendentes.

La empresa Construcciones y Contratas, hoy Fomento de Construcciones y Contratas, tras su fusión con Focsa, es una muestra evidente de que cuando en su dirección existía esta función de «liderazgo», la empresa ha logrado cotas importantes de éxito, y situaciones conflictivas en caso contrario. Entender este caso, como hemos dicho, requiere conocer el del Grupo El Corte Inglés, empresa paradigmática en estos momentos en España y que viene explicando la importancia del «liderazgo» para asegurar el crecimiento durante décadas, primero gracias a la mano maestra de su fundador, hoy ya fallecido, Ramón Areces y, segundo, gracias a Isidoro Álvarez y a un grupo de eficientes profesionales que constituyen su Consejo de Administración o la «alta dirección», desde hace ya muchos años, de la primera empresa privada española por volumen de ventas.

Finalmente, hay que terminar este factor del éxito resaltando la importancia de José María Pérez Nievas como representante carismático del «liderazgo» de Ceselsa, empresa que ha crecido innovando permanentemente y que en la actualidad está ultimando su fusión con

Inisel, empresa pública con la que se espera constituir un grupo potente de la electrónica nacional.

Estilo de dirección flexible, creativo y profesionalizado

Este factor aparece con gran relevancia en muchas de las empresas que hemos agrupado en este punto sobre el papel de la estrategia de crecimiento.

Así, por ejemplo, es evidente en una empresa como Campofrío, como en Chupa Chups, Alsa y Freixenet, y sobre todo en casos como son los de El Corte Inglés-Hipercor y Ceselsa. Sin que ello nos lleve a olvidar, por su aparente menor presencia, los de Pedro Domecq y Construcciones y Contratas.

Misión de la empresa y cultura organizativa

Muy unido al primer factor del éxito propuesto, siempre aparece éste, sobre todo cuando las empresas han llegado a una etapa significativa de su crecimiento.

En los estudios y entrevistas realizadas con directivos de las empresas analizadas, enseguida ha destacado con luz propia la gran importancia de la definición clara de la misión, así como de su permanente comunicación, la cual sólo se puede lograr con éxito si la dirección es capaz de desarrollar una cultura fuerte, integradora, participativa y orientada al cambio, como aceptación del difícil reto de nuestro tiempo.

Factor del éxito que ha sido muy importante para que empresas como Campofrío, Chupa Chups, Dragados y Construcciones, Pedro Domecq, Freixenet, Alsa, Construcciones y Contratas, El Corte Inglés y Ceselsa hayan logrado un crecimiento sostenido y equilibrado, además de importante, en comparación con sus competidores más inmediatos.

Cultura que, en muchos casos, como los de Campofrío, Chupa Chups, Freixenet e, inclusive, El Corte Inglés, puede residir en el gran papel de la «familia» fundadora y directora de la empresa.

Organización eficiente y adaptativa (flexible)

Es obvio, las más de las veces, que cuando una empresa dispone de una dirección flexible y creativa su organización también será flexible, por tanto, eficiente, eficaz y adaptativa, virtudes esenciales para poder competir en los momentos actuales.

Si empresas, entre otras, como Campofrío, Chupa Chups, Freixenet, Alsa y El Corte Inglés no tuvieran este tipo de organización, con independencia de su tamaño, es evidente que su *eficiencia* no hubiera sido la misma. Es aquí donde estriba la mayor dificultad en una empresa de gran dimensión, como son algunas de las citadas, el saber conjugar el tamaño con la eficiencia de su estructura organizativa, caso de Dragados y Construcciones, Pedro Domecq, Construcciones y Contratas y El Corte Inglés. Situación que, a priori, puede ser más fácil en empresas de menor dimensión, como son Chupa Chups, Alsa o Ceselsa.

Calidad de productos y de la gestión (calidad total)

Siempre en el diagnóstico sobre la competitividad de la empresa española se apunta que uno de sus puntos débiles reside en la calidad de sus productos y de su gestión, lo que, expresado en términos actuales, significa una escasa orientación a la calidad total. Pues bien, en las empresas estudiadas en este punto, esta situación no se da, sino todo lo contrario, se destacan por ser líderes en calidad.

En definitiva, hay que resaltar el papel que la calidad ha representado y representa en la estrategia de crecimiento de empresas, por ejemplo, como Conservera Campofrío, Chupa Chups, Freixenet, El Corte Inglés y Ceselsa.

Capacidad de innovación

Si una empresa dispone de una función empresarial auténtica *(entrepeneurship),* lo más normal es que se desarrolle la función de I+D, expresión de la capacidad de innovación que le permitirá competir con excelencia y una larga «supervivencia» o, en otras palabras, asegurar su crecimiento sostenido o a largo plazo.

La capacidad innovadora, tanto de producto, de proceso, como de gestión, ha sido determinante en empresas como Campofrío, Chupa Chups (recordemos su lema, la «totalogía»), Freixenet, Ceselsa e, inclusive, El Corte Inglés.

Orientación al mercado, al cliente

Recordábamos, también un poco más atrás, al inicio de esta última parte del libro, que una de las claves del éxito siempre ha sido si la empresa ha sabido orientar su gestión hacia el mercado y a un mejor conocimiento del cliente, de su cliente, lo cual le permite mejorar la calidad de servicio y de atención al mismo.

Posiblemente éste ha sido factor fundamental para el crecimiento y para el éxito, en suma, de empresas como El Corte Inglés, Campofrío, Chupa Chups y Alsa, entre otras. Es evidente que, en general, todas las empresas que ahora estamos considerando, no habrían mantenido ese ritmo de crecimiento durante tanto tiempo si no hubiera dispuesto de una buena dirección comercial o de marketing. Función en la que aparece con gran peso específico la realización de una buena distribución.

Solvencia y autonomía financiera

En casi todas las empresas estudiadas se ha podido observar que la disposición de una adecuada estructura financiera ha sido un factor que ha permitido apostar por una determinada estrategia de crecimiento, y con unas garantías de éxito, derivadas, la mayoría de las veces, del grado de libertad que ello confiere en todo proceso de formulación y elección estratégica.

En este sentido, y entre las empresas que estamos considerando, destacan excepcionalmente los casos de Campofrío, Dragados y Construcciones, Construcciones y Contratas y El Corte Inglés. En especial estas dos últimas empresas, cortadas en este sentido por el mismo patrón, son de retener por el escaso endeudamiento bancario total y, concretamente, a medio y largo plazo que presentan sus cuentas anuales durante una dilatada serie de años.

Productividad elevada y costes competitivos

En general, todas las empresas analizadas por su éxito con estrategias de crecimiento suelen mostrar posiciones comparativas muy ventajosas con los rivales de su sector, en cuanto a productividad y a disponer de unos costes altamente competitivos, a veces no los más bajos, pero sí, en cambio, con una buena relación calidad-precio, con la cual es difícil concurrir. Tal es el caso de empresas como Campofrío, Chupa Chups, Freixenet y El Corte Inglés, entre otras.

En estos casos analizados se ha venido demostrando con los gráficos correspondientes cómo la productividad ha sido mejorada a lo largo del tiempo, factor que ha generado la adecuada ventaja de coste que, sumada a otras asociadas con la diferenciación y a la especialización de los productos y servicios de estas empresas, ha provocado una combinación altamente exitosa.

Importancia y calidad de la información

Posiblemente en el «estado del arte» se haya olvidado en exceso este factor, salvo, por ejemplo, Brown y Weiner, aunque nosotros creemos que es capital.

Ello ha sido demostrado con el análisis de los casos presentados. En estas empresas, algunas líderes en el tema, como es El Corte Inglés, el papel que la información juega en sus estrategias de crecimiento ha sido determinante.

Éste es un factor que actúa de forma combinada o con efecto horizontal respecto a la mayoría de los anteriormente comentados. Sin una buena información, sin un buen diseño del sistema que la trata y analiza, es difícil que la comunicación, que la calidad, que la flexibilidad, que la innovación o que la orientación al cliente puedan alcanzarse con alguna garantía de éxito.

15.2. El éxito en las estrategias de internacionalización

Como es conocido, la empresa con éxito no sólo suele actuar en el mercado doméstico, sino que, como consecuencia de su propio crecimiento, acaba actuando en mercados exteriores, respuesta de una estrategia de diversificación internacional o de una vocación y actitud hacia la internacionalización.

El conjunto de empresas recogidas en esta obra se ha caracterizado por tener éxito con estrategias de crecimiento, aunque en el apartado precedente sólo nos hemos referido a un grupo importante y significativo de ellas, por ser posiblemente las más destacadas. En este mismo sentido, al hablar del éxito alcanzado a través de estrategias de internacionalización sólo vamos a comentar aquéllas en que éstas han contribuido de forma capital a lograr la excelencia.

Llegados a este punto, también decir que de las empresas elegidas algunas presentan poca actividad internacional en relación al volumen de negocio que desarrollan en el mercado nacional; un caso evidente puede ser el de Construcciones y Contratas y, si acaso, El Corte Inglés, aunque como se demuestra en el capítulo correspondiente esta escasez es más aparente que real.

En concreto, podemos señalar a empresas con importante actividad internacional y pilar para el éxito alcanzado, tales como: Campofrío, Dragados y Construcciones, Chupa Chups, Pedro Domecq, Freixenet, Alsa, Ceselsa y las «empresas de Lois», aunque éstas estén pasando por una mala coyuntura dadas las dificultades internacionales de estos dos últimos años.

Si antes comentábamos, en concreto en el apartado anterior, el papel que juegan los factores externos para las estrategias de crecimiento, en las de internacionalización creemos que son determinantes, es decir, más importantes. Veamos uno a uno los efectos de los mismos.

Oportunidades de mercado

Es evidente que tanto Conservera Campofrío como Dragados y Construcciones, Chupa Chups, Pedro Domecq, Alsa y Freixenet han sabido aprovechar con gran eficiencia las oportunidades en los mercados americanos, europeos, africanos y asiáticos en los que las mismas operan. Situaciones que son suficientemente explicativas en los casos analizados. En unos y en otros, las empresas han diseñado estrategias diversas de internacionalización, siendo de destacar por su secuencia ortodoxa la llevada a cabo por Freixenet. Dentro de las distintas modalidades y opciones, destacan el cómo han entrado directa e indirectamente en mercados difíciles, ejemplos claros de «mega-marketing», tal y como demuestran los casos de Campofrío para República Dominicana, Estados Unidos y Filipinas, o de Chupa Chups y Alsa para la República Popular China, e inclusive de Freixenet y Pedro Domecq para Estados Unidos y México.

Demanda expansiva agregada

En muchas ocasiones el éxito de una internacionalización se basa en saber identificar y medir las perspectivas de crecimiento de la demanda en un mercado exterior. Éste ha sido el caso del porqué de algunas de las inversiones directas efectuadas o de las asociaciones, alianzas y cooperaciones empresariales llevadas a cabo, caso de Campofrío, Pedro Domecq, Dragados y Construcciones, Alsa, Ceselsa y las «empresas Lois» en su mejor época.

Descubrimientos tecnológicos

A pesar de estar analizando empresas de sectores de tecnología madura, no por ello deja de ser importante que estas compañías han sabido apostar por la innovación y, sobre la base de la tecnología nueva relativa a su actividad, generar una ventaja competitiva para actuar en el mercado internacional, la cual ha sido positivada a partir de determinada ventaja comparativa nacional.

Tal es el caso de lo realizado por Chupa Chups, por Freixenet, también en algunas cuestiones de proceso y de producto nuevo por Campofrío, por Ceselsa y por las «empresas Lois». Apuesta tecnológica que ha permitido consolidar a la empresa en los mercados exteriores en los que actúa.

Nuevos recursos

Hablar de nuevos recursos no sólo indica hacer referencia a nuevos materiales o nuevas tecnologías de proceso, sino también a descubrir nuevos recursos financieros y nuevos sistemas de gestión. La existencia de esta innovación en los mercados exteriores puede facilitar el que una empresa innovadora y en crecimiento pueda aprovecharlo. Ésta ha sido la situación vivida por empresas como Campofrío, Dragados y Construcciones, Chupa Chups y Freixenet.

Políticas económicas de incentivación empresarial

Los diferentes países vienen llevando a cabo en los últimos años importantes acciones no sólo para desarrollar su tejido industrial, sino de incentivar la entrada de capital extranjero para que coopere a la modernización y crecimiento de su industria. Este fenómeno se viene acelerando como consecuencia de la mayor internacionalización de las relaciones económicas y de la globalización de los mercados internacionales.

De no haber sabido aprovechar estas políticas económicas, empresas como Campofrío, Dragados y Construcciones, Chupa Chups, Pedro Domecq, Alsa y Freixenet difícilmente hubieran alcanzado sus cotas de éxito actual.

En suma, hemos querido hacer patente la importancia de los factores externos en el éxito de la estrategia de internacionalización, pero es evidente, como ya hemos dicho, que sólo actúan como condición necesaria pero no suficiente, ya que si en la empresa no existen los factores internos del éxito, éste difícilmente se alcanzará.

Para llevar a cabo una *dirección eficiente* internacional es muy importante el «liderazgo», la fijación de la misión, la eficiencia organizativa, la calidad del producto, la orientación al cliente, trabajar con costes competitivos y disponer de una buena información sobre las fuerzas competitivas de los nuevos mercados.

15.3. El éxito en las estrategias de reestructuración

En la parte tercera de este libro hemos recogido a empresas que han presentado épocas iniciales o finales de problemas económicos y otras en donde han sido protagonistas de éxitos indudables, ejemplo de *dirección eficiente* según algunos de los enfoques dados en el «estado del arte».

También son el reflejo de empresas que basan su éxito en la formulación de una determinada estrategia de reestructuración. Son, evidentemente, situaciones muy distintas las observadas en Amper, en Camp y en las «empresas Lois». Por ello, es difícil mantener la línea argumental de lo que hemos venido efectuando en este capítulo de «conclusión de las conclusiones» efectuadas en cada uno de los casos estudiados. De todas formas, aceptamos el reto y procuraremos salir adelante, con el fin de no perder coherencia y ser rigurosos con el método pretendido en este libro.

Decíamos en el capítulo 1 que el éxito o la excelencia son situaciones a veces temporales o difíciles de mantener en el tiempo; esto es evidente, y ahora nos encontramos con situaciones que lo confirman, Amper, Camp, Sáez Merino y TYCESA. De lo que no cabe duda es de que estas empresas han dado signos evidentes de disponer de muchos de los factores internos del éxito: innovación, orientación al cliente, calidad de producto y costes competitivos.

En el caso de Amper hay que destacar que fueron los factores externos, los agentes frontera, los que venían constriñendo las posibilidades de éxito de la empresa. Cuando estas condiciones variaron, la capacidad innovadora y la eficiencia de la empresa empezaron a aflorar y la compañía comenzó a crecer y a alcanzar los resultados que le correspondían por su potencialidad estratégica. Todo ello, de la mano del éxito de una adecuada estrategia de reestructuración.

En el caso de Camp, la situación de pérdidas en que se encontraba la empresa era el producto de la combinación de las amenazas de un sector muy competitivo, en el que el tamaño y la internacionalización de la empresa son cuestiones básicas para el éxito, y de las propias debilidades de una empresa configurada con una dirección familiar y poco profesional, aunque en posesión de unos productos de una cierta calidad y una presencia no desdeñable en el mercado nacional e inclusive apuntando hacia el internacional. Empresa que, de la mano de su fundador, manifiesta un cierto éxito, que comienza a deteriorarse con su muerte y a sufrir las consecuencias de un crecimiento no controlado. Con este punto de partida, hablar en este caso de *dirección eficiente* radica en la observación del éxito de una estrategia de reestructuración, en parte revolucionaria, en la que la recuperación de la cuenta de resultados y el crecimiento de la empresa iban en contra de todos los pronósticos.

En el caso de las «empresas de Lois», el protagonismo es para el producto, para el crecimiento de su demanda y su éxito internacional, a partir de una evidente calidad, consecuencia de su innovación y del saber aprovechar las oportunidades de mercado y la demanda expansiva y agregada tanto en el doméstico como en los exteriores. Con todo ello, el éxito se centró en su internacionalización y en la buena posición competitiva e imagen alcanzadas en mercados muy competitivos, como pueden ser los Estados Unidos y Francia.

En este caso, como en el anterior, gran parte del «fracaso del éxito» inicial proviene de la ruptura familiar, de la desavenencia de la dirección, constituida por una identificación de la estructura de propiedad y de control. La necesidad de una estrategia de reestructuración para las «empresas de Lois» fue evidente, la cual ha ido pasando por diversas situaciones, de éxito y de fracaso; culminadas con la aparición de serias dificultades financieras, producto, en parte, de los propios problemas del sector y de la coyuntura internacional. De lo que no cabe duda es de que la capacidad y la experiencia de estos empresarios valencianos apuntan a una salida de la crisis y a retomar el éxito que detentaron durante muchos años.

Si bien en los tres casos se observan circunstancias y etapas distintas de éxito-fracaso, justificadores de las estrategias de reestructuración, no es menos obvio que surgen coincidencias notables, tanto desde la perspectiva de los factores externos como de los internos, influyentes para la calificación de lo que hemos venido definiendo como *dirección eficiente.*

Como factores externos, en su dimensión positiva, hay que destacar la importancia de las oportunidades de mercado y el comportamiento de la demanda que llevan a estas empresas a alcanzar procesos de crecimiento rápido e importante. También los factores externos se han manifestado negativamente, tanto para desencadenar la crisis como para poner las bases del inicio del éxito de la reestructuración. En general, las amenazas competitivas de lo que venimos conociendo como «agentes frontera» (clientes, proveedores de todo tipo y poderes públicos, entre otros) aparecen como protagonistas, especialmente de la mano cuando coincide el cliente con la Administración Pública, caso de Amper, o cuando el poder negociador lo protagoniza el «proveedor financiero», en situaciones de un fuerte endeudamiento, para sostener el crecimiento rápido de las empresas, caso de Camp y de las «empresas de Lois». También hay que señalar que, en los tres sectores en que operan estas empresas, la estructura y rivalidad competitiva son factores permanentes de amenaza, tanto por las tendencias globalizadoras para Amper y Camp como por la sensibilidad a la crisis para Sáez Merino y TYCESA.

En cuanto a los factores internos, es indudable que el punto de partida explicativo del éxito se apoya en la capacidad de innovación y en la calidad del producto, a la vez que en una buena orientación al mercado y una destacable productividad, consecuente con la innovación del proceso. En determinadas épocas, especialmente las iniciales del éxito, tampoco hay que olvidar la presencia ineludible de un «espíritu innovador» y una actitud estratégica en la familia fundadora y, muy especialmente, en el que vino actuando como «líder» de la misma.

El «fracaso del éxito» en los tres casos vino de la mano de los problemas derivados por la falta de presencia de otros factores internos, que más tarde o más temprano afloraron, y fueron los que provocaron la necesidad de la formulación de las correspondientes estrategias de reestructuración. Nos estamos refiriendo a los siguientes:

— La falta de consolidación de un estilo de dirección profesionalizado y separado de la influencia familiar.
— La ambigüedad y poca concreción de la misión y de una cultura organizativa adaptada al entorno actual.
— La solvencia y autonomía financiera.

Posiblemente, este último factor, en los tres casos analizados, sin olvidar el efecto de los otros evidenciados por los conflictos familiares, haya sido el desencadenante de los problemas empresariales en fases intermedias o en fases finales de las correspondientes estrategias de reestructuración, caso de Amper y Camp, o de las «empresas Lois», respectivamente.

Con estas conclusiones sólo hemos querido también insistir en lo esquivo del éxito, en su carácter efímero, pero también en la gran importancia que tienen, para volverlo a encontrar, la experiencia vivida y la permanente confluencia de los factores del éxito propuestos, sin la que será difícil poder sostener la calidad de lo eficiente, es decir, la *dirección eficiente*.

Bibliografía

AECA: *El objetivo eficiencia de la empresa,* Principios de Organización y Sistemas, documento núm. 1, AECA, Madrid, 1985.

AECA: *La competitividad de la empresa,* Principios de Organización y Sistemas, documento núm. 4, AECA, Madrid, 1988.

AECA: *El crecimiento de la empresa,* Principios de Organización y Sistemas, documento núm. 6, AECA, Madrid, 1992.

Arruñada, B.: *Economía de la empresa: Un enfoque contractual,* Ariel, Barcelona, 1990.

Auletta, K.: «The Art of Corporate Success», *Summit Books,* Nueva York, 1983.

Bonet Ferrer, J. L.: «Las reglas de oro para competir en el Mercado Único Europeo», II Jornadas, *El Nuevo Lunes,* Madrid, 1989, págs. 93-102.

Bradford, E., y Cohen, D.: *Managing for Excellence,* Wiley, Management Series, Nueva York, 1989.

Brown, R., y Weiner, E.: *Supermanaging,* McMillan, Nueva York, 1988.

Bueno, E., y Valero, F. J.: *Los subsistemas de la organización,* documento IADE, número 2, Madrid, 1985.

Bueno, E.: «Aspectos organizativos y estilos de dirección en las estrategias de las empresas españolas», *Economistas,* núm. 28, octubre-diciembre 1987, págs. 22-26.

Bueno, E. (Ed.): *La competitividad de la empresa española,* monografía 12, AECA, Madrid, 1989.

Bueno, E.: *Dirección estratégica de la empresa,* Pirámide, Madrid, 1991, 3.ª edición.

Buzzell, R., y Gale, B. (Eds.): *The PIMS Principles,* SPI, Cambridge (Mass.), 1987.

Cacho, J.: *Asalto al poder,* Ed. Temas de Hoy, Madrid, 1988.

Dauder, E.: *Los empresarios,* Dopesa, Barcelona, 1974.

Deal, T., y Kennedy, A.: *Corporate Culture,* John Wiley and Sons, Nueva York, 1982.

Deal, T., y Kennedy, A.: *Corporate Success,* John Wiley and Sons, Nueva York, 1985.

Forbes: *36th Annual Report on American Industry,* Nueva York, 1984.

García Abadillo, C., y Fidalgo, L. F.: *La rebelión de los Albertos,* Ed. Temas de Hoy, Madrid, 1989.

Kopelman, R.: *Managing Productivity in Organizations,* McGraw-Hill, Nueva York, 1987.

Kotter, J.: *The General Managers,* Pitman Publ., Nueva York, 1986.
LBS Research Team: *The World's Best Companies,* London Bussiness School, Londres, 1990.
Levitt, T.: *The Marketing Imagination,* The Free Press, Nueva York, 1983.
McCormack, M. H.: *Los secretos del éxito,* Grijalbo, Barcelona, 1989.
McKinsey Report: *Top Performance Companies,* Nueva York, 1984.
Melendo, T.: *Las claves de la eficacia empresarial,* Biblioteca de Gestión, 1990.
Morcillo, P.: *Análisis de la empresa Ceselsa,* CDTI, Madrid, 1990.
Morcillo, P.: *La dimensión estratégica de la tecnología,* Ariel, Barcelona, 1991.
Mundel, M.: *Improving Effectiveness,* McMillan, Nueva York, 1983.
Peters, T. J., y Waterman, R. H. Jr.: *In Search of Excellence,* Harper & Row, Nueva York, 1982 (versión española: *En busca de la excelencia,* Plaza & Janés, Barcelona, 1984).
Peters, T. J., y Austin, N.: *Pasión por la excelencia,* Folio, Barcelona, 1985.
Peters, T. J.: *Del casos a la excelencia,* Folio, Barcelona, 1987.
Porter, M. E.: *Ventaja competitiva,* CECSA, México, 1986.
Porter, M. E.: *Las ventajas competitivas de las naciones,* Plaza & Janés, Barcelona, 1991.
Quinn, R. E.: *Beyond Rational Management,* Jossey Bass Management, San Francisco, 1988.
Schein, E.: *La cultura empresarial y el liderazgo: Una visión dinámica,* Plaza & Janés, Barcelona, 1988.
SPI: *Profit Impact of Market Strategy (PIMS),* Cambridge (Mass.), 1985.
Thompson, S., y Wrigth, M.: *Internal Organization, Efficiency and Profit,* Lexington Books, Londres, 1988.
Viedma, J. M.: *La excelencia empresarial,* McGraw-Hill, Madrid, 1992.
Whiting, E.: *A Guide to Business Performance Measurements,* McMillan, Nueva York, 1990.
Zammuto, R.: *Assesing Organizational Effectiveness,* McGraw-Hill, Nueva York, 1988.

TÍTULOS PUBLICADOS

AL OTRO LADO DE LA ECONOMÍA. Cómo funciona la economía sumergida en España, S. M. Ruesga.
BANCA DEL FUTURO, LA, E. Bueno y J. M. Rodríguez Antón.
BANCA EN ESPAÑA, LA. Un reto para 1992, J. M. Rodríguez Antón.
COMERCIO INTERNACIONAL. INCERTIDUMBRES Y SOLUCIONES, EL, R. Boixadós.
COMERCIO INTERNACIONAL Y PARAÍSOS FISCALES, P. Arrabal.
CULTURA DEL DINERO, LA, M. Lewis.
DIRECCIÓN EFICIENTE, LA, E. Bueno y P. Morcillo (2.ª ed.).
EMPRESA EN LA PERESTROIKA, LA. Un nuevo marco económico y legal, J. Lizcano Álvarez.
FACTOR AMBIENTAL, EL. Su impacto en el futuro de la economía mundial, M. Silverstein.
FACTORING Y FRANCHISING. Nuevas técnicas de dominio de los mercados exteriores, M. Bescós Torres.
GESTIÓN DE LA I+D, LA. Una estrategia para ganar, P. Morcillo.
GRANDES RETOS DE LA ECONOMÍA ESPAÑOLA EN LOS NOVENTA, LOS, M. P. Sánchez Muñoz (coordinadora).
1993. ESPAÑA ANTE EL MERCADO ÚNICO, S. M. Ruesga (coordinador).
RETO INFORMÁTICO, EL. La gestión de la información en la empresa, I. de Pablo López.
SISTEMA JUST IN TIME Y LA FLEXIBILIDAD DE LA PRODUCCIÓN, EL, T. M. Bañegil.
USOS Y ABUSOS EN LA BANCA ESPAÑOLA, J. Junyent (3.ª ed.).